金陵全書

甲編・方志類・府志

康熙江寧府志（三）

（清）于成龍 纂修

南京出版社

江寧府志卷之二十一

科貢下

句容

唐　進士

會昌　胡悅國子監助教

宋　進士

慶曆二年　張識

張諮

熙寧九年　江適道

楊之道

巫越

政和八年徐時昇贈中奉大夫

紹興八年巫孝立

巫伋叅知政事

紹興十二年苗昌言

江漢

紹興十八年江賔王翰林編修

紹興二十一年湯彥昇

巫克恭

淳熙二年 巫孝傑

咸淳七年 徐桂子 縣尉

胡廷桂

元

進士

夏道山 年無考

明

進士　舉人　歲貢　叙蔭 附年缺

洪武三年　趙權 見進士

洪武四年 趙權 知縣金陵人物志作二十四年

洪武十七年　凌輅 見進士

吳斌見進士

洪武十八年 許晉

凌輅知府

洪武十九年 洪深御史

洪武二十年 陳彝

洪武二十一年 湯恭

洪武二十四年 吳斌知府 張經僉事

洪武二十六年 潘振州學正

洪武二十七年 周廸郎中

洪武二十八年 王敏州判

洪武二十九年　嚴箎訓導　李鐸

洪武三十年　陳錡

建文元年　湯寶知州

建文二年　劉永知州

永樂元年　范進見進士

王鼎訓導

陳壽訓導

尹鑑訓導

永樂二年　范進知縣

永樂三年　張逵御史

王原

劉濬　見進士

陳申　衛經歷

永樂四年

許安　僉事

永樂五年

巫潤　知縣

永樂六年

吳禧　知州

永樂七年

嚴信　施馬少卿

永樂九年

曹義　見進士

巫泰　府檢校

吳謙　通判

陳遜　府同知

永樂十年 劉濬御史

永樂十一年

永樂十二年 謝璘見進士 徐豫

永樂十三年 曹義編修南吏部尚書 樊繼知州

高志提學僉事

謝璘郎中

永樂十四年 周順州判

永樂十五年 曹暹教諭 陳熙

永樂十六年 張銘員外郎 胡定衛經歷

周禮府同知

永樂十七年　武傑

永樂十八年　胡諒訓導　包輝

王煥州學正

永樂十九年　許懋知縣

永樂二十二年　徐縉知縣　王哲

宣德元年　潘延詩魁南太僕寺丞

朱珉知州

劉能教諭

宣德五年　張亨

宣德六年　江渺

宣德七年　孔詵知縣

宣德八年　楊敏知縣

宣德九年　嚴旭府經歷

宣德十年　張諫雲南禮記魁見進士　倪睿知縣

正統二年　吳琰

正統三年　李質教諭

正統四年　張諫赤水衛籍提學　蔡澄教諭

御史順天府尹

正統七年　王賓通判

正統九年　張紳見進士　茅容

嚴純州學正

王永寧府經歷

正統十年　張紳南御史參政

正統十一年　陳福通判

正統十二年　居輔通判　强和所吏目

樊諒知縣

正統十四年　劉惠縣丞

景泰元年　華禎 訓導

王韶 州同知

孔彥倫 通判

包文學 府同知

曹景 見進士

景泰二年　曹景 御史副使　周良 縣丞

景泰四年　王紱 教諭

高清 知州

姚寧 運司判官

景泰五年　張昂 知縣

景泰六年 曹隴 知縣

景泰七年 蘇潤 知縣

高謣 知縣

天順三年 徐玉

石堅 順天鄉試

天順六年 戴仁 亞魁見進士 王鐸 府教授

胡漢 教諭 凌傅 見舉人

李澄 教諭 呂靄 衛經歷

曹瀾 見進士 孫琦 訓導

王驄 主簿

經緯 知縣

笪縉 訓導

陳泰 訓導

許潤 局大使

經文憲 知縣

天順八年 曹宏 錦衣衛籍御史副使

陳釗 訓導

成化元年 王璿 知縣

張恪

成化二年 戴仁 提學御史

陳鉞 知縣

成化四年　陳瑢訓導

成化五年　許暠雲南廣南衛籍知縣

成化六年　曹祖齡

成化七年　淩傳順天鄉試知縣

成化八年　張悰

成化十年　湯鼐春秋魁見進士　吳觀

孫傑知縣

成化十一年　曹瀾景之子知州

湯鼐壽州籍御史

成化十二年　鄒綸

成化十三年　李永亨推官

成化十四年　楊最訓導

成化十六年　張憓

成化十八年　張緯訓導

成化十九年　趙欽見進士

居軫訓導

成化二十年　倪綱會魁行人　許濙

高平錦衣衛籍知縣

成化二十二年　徐欽詩魁　陶貴訓導

弘治元年　張瓘府經歷

弘治元年　魯鉞府同知　張恬知縣年無考

楊鉞見進士　孔祖福

弘治三年　楊鉞知縣

趙欽南給事中

弘治五年　王相教諭

弘治九年　周祚

弘治十年　戴玭州判

引治十一年　曹銓　徐永賢

蘇邀

弘治十一年 許玹教諭

唐景和

弘治十四年 夏克義知府

弘治十五年 曹崑順天魁行太僕卿 曹淇府經歷

弘治十七年 華忠舉鹽課提舉 王景訓導

正德二年 曹濛員外郎 孫貫教授

正德三年 曹鏠僉事

正德十五年　阮希晉

正德七年　高巘教諭

正德九年　華武

正德十年　楊廸教諭

正德十一年　鄒志學府同知

王韡見進士

楊沔見進士

朱福順天鄉試大興籍鴻臚少卿

正德十二年　曹鐩武進籍會亞魁

凌譔州判

王暐 戶部尚書

正德十三年 陳詔 按察經歷

正德十四年 劉鳳 見進士 張本學 教諭

嘉靖元年 徐仲榮 訓導

嘉靖二年 張鵬

嘉靖三年 楊時舉

嘉靖五年 樊廣 教諭

嘉靖七年 許琮 訓導

嘉靖八年 劉鳳 主事

楊沔 按察使

嘉靖九年　嚴表　訓導

嘉靖十年　李春芳　見進士

許彥忠　見進士

嘉靖十一年　居瓚　州判

嘉靖十二年　陶震　州同知

嘉靖十三年　曹鋥　知縣

嘉靖十四年　朱尚質　瀋陽中衛籍

嘉靖十五年　王訥　州判

嘉靖十七年　許玒　訓導

嘉靖十八年　王文獻

嘉靖十九年　張錦知州　楊諤訓導

嘉靖二十一年　居瑶

嘉靖二十二年　張梅知縣

嘉靖二十三年　許彥忠參議　戎詔

嘉靖二十五年　王朴知縣　蔣梁　王誠尚書韓子

蔣國賓廣南衛籍雲南鄉試府同知

嘉靖二十六年　李春芳興化縣籍一甲第一名少師中

極殿大學
士

嘉靖二十七年　丁鶴　訓導

嘉靖二十八年　趙科　知縣

嘉靖二十九年　姚廷鳳

嘉靖三十一年　江文煥

嘉靖三十二年　江奎　遼東廣寧衛籍
知府

嘉靖三十三年　居琬　訓導

嘉靖三十四年　曹存　知州
經儒　知縣

嘉靖三十五年 夏璘 訓導

嘉靖三十七年 徐瑚 訓導

嘉靖三十九年 王輅 教諭

嘉靖四十一年 許家 訓導

嘉靖四十三年 栢鳳鳴 教諭 李茂年 尚寶司丞

嘉靖四十四年 笪東光 江西東鄉籍右給事中 李茂德 中書舍人俱少師春芳子

嘉靖四十五年 曹俅

隆慶二年 楊言 給事中 曹介

高一登 山東清平

衛籍主事

隆慶三年　楊講縣丞

隆慶四年　高寅

隆慶五年　王敬民河南西華籍推官巡撫南贛

隆慶六年　黃鏊訓導

萬曆元年　陳榛亞魁　朱邦奇

笪守心安慶籍

萬曆二年　夏珂

萬曆四年　徐言　戴思順

萬曆七年　曹孝述 存之子
曹楷　李一孝 廣德訓導
萬曆八年　陳榛 南京戶部郎中　許堯咨 星子知縣　紀橋 漳平知縣
王嘉賓 福建道御史　曹友貞
張應皋 寧國訓導
萬曆十三年　王聘賢 戶部司務　王嘉賓 歙縣訓導
張問仁 合肥訓導
潘一夔
王之政 武寧教諭
萬曆十九年　笪繼盛　張榜 見舉人

李思誠見進士　齊瘠

李思敬　孔貞時見進士

楊瑞麒　徐朝賓桐城訓導

萬曆二十六年　李思誠禮部尚書　王裕

胡懋龍建平教諭

萬曆三十一年　張榜經魁　周維新

王祚遠見進士　華一科

萬曆三十四年　孔貞時見進士　許應極

胡嘉猷鳳陽教授

萬曆四十一年　曹可明見進士　張從政

孔貞運見進士 何大有平陽訓導

陳有威 王泮無爲州訓導

徐行恕 華遇春

萬曆二十二年 孔貞時會魁四名翰林院檢討祀鄉賢 史文奎

王祚遠吏部侍郎 王學聖

楊棟朝吏部給事中 王應科

萬曆四十三年 李長華改名嗣京見進士

萬曆四十四年　孔貞運第一甲二名，歷官少保、禮部尚書、文淵閣大學士，謚文忠，祀鄉賢　李自芳

施增

張明熙見舉人

芮士元常州府教授

萬曆四十六年　李喬見進士

萬曆四十七年　李喬兵部右侍郎　孔貞臣知

孔榮宗湖廣副使　齊雲翰常州訓導

天啟元年　楊弘道改名瓊芳　趙成治

見進士　王愷開封府判

李長敷

李清見進士

天啟二年　曹可明會試第二名廣西叅議

葛元素霑化知縣

李長開南昌知府

天啟七年　張明熙見進士

徐正心靖江教諭

李長倩見進士

曹可暹當塗教諭

李長似高淳教諭

孔貞會汝寧道僉事

崇禎元年　李嗣京監察御史巡按福建

呂應選徽州訓導

張駿業鎮江府教

授

崇禎四年　李清　戶科給事　黃達士　見舉人

崇禎七年　李長倩　福建提學　戴在中　慈谿知縣

楊森　賜御進士

崇禎十年　台汝励　戶部郎中　李長科　懷集知縣

文章著名

崇禎十二年　李長祚　樊士寬

高鵬南　見進士山　陳敦信　知縣

東籍　王晉錫

戴文峯　國子監助　汪士俊

教　李信

黃達士霍丘教諭　王度

崇禎十三年　楊瓊芳會試第一名中書科中書舍人

大清

順治二年　高鵬南會魁福建道中吏科給事中

王自新湖廣提學　陳繩舜吳江教諭

居於朝肅寧知縣　張素履

王士弘五河教諭

張士騏

順治五年	楊元勳見進士	孫詔
	胡允見進士	朱家禎巢縣訓導
	李什	徐鼎訓導
順治六年	胡允知府	楊一棟府經歷
	楊元勳聖調醴陵知縣	李渭揚州訓導
	笪祖齡	王明道
順治八年	張芳	高曠中書
	潘淵	陳茂勳
	笪重光見進士	宣穎
	李挽河	李挽河見舉人

順治八年　笪重光 在華監察御史　徐廸 維吉

張芳 菊人任湖廣常寧知縣　陳所蘊 爾章

李瀕 來紫

順治十一年　朱朝幹 解元改名獻醇　曹可屏 茂邦

戴之白 公雪

戎正中

順治十八年　徐誥武 孟樞金壇籍句容人　陳嘉鑰

王珏

康熙八年　王復宗 元一貴州　朱紱

籍句容人
王繼宗壬子選貢
經大經
康熙二十年
趙昌祚孚蒼
張玉珩乙卯恩貢
王鳴昌
高尚志
黃暹士
張明煜

溧陽

宋進士

太平興國八年周絳都官員外郎知府事

熙寧十年潘温之

紹聖元年　許子美

潘絳　温之子知縣事年無考

崇寧五年　秦濟

政和元年　錢時敏　敷文閣待制

秦梓

建炎二年　錢周材　給事中直學士院

李朝正　知府事

紹興二年 劉樞

潘祺 州司户

紹興十八年 周彥

紹興二十四年 趙公彬

乾道五年 沈鑑

淳熙五年 張衡

淳熙八年 張逢辰

嘉定七年 潘彙征 知縣事

嘉定十年 吳箴

嘉定十二年 趙彥倓

嘉定十五年　錢應高

楊俊　勑令掌翰林院

年無考

咸熙　湯德俊　推官年無考

元　進士

延祐二年　偰哲篤　叅知政事

延祐五年　偰玉立　肅政廉訪司使

至治元年　李士良　州判官

偰朝吾 同知州事

泰定元年 偰直堅 縣尹

泰定四年 偰善著 行省檢校

偰列虎 縣尹

至正元年 偰燾 哲篤子翰林編修兼正字

至正十一年 嚴瑄 縣丞

明 進士 舉人 歲貢 敘蔭

吳元年 偰斯 吏部尚書

洪武十八年 陳豫 普守道 廉訪

使仲淵子通判

洪武十九年　雎友直府知事年無考

洪武二十二年　楊偉

洪武二十四年　羅安郎中

洪武二十七年　朱毅知縣

洪武二十八年　蔣完

洪武二十九年　馬驥知縣　徐文英御史按察

陳儒府照磨　副使

陳鎰

洪武三十一年　陳善衛經歷

建文元年
王潚 知縣
彭守學 州學正
潘鵾 副使
謝嘉
鍾冋 推官陞知府
史彬 見進士
史復 知縣

永樂元年
張誠 知縣

永樂二年
史彬 知州

永樂三年
馮安

永樂四年
狄蒙 知縣

永樂五年　呂和主事　史壽改名輝給事中

永樂六年　史詠見進士　左叅政

永樂七年　王謙知縣

永樂八年　張祺知縣

楊瑛見進士　彭燧府同知

黃琮府教授

錢敏知縣

黃玉訓導

錢覺

永樂十年 史詠 知府 徐齡 鹽課提舉

永樂十一年 高禧

永樂十二年 史常 見進士 鄧詢 知縣

把士聰 伴讀

馬進 訓導

永樂十三年 史常 知府 蔣遜 州判

永樂十四年 宗適

永樂十五年 周琮

永樂十六年 楊瑛 府教授

永樂十七年 郝宮

永樂十八年		王琳見進士	楊剛御史僉事
		陳長	
永樂十九年			劉昭
永樂二十一年		史曆郎中	
		遜達訓導	
永樂二十二年	王琳提學御史參政		曹友昌
宣德元年		史巘教授	
宣德二年			蔣毅通判
宣德五年			羅亨府知事
宣德七年			羅振知縣

宣德八年　周鼎

宣德九年　史良　縣丞

宣德十年　宋璉　府同知

正統三年　芮釗　順天鄉試見進士　房相　通判

正統五年　史策　縣丞

正統七年　芮釗　寶坻籍副都御史　周震

正統九年　史俊

正統十一年　狄惠　知縣

正統十三年　王鑑知縣

景泰元年　彭麟縣丞　戴昇大常卿慶祖姪

景泰二年　楊禮　員外郎

景泰三年　蔣著知縣

景泰四年　呂旻和之子知縣　陳簡

彭鼎教諭

王貞知縣

楊靓推官

景泰五年　房懋

景泰七年　庚珏　强賢

天順二年

呂⿰言奐

天順三年

史紘 常之子

王銘 衛經歷

天順四年

蔣輅

孫碩 縣丞

天順八年

強珍 順天鄉試見進士

楊紹 知府

蔣德政 順天府治中

馬清 衛經歷

史遷 訓導

史憲 主簿

趙奎　縣丞

天順八年　楊遜　訓導

成化二年　強珍　滄州籍僉都御史　周鎬

成化四年　陳衍

成化六年　吳琚

成化七年　陸錫

成化九年　戴晨　府經歷

成化十年　陳鉞　見進士　徐宏　縣丞

繆樗　見進士

馬英 知縣

成化十年　繆樗 南御史

陳鉞 知縣

成化十二年　岳嵩

成化十三年　達雲

達洪

成化十四年　鄭芳 衛經歷

成化十六年　虞賓　史誤 訓導

成化十八年　呂恪 主簿

成化十九年　陳璞 知縣

成化二十年　史顯衛經歷　戴愈慶祖姪孫

成化二十二年　史禦更名後見進士　房寶訓導部檢討

余洙見進士

史學見進士

潘楷順天鄉試見進士

胡汝礪陝西鄉試見進士

成化二十三年　胡汝礪咸寧衛籍兵部尚書

史學叅政

潘楷錦衣衛籍庶吉士御史布政司

弘治元年　芮聰

弘治二年　馬性魯書魁見進士

余溢

陸徵見進士

弘治三年　陸徵御史叅政

弘治五年　胡汝楫陝西鄉試　庚誠知縣

見進士

弘治七年

經濟

弘治八年

彭鵾

弘治九年

史後 給事中進光祿少卿

史華

余洙 吏部主事

史愉

弘治十年

弘治十七年

楊奇 復姓蔣推官

方徵 以下縣志缺年

胡侍 陝西鄉試見進士

史慶

史玭 按察司經歷

弘治十八年 胡汝楫 寧夏左衛籍知縣　黃必遇 州吏目

蔣寔

狄璋 府照磨

謝諤

黃文昌

正德二年 狄見 見進士　戴德 訓導

正德五年 史簠 知縣　馬從誨

彭翊 順天魁　陸徽

正德六年 馬性魯 會魁給事中知府　湯璧 縣丞

史鏊

正德八年 楊珙 復姓蔣見進士 方元範

正德十一年 彭謙 見進士 湯旻 知縣

郝鳳 雲南鄉試 湯弼 知縣

知縣

胡侍 汝礪子咸寧縣

籍

蔣珙 僉事

嘉靖元年 蔣廷璧 貴州鄉試 戴金 縣丞以下具

晉安衛籍 年

國子學正

嘉靖二年 狄冲 郎中 呂玉 通判

嘉靖三年　史昊通判

嘉靖四年　繆希亮見進士

史際見進士

嘉靖五年　史晃知縣

嘉靖七年　史伋　王紳

馬章改名震章見進士

馬一龍順天解元

見進士

胡萬里陝西鄉試

嘉靖八年　馮彬　廣東雷州衛籍　按察副使

胡萬里　咸寧縣籍　知府

嘉靖九年　繆希亮　未廷試

方元吉

嘉靖十年　馬從諫　順天解元

何　湖廣鄉試見進

士

嘉靖十一年　史際後之子，吏部主事，進太僕少卿　史鉉

嘉靖十二年　逵炳通判

嘉靖十四年　胡叔元陝西鄉試

嘉靖十四年　馬從謙光祿少卿，見進士　胡叔元汝楫孫，咸寧縣籍

嘉靖十五年　彭若思鴻臚署

年		
嘉靖十六年		彭若龍詡之子
		蔣宗魯貴州鄉試
		見進士
嘉靖十七年	蔣宗魯廷璧子副都御史	史銑教諭
嘉靖十八年		史治訓導
嘉靖十九年	高裕苑馬監正	史文奎縣丞
嘉靖二十年		滕祚
嘉靖二十一年		蔣譯推官
嘉靖二十二年	秋斯彬見進士	

朱纁見進士

嘉靖二十三年 彭謙

史籍主簿

馬震章按察副使

何璋夷陵籍知府

嘉靖三十五年

張翰翔見進士

史汴縣丞

湯憲雲南鄉試

嘉靖二十六年 馬一龍南司業

狄斯彬御史左參議

嘉靖二十七年

呂光通判

嘉靖二十八年	王亮采 知州	
嘉靖二十九年		魏文鳳 教諭
嘉靖三十一年	馬有騅 兵馬推揮	李夔 教諭
	芮元寀 寶坻籍順天鄉試	
	郝知年 雲南鄉試	
嘉靖三十二年		鍾祖齡 教諭
嘉靖三十五年		呂景利 教諭
嘉靖三十七年	鍾士榮 主事	高仕 府照磨
	郝知禮 雲南鄉試	

嘉靖三十八年 朱鍾 尚寶司丞

張翰翔 僉事

嘉靖三十九年 包思學

嘉靖四十年 馬震伯 一龍子

狄同烇 斯彬子

鍾遐齡 見進士

蔣思忠 貴州鄉試

宗魯子

蔣思孝 貴州鄉試

見進士

年			
嘉靖四十一年			彭适知
嘉靖四十三年		陳善知縣	劉序州學正
嘉靖四十四年	蔣思孝宗魯元員外郎		
嘉靖四十五年			葛佪教諭
隆慶元年		史繼志見進士	
隆慶二年	鍾遐齡知縣		楊道延縣丞
隆慶三年		朱	史繼辰見舉人
隆慶四年		朱黙	袁端化見舉人
		錢美中	

袁端化 順天鄉試
知縣

隆慶五年 史繼志 主事

隆慶六年 陳家肇 知縣

萬曆元年 蔣立敬 長史 狄同然

狄同然 順天亞魁

萬曆二年 知縣陞審事 芮大愚

萬曆四年 史繼辰 易魁 朱應龍

呂重慶 改名昌期

萬曆五年 史繼辰 浙江布政 詳進士

萬曆七年	馬震述	孫學曾
	戴維城 撫州推官	宋臣熙
		强中孚
萬曆十年	伏獻明	李端芳 河南通判
萬曆十一年 史孟麟 太僕卿		强安慶 武義知縣
萬曆十六年	滕養志 建寧知縣	陳翹翰
		馬巽衢 沅州知州
萬曆十九年	鍾振音	史國典 陝州知州
萬曆二十年 史弼 御史		史寧野 教授
萬曆二十二年	史宣政 兖州同知	錢實國 訓導

萬曆二十六年　呂昌期山　秋臣華崇善知　虞國儒詳舉人

周豐崇仁知縣　蔣明臣教諭

萬曆二十八年　宋棋宸　夏友瓊訓導

萬曆三十一年　陶人羣詳進士　秋同默

彭遠

方希謙

萬曆三十二年　陶人羣授評事　羅應試

史樹德副使　朱發明訓導

萬曆三十七年　史孔吉詳進士　陳善則教諭

彭遵完　史宣教

萬曆三十八年　史孔吉　戶科給事　史懋學　竹溪知縣

河南副使　狄期順　通判

萬曆四十年　虞國儒　順天中式　朱焯

葛允升　滿城知縣

萬曆四十三年　錢自遇　狄須垚　教授

黃元昭　馬廷華　臨武知縣

萬曆四十六年　陳獻策　詳進士

鮑自新　詳進士

彭之澤　知縣

蔣立華　知縣

天啟元年　史其文臨桂知縣　潘登嘉訓導

錢汝南

天啟二年　鮑自新戶部主事　馬弘源江西知縣

補兵部　馬鵬起訓導

陳獻策兵科給事中　彭元衢判官

史纘烈副使　史龍瑞教諭

天啟四年　彭敦曆戶部主事　黃葵廷訓導

范叔度　錢炳然訓導

天啟七年　謝鼎新詳進士　馬明錫

陶之邴教諭　陸禹思戶部主事

馬成名詳進士　戴球寧波通判

崇禎三年　錢佳教諭　董勸

潘曾瑋詳進士　史長統

崇禎四年　潘曾瑋官至副使　湯元簡

馬成名累官至巡撫　鍾龍期通判

崇禎六年　周鼎昌　余鉉

楊宗簡詳進士

馬御

王徽

彭遵琦 推官考選御史

陳名夏 詳進士

蔣舒 教諭

崇禎七年 謝鼎新 叔煥浙江僉事

張星煒

崇禎九年 周自省

崇禎十三年 楊宗簡 建德知縣

崇禎十四年 宋之繩 詳進士

崇禎十五年 彭新 臨清知州

吳頴詳進士

彭旭教諭

李源

史燧詳進士

史權

崇禎十六年　陳名夏百史會試第一名廷試一甲第三人

宋之繩其武一甲第二人翰林院編修

陞江西叅議

大清

順治二年

狄敬 詳進士　黄元晉

費達 詳進士　蔣岱 消州知縣

周斑 詳進士　馬良史 臨清知縣

沈璿 臨洮推官　狄其麟 靈石知縣

周啟烽 靜海知縣

周渾 永與知縣

順治三年

彭士俊 詳進士　馬世傑

陳德慶　張啟 嵐縣知縣

順治六年　狄敬文止湖廣提學　史鼎懷仁知縣
陝西叅議　錢運新
史燧旭初惠潮叅政　蔣艮烈
順治八年　史颺廷詳進士　史唐詳舉人
史泰詳進士　吳震來
順治九年　吳頴見未刑部主事　黃明偉　鍾新
陞潮州知府　戴遇詳進士　楊垂青
費達于章戶部郎中　何翩羽　費鈺
史泰扶九徐溝知縣　董三策
史颺廷虞賚安陸　史忠琇

推官

順治十一年 陸昌

順治十二年 周斑 廷玉大平教授　黃如瑾 詳進士

順治十四年 董粵固

順治十五年 黃如瑾 聿修福州　馬世俊 詳進士

推官　潘麒甡

彭士俊 哲人　趙異

周篆

史鶴齡 詳進士

順治十七年　錢特簡

史唐　子唐

順治十八年　馬世俊　章民　廷試第一人授翰林院修撰陞侍讀

戴遇　文達

康熙二年　任文璋

康熙五年　王日曾

魏麟徵　詳進士

任昌

康熙六年 魏麟徵
史鶴齡 翰林院庶吉士

康熙八年 鍾于序 東澤
吳琇 見進士

康熙十一年 王鳳孫 振彩 吳嘉穗 壬寅恩貢
史陸輿 解元見進士 呂夢禎
楊威

康熙十二年 王曰曾 偉度九年庚戌中式是科殿試 狄士連
費廣 壬子拔貢

董粤固 班若　吕紹芳

康熙十四年　彭會淇 見進士　徐國佐

潘邦彥 德優　唐龍祥 乙卯恩貢

康熙十五年　彭會淇 蓀洲二甲第五名庶吉士授編脩已未房考　史採風

彭俊奇 戊午副榜

彭元瓚

康熙十六年　潘麒生 解元見進士　吳寅

潘從律

陳時泰 尚于第四名　王式

彭紳

康熙十八年 吳琇越石十五年中式是科殿試

費坤乙丑拔貢

史陸輿亦右宮典籍庶吉士

康熙二十年 陶自悅心兌武進籍北榜第三名

史夔北榜第四名見進士

黃夢麟視芝如瑾子

史廷艮 師濟

康熙二十一年 史夔 曹司鶴齡子二甲第一名庶吉士

潘麒生 一韓曾瑋子庶吉士

康熙二十三年

康熙二十四年 黃夢麟 硯芝如瑾子廷試一甲第三人授翰林院編脩

陳時泰 尚于

溧水

宋進士

崇寧 俞㮚 兵部尚書

政和三年 魏艮臣 參知政事贈光祿大夫謚敏肅

紹興十八年 吳柔勝 秘閣修撰贈太師謚正獻

嘉定七年 吳淵 柔勝子資政殿大學士參知政事贈少師

政和十年　吳潛　柔勝子狀元左丞相贈少師

咸淳　張璹

元　進士

文吉

明　進士

洪武十七年

舉人

胡桐　主事

劉文　知府

沃俊　評事

齊德　見進士

歲貢　縣志缺年

敘蔭

姚行　叅政

劉彥宣　教諭

朱勝伴讀

王士惟

欒鳳經歷

洪武二十一年 齊德更名泰兵部尚書

洪武二十三年 談允左都御史

房義

洪武二十六年 杭濬

王性

洪武二十九年 趙昱教諭

梅哲 經歷

建文元年 張禮 教授

朱旭 通判

夏廉

湯茂 知縣

宋鎬 按察經歷

經綸 經歷

孫讓 見進士

建文二年 孫讓

永樂元年 徐昱 訓導 朱震 御史

張宗直教授　張清芝縣丞

張豫　李應庚都給事中

張彥聲知府

永樂四年　王琮　葉茂衞經歷

永樂九年　傅安主事　夏泰經歷

魏組主簿　陳瓚衞經歷

永樂十二年　夏源經歷

永樂十六年　許英知縣

永樂二十二年　陳紀紀善

宣德　楊度知縣

任靜都司經歷

陳俊都司經歷

張愷御史

正統元年　徐金　李志恭知縣

朱芾知縣

王讓都督府經歷

張紀縣丞

景泰元年　丁釗知縣　夏斌衛經歷

王魯見進士　孫豫兵馬指揮

景泰五年　王魯知縣

天順三年
任蘭 知縣
王瓚 知縣
魏寧 訓導
丁鍾 知事
葛寧 知縣
黃本 訓導
孔敏 訓導
谷泰 知事
張璉
趙淵

成化七年
張儒
朱瑜 典儀

陳理 山東鄉試見進士

端楷 縣丞

成化八年 陳理 德州衛籍知縣

蔡榮 經歷

成化十一年 荊欽 盧龍縣籍大理卿

方玘 縣丞

夏華 教諭

成化十三年

范琪 見進士

郭濬 縣丞

成化十六年

朱杲 知縣

臧志 衛經歷

喬衍

夏宇 衛經歷

朱琦 經歷

虞周 知縣

袁濟 州判官

李茂訓導

芮峻

弘治元年

楊詵以上具年

弘治二年

夏輯知縣

弘治三年

夏沖

弘治五年

章華

弘治六年

范琪僉事

弘治七年

李杲訓導

弘治八年

張鎮

弘治九年

傅壽

弘治十年			方楠都司斷事
弘治十一年			俞鉞
弘治十二年			黃鐸州吏目
弘治十三年			翟瑞州吏目
弘治十四年		丁沂亞魁見進士	
		黃志達見進士	
弘治十五年	丁沂副都御史		蔡文昌
弘治十七年		郁世昌欽之子	劉嵩知縣
正德元年			張時舉縣丞
正德二年		江府通判	

甘永昂 通判

張璠 知縣

正德三年 黃志達 員外郎 王澄 衛經歷

正德五年 張廷芳 教諭

正德七年 經明

正德八年 武旹 教諭

正德九年 俞哲 教諭

正德十一年 章潼 州同知

正德十三年 尹廷瑞

正德十五年 曹鑵

正德十六年 施崇義

嘉靖元年 王希成通判

劉鏊順天亞魁知縣

嘉靖二年 丁昌

嘉靖三年 吳綸

嘉靖五年 諸相

嘉靖七年 陳敕

嘉靖九年 徐鑰

嘉靖十一年 郁世亨見舉人

嘉靖十二年 章棐知縣

嘉靖十二年　黃堂
嘉靖十四年　王道明
嘉靖十五年　劉楠
嘉靖十七年　朱恩
嘉靖十九年　丁繼孝
嘉靖二十年　范僎州同知
嘉靖二十一年　范渠
嘉靖二十二年　邴世亨長史
嘉靖二十三年　章湖訓導
嘉靖二十五年　范演主薄

嘉靖二十七年		張淏 縣丞
嘉靖二十八年	張邦謨 知州	
嘉靖二十九年		丁繼文 知縣
嘉靖三十一年		周元綬 縣丞　武尚晃 贈寺丞
嘉靖三十三年		郘泗 教諭
嘉靖三十五年		張崇德
嘉靖三十七年	徐守正	孫玠 見舉人
	孫玠 知縣	
嘉靖三十九年		陳巘

年		
嘉靖四十年	許根善	
嘉靖四十一年		章柔通判
嘉靖四十三年	武尚賓	
	武尚訓順天鄉試	
嘉靖四十五年		章梯教諭
隆慶元年	徐一鳳	
隆慶二年		陳謨
隆慶三年		武尚耕見舉人
隆慶四年	武尚耕詩魁見進士	陳鳳占

王守素亞魁

薛維翰

武尚嚴

隆慶五年 武尚耕左布政

隆慶六年 傅裒

萬曆元年 陳日隆

萬曆二年 張侊

萬曆四年 章甫詔 鄧鍾秀

萬曆八年 王守素光祿正卿 黃天柱

陳鶴鳴

沈名彰

萬曆十六年 徐文煒 湖州同知 沈立敬 詳舉人

韋柔 瓊山知縣

劉天延

萬曆十九年 沈立敬 叙州通判 武光嶽

萬曆二十二年 陳鳴暘 任兵備 俞炎 訓導

武光會 衛輝府同知

萬曆二十五年 武光暘 武光宸

徐良輔 分宜知縣 茆玉 教諭

王名登 詳進士 計思義 教諭

萬曆三十一年	楊公瀚詳進士	劉廷相大典知縣
	王可宗崖州知州	章世育教諭
		王可學鄖陽通判
萬曆三十二年	楊公翰太僕寺正卿	武光宋教諭
		王懋績教諭
萬曆三十四年	王名登保定知府	葉茂春
		端大猷教諭
萬曆三十七年	武化中黃陂知縣選南道御史	劉天德
		武堯中竹溪知縣
萬曆四十年	武可奮	武焞

王尚敬 教諭

武光岐 詳鄉試

武位中 西安通判

天啟四年 趙之驊 詳進士

王可問

劉天命

劉存常

陳于朝

天啟五年 趙之驊 禮部郎中

張韜

崇禎二年 張鞾

丁明哲

施一鰲

崇禎十二年 李用楫 詳進士 武可進

張正綱

趙兼善

崇禎十六年 李用楫 廣東瓊州府推官 王民霖

錢懋元

王應祥

王朝彥

顧貞元

大清

順治二年乙酉 李蔚 詳進士 王象坤 選州同知

科

魏元賓

順治四年丁亥科

李蔚　鍾山治易授行人陞工部主事

陳雲犀

戴夢暘

武丹中　子兆知縣

楊靜

王弘履

順治十一年甲午科

王芝藻

王啓運

陳宿

吳正名

李同亨

武令緒　昭茲州同

司徒士望

順治十二年乙未科　李同亭祥符知縣　陳紱含山訓導

陳緒

順治十四年丁酉科　湯聘詳進士　李銘見舉人

俞遵道

順治十七年庚子科　蕭秉晉

順治十八年辛丑科　湯聘旌三

端象震

康熙二年癸卯科　李銘順天鄉試　端象謙

謝文運見進士　陳甹

康熙五年丙午科　趙綂　王維弘

康熙六年丁未科　謝文運　王在豐

芮邁　壬子副榜

康熙二十年辛酉科　趙律　王芝英　丙辰恩貢

王夔

馬采臣

高崧

武可吉

高淳

明進士　舉人　歲貢

弘治八年　錢啓　經歷

弘治九年　湯景賢　訓導

弘治十年　王賓　訓導

弘治十一年　徐恭

弘治十二年　周鉞　宿州籍　知縣

弘治十三年　夏校

弘治十五年　楊驄

弘治十七年　張坤　府同知

弘治十八年　沈顥崇　訓導

正德二年　陸庸　訓導

正德三年　孫禎　宛平知縣

正德四年　王釗

正德七年　陳環

正德九年　胡容　訓導

正德十一年　劉鑑　訓導

正德十三年　芮銑

正德十四年　張介　漳州府判

正德十五年　李潮　知縣

正德十六年	芮詰	訓導
嘉靖元年	張傑	王府審理
嘉靖二年	栁江	知縣
嘉靖四年	張億	
嘉靖六年	朱珩	訓導
嘉靖八年	魏鏜	教諭
嘉靖十年	周慎	知縣
嘉靖十一年	邢世爵	
嘉靖十二年	邢璠	知縣
嘉靖十三年	黃鎰	知縣

嘉靖十五年　魏廷輔縣丞

嘉靖十六年　韓叔陽見進士　石清

嘉靖十七年　夏寧教諭

嘉靖十九年　陳九思知縣

嘉靖二十一年　朱栢

嘉靖二十三年　芮璽訓導

嘉靖二十五年　黃秉石以才望授

嘉靖二十六年　韓叔陽按察副使　順德府推官平反大

嘉靖二十八年　張蘊見進士　獄廷延州府同知政

張應亮御史僉事　聲益著稱耿山先生

嘉靖二十九年	張蘊按察副使		張蒼縣丞
嘉靖三十一年		韓孜郎中	張蕡主薄
嘉靖三十三年			陳九德
嘉靖三十五年			張著知州
嘉靖三十六年			陳九齡知縣
嘉靖三十七年		韓邦憲見進士	
嘉靖三十八年	韓邦憲叔陽子知府		陳九成縣丞
嘉靖三十九年			劉錚教諭
嘉靖四十一年		邢繼本順天鄉試	陳九儀通判

嘉靖四十三年　張蒦教諭任衛輝知府

嘉靖四十五年　張應圖知縣

隆慶二年　孫夢龍通判

隆慶三年　柳夢陽訓導

隆慶四年　陳宗堯知縣

隆慶六年　夏景星訓導

萬曆元年　吳大洋

萬曆二年　邢世望

萬曆四年　邢繼書

韓棟江夏知縣

孫思孝　合州同知

邢仕謙

李洛　教諭

邢尚友　訓導

萬曆十年　吳尚伯　王美韶　漳州通判

黃可清　福州通判

孫自強　慶符知縣

萬曆十九年　魏成忠　詳進士　邢仕敬　松溪教諭

張應望　詳進士

萬曆二十年　張應望　烏程知縣　邢仕誠　通判訓導

贈尚寶卿　徐天與

萬曆二十二年　邢振羽邵武知府　邢繼彬汝州判廣西塩運司提舉

萬曆二十五年　陳萬善詳進士　邢仕廉

韓仲雍詳進士　邢繼謙夔山縣訓導

張司重延平府同知　邢仕揚知縣

袁日章

楊思學錢塘縣丞

程琮

萬曆二十六年 魏成忠 兵部主事 陝西觀察

邢振春 洨水知縣

劉增慶 寧國訓導

劉增德 寧國訓導

諸應龍 衡州學正

邢仕邦

吳學夔 漢中府推官 陞遼州知州

陳弘範 常州訓導

胡有英

張應覲 寧國訓導

劉應騏

邢仕功 詳舉人

王薇 温縣知縣

徐一鳳 武學教諭

邢振豪 廬州教授

萬曆三十二年　韓仲雍 歷官福建海巡道

魏翰先 馬龍州同

葛奇秤 詳舉人

徐有斌 邳州學正

李昌袞 崇明訓導

萬曆三十四年　王養蒙

秦之奚

周自新

夏士豪

萬曆三十八年 陳萬善 金華知縣 王明科

陞兵部郎中 吳兆祚

萬曆四十六年 徐一范 詳進士

陳調鼎 詳進士

天啓二年 陳調鼎 戶部主事

陞金衢兵備道

崇禎元年 徐一范 授中書擢

御史巡按河南歷大

崇禎三年　理寺卿

崇禎六年　邢仕功

崇禎十一年　胡有英舞陽知縣

崇禎十三年　葛奇祚詳進士

葛奇祚會魁歷任四川兵巡道

大清

順治二年乙酉科　唐懋淳　陳希杰寧國府教授

張正邦華亭訓導

科	進士	舉人
		徐迅 考選知縣
		黃夢蝠
		王上林 湖州府通判
		葛黃裳 太康知縣
		徐寅 詳舉人
順治八年辛卯科	吳會璋	吳江月 吳縣訓導
		孔應叢 考授通判
順治十一年甲午科	徐寅 中順天鄉試一百五十七八	胡汝往 宿州訓導
		邢振嵒 金華知縣

順治十七年庚子科		孫謙 孫奏詳進士	張正苞 孫奏見舉人
順治十八年辛丑科	孫奏廷試二甲第九名		邢振業
康熙十一年壬子科		史秉直見進士 陳悅旦見進士	孔璋祚 邢襄
康熙十五年丙辰科	史秉直		黃聿寧
康熙十六年丁巳科		葛長祚	王所惠 孔璋祚

康熙二十一年壬戌科 陳悅旦 刑襄

袁夢簡

周方升

葛自紀

陳貴來

邢玹

邢國祚

邢振岱

孔應朝

邢翰

江浦

明

進士	舉人	歲貢縣志缺年	叙蔭附
洪武二十九年	莫英教諭	沙毅知縣	
建文元年	劉觀御史	徐駟給事中	
	史椎郎中	葉讓經歷	
	吳智推官	周敏主事	
永樂三年	王信知縣	張善御史塩運使	
永樂六年	王廣通判	胡龍經歷	
	王恕	月輝經歷	
	李鉉	臧理審理	

何清縣丞

馬常主事

潘智知縣

陳憲審理正

郁貴知州

李和

諸葛吏部郎中歷參議

檀馥主事

李仲良

魏廉 永康知縣

陳仲 檢校

裴覺秀 縣丞

周倫 見舉人

王義 縣丞

弓信 檢校

宣德四年

周倫 教授　鄒暉

謝卓

宣德七年

魏崇 檢討　毛天理 知府

李信新淦知縣

正統六年　張瑄見進士　韓元主事

正統七年　張瑄南刑部尚書　裴顒知縣

趙昂按察知事

韋賢推官

趙福府經歷

景泰四年　周廣伴讀　黃通知縣

景泰七年　莊杲見進士　夏勤典寶

郁珍左長史　郭瑶伴讀

王嶽見進士　陳魁

天順三年
金傑

蔣達知縣
張謹

天順四年 王薇
丁廣見舉人

石淮亞魁見進士
朱濬衛經歷

魯長學正
劉憲州同知

孔碩主簿

月隆吏目

董瑄

毛翔

成化元年
丁廣知縣
嚴珩典史

董舜　教授　王經

成化二年　莊杲　檢討南吏部郎中　張麟　訓導

凃平　典儀

石淮　庶吉士提學僉事　嚴良　紀善

徐義　訓導

成化七年　吳泰　見進士　弓成

成化八年　吳泰　布政使　張瓘　訓導

成化十年　毛鵬

成化十三年　林鉦　朱斌

成化十九年　馮浩　見進士　袁浩　縣丞　張絅　尚書瑄之

成化二十二年 李錦 知縣 子通判

王瑄 知縣

弓元 見進士

吳鸞 知縣

張紡 瑄之弟 教授

丁傑

趙琮

成化二十三年 馮浩 知州

張應奎

弘治八年 嚴紘 見進士

檀聰 訓導

弘治九年 弓元 成之弟 會試亞魁 岳州推官 陞山東

裴瓘 衛輝府推官

張純 訓導

道御史巡按江西　　韋暹縣丞

弘治十四年　　王瑋見進士　王源王府教授

　　陳瑞府同知　王璽知事

弘治十五年　嚴紘左布政使　　吳珍

弘治十七年　　王韋見進士　蔣桓平度州同

弘治十八年　王韋　　張龍訓導

　　陳欽訓導

正德二年　　袁熉府同知　馬玹教諭

正德五年　　張淵知縣　狄泉訓導

正德六年　王瑋御史　　萬鉞訓導

正德八年 毛經知縣

正德十二年 孔廕刑部主事陞知府 孔廕見進士

嘉靖元年 袁禎知縣 李浦教諭

嘉靖四年 茆秀知縣 趙鼒

嘉靖六年 張棠 姚裕

嘉靖十三年 張鉞瑄之孫府通判 茆秀見舉人

嘉靖二十五年 朱賢見進士 張纘教諭

張邦直知縣 黃勑

嘉靖三十一年 顧昊通判 吳麒教授

嘉靖三十二年 朱賢御史 張奎州學正

嘉靖三十七年　朱雲鸞　戴恩　府教授

嘉靖三十八年　汪若泮　貴州衛籍　滕節　教諭

謝增

趙定　知縣

嚴思寬

楊鵬　知縣

弓弼　教諭

檀瑋　訓導

劉璍　訓導

陳瓚　訓導

裴海 州學正

李欽 教授

楊鶴 州吏目

吳宿

韋棠 教諭

管洪 知縣

王岳

王煥 訓導

胡纁 教諭

丁文昌 訓導

莊鍠訓導

隆慶元年　黃四科龍陽知縣

隆慶二年　調石城　弓調

隆慶三年　王采

隆慶四年　狄弼遂安訓導

隆慶六年　嚴丕承紘之孫孝　姜繼禮知縣

萬曆元年　豐知縣陞惠州府同　周臣訓導

萬曆二年　劉聲振應山知縣

萬曆四年　祝銁訓導

周楨

萬曆二十二年

蔡侃 訓導

丁遂 見進士

徐可遠 訓導陞知州

熊師望 處州推官陞深州知州

朱雲龍 雷州府判官

萬曆二十三年

丁遂 授易州知州寧波同知南工部郎中雲南僉事

楊成材 鵬之子合肥訓導陞教授

毛從吉 訓導

楊譽 澄邁知縣

謝天祐 儀真訓導

萬曆三十四年　陳應元詳進士　張鳳翔確山知縣

丁明登遂之姪見進士　毛從古

韓鋹嵊縣訓導

萬曆四十年　胥自修知縣　吳承茂

林尚煜　毛洲

林尚炫　陶情蘇州訓導

管汝賢

趙體安

萬曆四十一年　陳應元幼白治書任工部主事陝西學　管汝弼袁州府教授

道山東巡撫都御史

葉聚義　教諭

萬曆四十四年　丁明登　蓮侶泉州府推官衢州府知府

張可仕　知縣

弓九德

萬曆四十六年　胡承熙　均州知州

蔡芬

天啓元年　劉日珽　南豐知縣

朱思九

崇禎六年　月中桂　耀州知州

胥應午

崇禎九年　夏鼎　吳縣教諭

張可仕　知縣

蘇策

劉世業

殷鉉錫

莊必壽　教諭

周思皐　教諭

沈昌裔

余應蛟

胡承烈 教諭

姚世琮 訓導

林伯龍

楊際時 訓導

葉爾喬 知縣

葉先春 教諭

余自奇

葉魁春 訓導

崇禎十二年　胡爾俊餘杭知縣

張可聞

盛世樞

趙八元

沈昌期

吳懋卿訓導

崇禎十五年　許三奇教諭

金注教諭

毛嘉徵訓導

趙遂昌訓導

鄒籌 訓導

俞履綏

林振藻

崇禎十八年　孫夢來

大清

順治二年　雷應時 伯殷授養利知縣改定州性伉爽有氣節喜讀書民服其化

順治五年　嚴雲 建寧府判

順治十二年　吳之樞由中書歷陞紹興知府

順治十五年　劉日珩四川知縣

鄭駿知縣

周于漆懷柔知縣

夏芳考州判

順治十八年　孫夢采

康熙元年　張雲蓀

林振聲

林振英

張欽鄰

劉人極

金標

陳穗書

徐際升

嚴淑獻

鐘岳

鐃起禎

六合

宋 進士

慶歷三年 仇著 知州事

乾道八年 趙萬

淳熙八年 錢有嘉

開禧元年 孫倰

明 進士 舉人 歲貢

洪武十七年 余文 見進士 夏正

洪武十八年 余文 給事中 嚴雍

洪武十九年 薛眞

洪武二十年　張義 典史

洪武二十一年　侍懋 教

洪武二十二年　許暘 僉事

洪武二十三年　吳艮 教諭

洪武二十四年　姜琳

洪武二十六年　周瑛 典史

洪武二十七年　褚著

洪武二十九年　傅謙 教諭縣丞　何琮 知縣

吳珏 訓導

洪武三十年　許彬

建文元年　夏潤府經歷

建文二年　唐忠通判

永樂元年　季同知縣

永樂三年　尹旻訓導　俞亨府檢校

孫智翰林院習譯字

府檢校

永樂四年　陸臨衛經歷

永樂五年　丁子受

永樂六年　繆衍學錄　鄭猷見進士

永樂七年　王用知縣

永樂八年　胡曄御史
永樂九年　郭艤
永樂十年　郭維新通判
永樂十一年　魏杲
永樂十二年　鄭猷見進士　朱昭府照磨
永樂十三年　鄭猷檢討　馬昌主簿
永樂十四年　吳秉府照磨
永樂十五年　曹奎
永樂十六年　侯旭主簿
永樂十七年　馬駴知縣

永樂十八年 王晟主簿
永樂十九年 周文
永樂二十二年 許端
宣德二年 徐弘
宣德五年 王瑄縣丞
宣德七年 田琮教諭 王敬衞知事
宣德十年 王喜縣丞
正統二年 徐信縣丞
正統三年 季璘亞魁教諭 祁福縣丞
正統五年 馬驤

正統七年		沈淵知縣
正統十年		夏惠縣丞
正統十一年		蔣貴縣丞
正統十二年	鄭瑛見進士	
正統十三年		茹斌知縣
景泰元年	李景脩知縣	朱誼
景泰二年		沈諒
景泰三年		袁義知縣
景泰四年		袁敏州判官
景泰五年	鄭瑛主事	陸斌縣丞

景泰七年　胡深旌表孝子

天順二年　陶亨州同知

天順三年　黃縉通判

詹佣知縣

天順四年　李廣縣丞

天順六年　吳善知縣　陸富主簿

天順七年　季恒知縣

胡漢府知事

陸淵縣丞

孫景禎

陸巘衛經歷

天順八年　唐繼宗

成化元年　俞祿見進士

成化二年　史海府照磨

成化四年　季昊

成化五年　俞祿南給事中

成化六年　孫棐知縣

成化七年　余深

黃肅見進士

成化八年　陳璧縣丞

成化十年 謝瑄府同知 俞冕

成化十二年 劉文審理副

成化十三年 袁文紀通判

成化十四年 黃肅按察副使 曹永寧

成化十六年 王弘禮記魁見進士 朱瓛主簿

印寶府同知

成化十八年 胡鵬府經歷

成化二十年 林允義按察知事

成化二十二年 楊冬

弘治元年 孫景仁州同知

弘治二年　毛程訓導

弘治五年　王璽

弘治六年　王弘南御史按察副使

弘治七年　陸楷

弘治八年　張瓚知縣

弘治九年　周弼州判官

弘治十一年　嚴倫訓導

弘治十二年　袁杲知縣

弘治十三年　王紳訓導

年	進士	舉人
弘治十四年	黃宏見進士	汪洋太僕主簿知縣
弘治十五年	黃宏左參議死節贈大常少卿	夏鑾
弘治十七年	李傑見進士	陳紳衛經歷
正德元年		楊誠教諭
正德三年		黃仲明宣慰都事
正德五年		劉瑀知縣
正德七年		俞莊
正德八年	張愷府同知	
正德九年		毛晃訓導

正德十一年　袁渠通判

正德十二年　李傑僉事

正德十三年　陸鏶鹽課司提舉

正德十四年　季維教諭

正德十五年　陸金訓導

嘉靖元年　毛琇訓導

嘉靖二年　陸德

嘉靖三年　陸昌知縣

嘉靖四年　馬逢伯知縣

嘉靖五年　吳鋹

嘉靖七年	章憲	
嘉靖九年	張昂訓導	
嘉靖十一年	孫簡	
嘉靖十二年	袁悌推官	
嘉靖十三年	張舉市舶提舉	
嘉靖十五年	黃紹文	
嘉靖十七年	錢湧訓導	
嘉靖十八年	鄭洛訓導	
嘉靖十九年	陳清	張在知縣
		劉燧復姓張更名緒

湖廣魁漢川籍員外郎

嘉靖二十年 杜講 訓導

嘉靖二十一年 章慈 訓導

嘉靖二十三年 李禾 主簿

嘉靖二十五年 金鴻 知縣 陸澍

嘉靖二十七年 季思 知縣

嘉靖二十九年 朱一峯 縣丞

嘉靖三十一年 黃驊 肅之子府同知 徐沂 教諭

嘉靖三十三年 朱啓

嘉靖三十四年	龍施雲南解元雲南前衛籍郎中
嘉靖三十五年	徐繼芳教授
嘉靖三十七年	謝鋭
嘉靖三十九年	章瑚訓導
嘉靖四十一年	侯甸教授
嘉靖四十三年	潘儒訓導
嘉靖四十五年	章環教授
隆慶二年	孫可久教授
隆慶三年	李維嶽知縣

隆慶四年　徐楠

隆慶六年　馬應羲　訓導

萬曆元年　曾萃

萬曆二年　季思

萬曆四年　曹漢　方澄澈

季宮　錢應元　來安縣教

萬曆七年　孫拱辰　子極江西　諭

撫州府推官陞臨清　李思皐　平樂主簿

知州　孫可立　竹間未廷

試

萬曆十六年　厲昌謨詳進士　曾萃岑溪縣知縣

季燊州判

萬曆二十五年　厲昌謨崇善宜黃知縣陞兵部車駕司員外

萬曆二十八年　黃三策　喻會教諭

萬曆三十七年　汪元哲詳進士　陸鍊和州訓導

萬曆三十八年　葉時憲　汪文選

萬曆四十三年　汪元哲魯生嚴州知府

萬曆四十六年　汪全聲瓊州知州　胡士賓隣水知縣

方宮桂順義知縣

天啓元年　馮艮謨涪州知州　袁一理肇慶府授

汪全惠

天啓七年　汪全智詳進士　朱應京縣丞

徐樹蕭山訓導

潘世奇詳進士　周思兼

沈奇瑛國子監博士　胡大化

金鉉

吳嘉禎詳進士　沈坊訓導

崇禎元年 潘世奇 平之 監察 傅希說
御史四川 巡按 王世爵
汪全智 周思宸
張問達 訓導
崇禎六年 汪國策 詳進士 陳紀
崇禎七年 汪國策 叔獻 兵部 陳士英
郎中眞定 知府 錢兆暘
章起經 可權 壽州 馬夢夔
學正 厲士墊 訓導
朱國賔 通判

姚思德 瓊州通判

崇禎十年 吳嘉禎 源長戶部陞福建漳泉道

馮世泰

方文煒

孫國器

黃士傑

崇禎十一年

孫國敉 原名國光廷試第四授延平府訓導欽授內閣中書

崇禎十三年

王守正 巨津知州

孫裔蕃崇禎三年

拔貢

侯元奎

談王道

崇禎十五年

毛至潔沙縣丞

厲振嶽訓導陞浙江知縣

崇禎十六年

陸世祚選

貢大庚

孫應蕃縣丞

汪國瞻惠州府通判

胥宇

王申

陳喻翰

章起賓

崇禎十七年

大清

順治二年乙酉科

汪滙詳進士

汪六樂

廣德祥太平府訓

導

袁逢盛常州教授

陸藝鎮遠知縣

順治六年己丑科 汪滙景

孫洴如阿滙靖江訓導陞含山教諭

順治八年壬辰科 季應仍候選通判

曾祉齡臨淮訓導陞如皐教諭

汪洴福清知縣

王憲魯山縣丞

康熙元年

胥宥候選通判

汪時泰

毛寔用

毛霈用候選州同

汪國霖

康熙二十年辛酉科

曾必光北場鄉試　袁逢詔

談慎修

柯亭

沈希堯

汪琬

趙廷璇

汪潢

劉昌錫

汪因先

黃森

薦舉表

上元江寧　句容　溧陽　溧水　高淳　江浦　六合

明洪武　陳過　周保　王可宗　魏澤　夏瑨　馬信　唐相

張銘善樊傑　達貫道湯艮臣甘霖　鄭自張林肅

周時中張文昱馬簡庭袁麗融劉椷　韋志善謝貞

尤仁　許淳　史叔傳朱潤祖劉穆

王興宗　黃瑛　繆元　端木以善李旭

杜環　朱純　王可貞姚敬重王宗禮

薛原義朱綽　王綱　嚴與聲

陳祥　黃銓　王玉　黃養性

陳世舉湯禹文徐仲賢張天祿

鄭琳 吳艮 普仲淵嚴伯修

王脉 孫伯玉芮耆孫王艮

徐添慶梁初 趙居仁

張艮成蔣廷 陳永

陳翔 汪拳

曹文慶

薛伯文

宋原

永樂 嚴岳 翁學 朱亞春端木孝文桂子淵張俊民邵顯

姜濬　胡熟　周廉　端木孝思趙澄　凌皜

陳中復江源　梁濟　嚴格　邢興　毛丙

戴玉　梁常　吳伯堅　孫翥

鐵力必失王珪　黃鑑　潘永忠

戴顒　梁章　黃恒

孫英　梁艮　李鉉

潘弘　梁貞　駱元禮

劉復　梁磯　陳福

史世忠張景宣

史公澤

史文仲

許宗亨

王珏

梁進二

梁禮

梁礵

王文達

梁礪

楊揮

吳豫

葛彥忠

費恭遠

朱彥忠

楊文敬

蔣亞計

徐吉

達聰

宣德

王道明

沙瑛

曹冕

正統 八通 周曦

景泰 史謙

成化 徐淮

國朝

康熙 倪燦 號闇公舉人翰林院檢討

黃虞稷 號俞邰虞

監史館纂修食七品俸

論曰制科取士自漢唐兩宋以至明而其途始專其法始密蓋春秋兩闈八紘咸攝而郡邑又歲貢士于

天子加以辟薦盛于開國敘廕溥于在廷三百年來考其人物功名未嘗不妍醜殊科盛衰異等然卒不能改弦易轍以鼓舞天下則非其法之不善也我

國家定鼎萬物維新獨取士一途踵行不易豈非監于二代之深意乎于是人才倍出郁郁乎文而南國

一隅崛起尤衆至

今天子聖神典學洞闢四門博學宏辭之舉立賢無方以視昔之辟召厥爲盛矣論者猶謂文章取士視古鄉舉里選名實異焉亦未窮根柢之論也夫採玉恒于山登珠恒于澤苟所取必珍是隋侯結緑却車而載也造物不其窮哉故士之生也不必一致而其生平必不能自掩于鄉里令得一一指之曰此某郡國之登進也此某科之策名也此某鉅公之胄而希世特舉之典又某某所獨膺也某幸焉某宜焉某實忝焉此其激揚有倍于黜陟幽明者矣爲之詳臚其人

俾知往者如歲斯成來者如矢斯彀雖豐歉强弱亦有天焉而要使科名不愧于子孫姓字無慚于梓里誰獨無此志乎是亦循名核實之大較也覽者可灑然而興矣

江寧府志卷之二十二

祠祀

稽古有虞柴望秩于山川徧于羣神其由來遠矣故祀典之設與巡狩封建相表裏先王勤民之思恪而能備匪直風雨露雷以陰陽教也或失則淫或失則媢非秩宗氏之責乎考之職方有數存焉志祠祀

本府

社稷壇在府治北金川門外舊在城西南與江寧縣社稷同處明正統間專建于此

山川壇在府治東南雙橋門內

泰厲壇在府治西北神策門外神策今改得勝

都城隍廟在雞鳴欽天山之陽明洪武建英靈坊十廟城隍其一焉本府縣祈晴禱雨禦寇治獄咸禱于此洪武二十年勅學士劉三吾撰碑大清康熙甲辰里中紳士因順治己亥寇逼郡城感神之祐重修建坊分守道胡昇猷爲之記

府城隍廟在府治前本府朔望行香祈禱俱集于此明萬曆戊子府尹姚思仁建國朝康熙六年知府陳開虞重修二十二年知府于成龍以其地猶狹隘捐俸倡募自書疏引一時士庶踴躍乃爲拓門宇餙殿庭

設匾額規制煥然

古城隍廟在石城門大街康熙四年重修歷代至今俱有靈應于民

漢壽亭侯廟宋慶元建于城東隅明洪武中遷于雞鳴

欽天山學士劉三吾有碑記本朝順治七年督府馬國柱馬鳴珮重修皆有碑記

府關帝廟順治二年知府李正茂建明天啓元年府尹徐必達用價自置

周士義田一百三十五畝零于宣義典顯開寧三鄉順治四年知府李正茂因感神夢移西華門關帝像于府前建立廟宇將周士田撥給僧來秀永爲香火之費

觀音門關帝廟在燕子磯撫江亭之前江山環拱如畫

國朝順治七年督府馬國柱捐俸重修勒石爲記

小營關帝廟順治巳亥提督管劾忠伐覆舟山木起建

規制宏壯塑像威嚴立有碑記

晉忠烈廟祀漢秣陵尉蔣子文子文逐盜至鍾山死死而靈異吳大帝初立廟孫陵岡封爲中都侯改鍾山曰蔣山晉加相國重爲立廟南宋初廢後修復封蔣王齊進號蔣帝南唐謚曰莊武徐鉉撰廟碑宋賜額惠烈明洪武二十年建于雞鳴欽天山之陽劉三吾爲之記崇禎加號威靈易今額今康熙癸卯里人重修太平門外鍾山蔣廟今廢

卞忠貞公廟祀晉尚書令卞壼蘇峻亂壼爲將軍死難二子眕盱皆赴敵死葬冶城立廟謚忠貞南唐即墓

側建忠貞亭宋慶曆中葉清臣改曰忠孝紹興廟曰忠烈中祀壺右列二子侍中稽紹配享明洪武中建忠貞廟于雞鳴欽天山學士劉三吾奉勑撰記冶城廟如故又卽廟側建歷代忠臣祠祀南唐中書侍郎陳喬宋通判楊邦乂御前統領姚興王珙雞鳴山廟

廢冶城廟存

劉忠肅王廟祀南唐清淮節度使劉仁贍周師壓境仁贍鎮壽州力戰固守援絕其子欲降仁贍立斬之城陷不屈而死廟舊在上元縣西明洪武二十年建于雞鳴山黃子澄撰碑今廢

曹武惠王廟祀宋樞密使曹彬彬平江南不妄殺一人宋人立祠祀之舊祠在江寧社壇前明洪武二十年建于雞鳴欽天山賜額武惠學士劉三吾奉敕撰碑記今廢記畧曰按王姓曹名彬字國華眞定靈壽人也少而氣質淳厚及長器識遠大當五代之亂慨然有澄清天下志宋太祖受禪遂爲其將凡遇出師諸將莫不屠城殺衆以逞其欲王獨申令戢下秋毫無犯所至民皆德之其受命伐南唐也圍其城三時居人困甚王稱疾不視事諸將皆來問疾王曰予疾非藥石所能愈惟須諸公誠心自誓以克城日不妄殺一人則余疾自愈諸將許諾共焚香爲誓明日城陷煜與其臣詣軍門請罪王釋而禮之衆賴以全兵無血刃者此王之豐功盛德見于史傳然也

衛國忠肅公廟祀元江南行臺御史大夫福壽至正丙申明兵下集慶路福壽死之明祖詔立廟旌其忠在

城南土門岡洪武改建于雞鳴欽天山宋訥記畧曰公唐兀人自幼知讀書慷慨有大志入備環衛兩京巡幸多著勞績累官至江南行臺御史大夫時高郵盧和相繼失守公獨保孤城日益危急大兵壓境屢戰不利城破之日公據胡床坐伏龜樓前指揮左右或勸之避公曰我臺憲重臣與城存亡頭可斷朝廷不可負叱之去兵至竟死其地都達魯花赤達尼達思與俱焉上嘉其忠殮葬以禮順帝知其死加贈左承相上柱國追封衛國公謚忠肅今廢

祠山廣惠王廟在雞鳴山陽明洪武二十年建宋訥記

大清順治年制府馬鳴珮重修宋訥記畧曰神爲龍陽人姓張名渤發跡于吳興宅靈于廣德西漢以來蓋已有之或謂郎張湯之子安世而顏眞卿所記則在于新室建武之間以時考之不無牴牾至于錫封加號則始于唐之天寶益于宋之咸淳旱澇疵癘禱之必應民懷信慕義時走生羲告虔祠下陰功所至鴻化以熙不其盛歟

眞武廟在雞鳴山陽十廟之中石磴三層俱百級一望都城如畫人呼曰高廟明洪武二十年建宋訥撰文大清順治十三年制府馬公鳴珮重修勒石爲記

五顯靈順廟廟列欽天山者皆有功德于民典在太常五顯靈順亦居一焉以其効靈于國也前明國子祭酒宋訥有碑記記畧曰五顯靈順之神發祥婺源齊威並靈不著一時土人爲之立祠雨暘疾癘隨禱而應遠近翕然罔不響慕考之傳記五神峯精特顯於唐稽其時世或謂在唐貞觀之初或謂在光啓之際然其害盈福謙彰信兆民者固昭昭可憑也逮至于宋益顯厥靈累朝加封五神同被日顯聰曰顯明曰顯正曰顯直曰顯德以昭其德也故謂之五顯

歷代帝王廟在欽天山之陽明洪武建今廢別祀伏羲

神農黃帝于其地爲三皇祠以其爲醫師之祖考洪武六年八月監察御史荅祿與權等言伏羲神農黃帝堯舜禹湯文武繼天立極爲帝王之所宗宜于春秋躬行祀事庶成一代之典上納其言命禮官參攷歷代帝王開基創業有功生民者立廟祀之敕宋訥爲記

歲仲春遣祭

太昊伏羲氏　炎帝神農氏　黃帝軒轅氏

帝金天氏　帝高陽氏　帝高辛氏

帝陶唐氏　帝有虞氏　夏禹王

商湯王　周武王　漢高祖皇帝

漢光武皇帝　唐太宗皇帝　宋太祖皇帝

元世祖皇帝　分五室室太牢一禮三獻樂七奏舞八佾

從祀名臣

風后 力牧 臯陶 夔 龍 伯夷 伯益 伊尹

傅說 周公旦 召公奭 太公望 召穆公虎

方叔 張良 蕭何 曹參 陳平 周勃 鄧禹

馮異 諸葛亮 房玄齡 杜如晦 李靖 郭子儀

李晟 曹彬 潘美 韓世忠 岳飛 張浚

木華黎 博爾朮 博爾忽 赤老溫

凡三十五人列兩廡 廟初成明高帝臨祭禮畢特至漢高祖神前笑謂曰劉君今日廟中諸君當時皆有憑藉以有天下惟我與汝不階尺寸手提三尺以致大位比諸君尤爲難事可共多飲三爵

明功臣廟洪武二年正月立功臣廟于雞鳴山六月廟

成上論功列祀二十一人廟宇今廢

殿中祀六王

中山武寧王徐達　開平忠武王常遇春

岐陽武靖王李文忠　寧河武順王鄧愈

東甌襄武王湯和　黔寧昭靖王沐英

配享十五人　東序西向

郢國公馮國用　泗國武莊公耿再成

濟國公丁德興　蔡國忠毅公張德勝

海國襄毅公吳禎　蘄國武毅公康茂才

東海郡公茅成

西序東向

越國武莊公胡大海　梁國公趙得勝

虢國忠烈公俞通海　巢國武莊公華高

江國襄烈公吳良　安國忠烈公曹良臣

黔國威毅公吳復　燕山忠愍侯孫興祖

洪武三年增戰没功臣五年增百二十四人七年令都督祭堂上都指揮以下兩廡各設牌一書故功臣都督指揮千百戸衞所鎭撫

三聖廟在府治西北按金陵新志神郎史皇蒼頡廟在臺治西偏御街未詳所始然其來必自六朝省部所

祠

禹王廟在保寧坊磨盤街口其地有溝名建業溝

吳大帝廟唐建按金陵新志在清涼寺之西相傳卽吳

故宮

晉元帝廟唐天祐二年置在卞將軍廟西宋嘉定五年

黃度作新廟于石頭兩廡列當時名臣三十六人附

享葉適爲記

武成王廟唐開元中立南唐改建于御街之西

吳伍相廟在上元縣長寧鄉景定志子胥解劍渡處曰

胥浦西有伍相林竹篠溝有伍相白馬廟

周江乘廟在攝山上相傳吳時人益賢令也

梅將軍廟晉梅賾營屯營于雨花臺東岡後卽其地立廟明王以旂廟碑畧云留都聚寶山麓有廟一楹盖祀晉豫章内史梅公賾也始公居其地或云常屯營焉至今人稱爲梅岡廟圯不治弘治中有僧感夢葺于永寧寺側凡禱輒應同郡張寅瞻拜廟下凾徵言鑱石

侯將軍廟祀侯瑱瑱與王琳戰于烈山下大捷土人以瑱功烈甚盛故名山曰烈山建祠祀之

武烈帝廟在冶城西祀陳仁果唐書隋末越人寇長州柴克宏帥師往救仁果見夢曰吾遺陰兵助汝及戰大勝克宏奏封武烈帝唐贈忠烈公宋加封賜額復

封克宏靈翊將軍壁有董羽畫世傳名筆

雙廟在江東門外上新河北岸祀張廵許遠

襃忠廟祀宋建康府通判楊邦乂在城南門外報恩寺

南宋建炎三年嘗郎邦乂死所立廟以襃其忠紹興

七年詔守臣修之知府事葉夢得爲之記端平初更

建祠于學魏了翁記之尋廢明萬曆四年復建于墓

前

旌忠廟南城鐵索寺之東南祀宋統制姚興紹興中與

金人戰死樞密葉義問立祠賜額

忠節廟祀宋忠臣王珙在城東三里張浚督軍江淮時

珙戰没贈閬州觀察使立廟寨前賜額忠節

忠烈廟在竹街祀宋静江軍節度使牛富富霍丘人以

統制守樊城元兵陷城赴火死詔贈官謚忠烈

東平忠靖王廟在江寧鎮元至二年建

曹南王祠在柴街祀元阿剌罕至正元年建中書左丞許有壬撰碑

徐將軍廟在獅子山明洪武初建學士宋濂記

謝將軍廟祀晉康樂公謝幼度在鳳凰臺東宋乾道間

建明正德太常羅玘記

董將軍廟在上元門外將軍名成隨曹武惠王下江南

保全民命祀之

嘉惠廟在城東南二十五里紹興元年賜額慶元志丞相沈該政和中作邑上元禱雨應刻詩于祠

李王廟在城東南十里南唐李主也里俗呼曰李帝廟

軍師廟在鎮淮橋東北祠諸葛武侯

白馬廟在崇福鄉宋顧琛爲朝請晩至方山下商船數十泊東岸見有朱衣介幘乘白馬執鞭者屏諸船曰顧吳郡將至後琛果爲吳郡乃即所見處立廟

先賢祠舊在青溪之東宋開慶元年制使馬光祖建所祀諸賢皆生長金陵與遊宦往來于斯者共四十一人各有記贊閩士陳宗上書言蘊文忠亦嘗往來題

咏金陵山水間室入祀未果後祠毁明太史焦竑言于大學士李廷機葉向高二公乃屬祠祭郎葛寅亮于普德後山建祠設位爲文以記補入蘇文忠公春秋祀之

至德遜王吳泰伯初逃句曲山中

越相國范少伯蠡築越城在長干里

漢嚴先生子陵名光結廬溧水縣

漢丞相忠武侯諸葛孔明名亮往來說吳又勸孫權定都

吳輔吳將軍婁文侯張子布名昭宅在長干道北有張侯橋

吳將軍南郡太守周公瑾名瑜周郎橋在句容縣

吳侍中尚書僕射是子羽名儀宅在西明門

晉太保睢陵元公王休徵名祥墓在江寧化成寺北

晉平西將軍孝陵侯周子隱名處子隱臺在鹿苑寺

晉太傅丞相始興文獻公王茂弘名導宅在烏衣巷

晉太尉大司馬長沙桓公陶士行名侃事見石頭城

晉侍中驃騎將軍忠貞公卞望之名壼廟在冶城北

晉太傅廬陵文靖公謝安石名安宅在烏衣巷口

晉車騎將軍獻武公謝幼度名元別墅在土山下

晉右將軍會稽內史王逸少名羲之事見冶城樓

晉中領軍光祿大夫吳處默名隱之茅屋故基在城東

宋徵君雷仲論名次宗開館雞鳴山號北學

齊貞簡先生劉子珪名瓛居檀橋

齊諸王侍讀陶通明名弘景居茅山

梁昭明太子蕭德施名統書臺在定林寺

唐太師刑部尚書魯公顏清臣名真卿昇州刺史

唐翰林供奉李太白名白往來金陵具載本集

唐山南西道節度參謀孟東野名郊溧陽尉

南唐司徒李致堯名建勳賜號鍾山翁

南唐內史舍人潘名祐見江南錄

宋樞密使濟陽武惠王曹國華名彬開寶昇州行營統帥

宋尚書忠定公張復之 名詠祥符知昇州再任

宋中丞恭惠公李幼幾 名及淳化昇州觀察推官

宋樞密孝肅公包希仁 名拯天聖知江寧府

宋丞相忠宣公范堯夫 名純仁治平中江東運判

宋宗正寺丞純公程伯淳 名顥嘉祐上元主簿

宋監安上門鄭介夫 名俠清凉寺有祠

宋少師龍圖學士文靖公楊中立 名時嘗家溧陽

宋參政莊簡公李泰發 名光紹興宣撫使

宋太師丞相魏國忠獻公張德遠 名浚紹興留守都督

宋秘閣忠襄公楊希稷 名邦乂建炎知溧陽縣遷通判

宋太師丞相雍國忠肅公虞彬父名允文紹興督府參謀

宋太師徽國文公朱元晦名熹

宋安撫殿撰宣公張敬夫名拭督府機宜文字

宋太師正肅公吳勝之名柔勝生於金陵

宋太師參政文忠公眞希元名德秀嘉定江東運使

宋端明學士蘇文忠公子瞻名軾常遊覽題咏于金陵之賞心亭崇因寺淸涼寺

程明道先生祠在上元縣治中紹興中主簿趙師秀即廳事西偏繪像祠先生嘉定乙亥主簿危和在簿廨東偏得鈴轄廨舊基改建明道祠中嚴繪像外護重門未幾鞠爲軍儲賓寓之所明景泰初知縣姜德政

於縣治東南隅建祠宇翰林陳沂爲之記歷久傾圮其奉祀裔孫程仲璉捐資重修焉陳沂記曰明道程子在宋嘉祐中嘗爲上元縣簿故有書院久廢明景泰間縣令姜德政始建祠于縣治而未有祀嘉靖乙酉劉簿熙載請于臺始歲祀之癸巳令石淵之以埒于土地祠遷之堂右明年甲午丞何儒謂近堂廨畔吏所聚非所以棲神也復祠于舊宇而廣其制別土地祠于左告成丞簿二君請余記之沂考之宋史所載程子爲簿惟脯龍禁捕雀二事祭酒吳公節記又有均田租與水利聚營食三事焉夫程子聖賢之徒也發于其心見于其政莫非聖人之道爲簿之政如孔子會計之當牛羊之茁壯豈足以盡其道哉然迹其事而論之脯龍以去不智禁捕雀以去不仁田租水利營食又聚民之所欲者道亦盡于是矣或謂天下崇祀孔廟必俎豆程子亦何俟于一邑之祠祀哉於乎上元過化之地也吏之所師民之所思實係之丞簿二君之舉又焉能已乎且國朝百七十年于茲而舉其事者纔兩見焉則其賢不肖者何如哉應天在宋爲江寧府仁

宗昪邸後踐位爲大府罝尹以上元江寧爲赤縣南渡改爲建康罝留守無其位役今爲本朝定鼎之都雖遷都于北而宮闕臺部諸司在焉其軍儲餼廩旅食供億百費之煩皆取之二縣上元尤重者其弊所謂無田之征無溉之田無食之民日益告病其視嘉祐則有甚焉者矣二君之妥侑於祠祀者豈不重有所感而思所效治哉然則何如夫因訟以剔其弊則征無不田矣因時以治其防則田無不溉矣因豐以預其賑則民無不食矣即其切於民者而行之見於政可以得其心發於心可以得其理不徒祠祀之而已也若惟襲取其美以要其名而實無所效慕焉則非上元之民所望於二君者也余聞二君之賢民多稱之然復以此告者重新舉也何君寧都人

劉君永新人其儲僚同事者姓名列于左方

明道書院在鎮淮橋東北宋淳熙初留守劉珙始祀先生學宮朱熹爲之記紹熙間即縣西偏祀之嘉定間改建新祠前護重門中嚴祠像扁曰春風堂眞德秀

撰記未幾堂毀淳熙己酉郡守吳淵更建聘名儒爲山長依倣白鹿洞規理宗爲書明道書院額寶祐中馬光祖據院中立祠堂景定四年姚希得重修至元遂廢明弘治己酉提學御史司馬亞於府學東偏祠祀之榜其門曰明道先生祠自爲記嘉靖初御史盧煥始卽今址爲書院祠祀焉有綽楔題曰明道書院萬曆壬子督學御史熊廷弼重修增記太史焦竑有記　國朝以來積久傾毀其奉祀者招租雜戶與本族搆訟公庭康熙貳拾貳年知府于成龍爲之勘定奉祀逐其雜戶又具詳督憲請捐修葺漸次有成矣

〔江寧知府于成龍看語〕查得先賢奉祀自應嫡系相承非如尋常祖父世產可以按股均分者也程繼孔以世嫡奉祀情理宜然程衿雖分屬叔祖然有大宗小宗之別祠中事自不得過而問焉其招住雜姓滂穢祠宇在程衿固屬不合而繼孔稱其霸占强梁兇暴横行亦非賢裔口角姑念大儒之後槩免深求其賃住八户無論爲繼孔收租及程衿收租之家盡行逐出庶祠宇肅清于以妥先賢之靈而起對越之敬者漸而生色矣〔朱熹碑記云〕資政殿大學士建安劉公珙居守建康之明年夏四月始立明道先生之祠於學而以書走新安之婺源抵熹曰吾少讀程氏書則已知先生之道學德行實繼孔孟不傳之統顧學之雖不能至而心鄉往之及來此邦屬邑有上元者先生少日宦遊處也考之書記均田塞隄及民之政爲多脯龍折笋教民之意亦備然問諸故老以稽其實則兵革變故之餘風聲氣俗蓋已無復有傳者矣始至慨然即欲奉祠以致吾敬使此邦之爲士者有以興於其學爲吏者有以法於其治爲民者有以不忘於其德不幸歲適大侵救饑之事方急於今乃克遂其志以吾子之嘗誦其詩而讀其書也故願請

文以記之旣而府學教授孫君鼐沈君宗説亦以書來申致公意且具道公始之所以焦勞而未及與今之所以暇豫而得爲者其語詳焉熹發書喟然仰而嘆曰尊賢尚德公之志則美矣旣富而教公之政則得矣屬筆於我公之意則勤矣雖然先生之學自其大者而言之則其所謂考諸前聖而不謬百世以俟聖而不惑者蓋不待言而喻自其小者而言之則上元之政於先之遠者大者又懼其未足以稱揚也吾何言哉於是伏而思之先生之學固高且遠已然其教人之法循循可序而嘗病世之學者舍近求遠處下窺高所以輕自大而卒無得焉則世之徒悦其大者有所不察也上元之政誠若狹而近矣然其言有曰一命之士苟存心於愛物於人必有所濟則其中之所存者又烏得以大小而議之哉區區不敏竊願以是承公之命庶幾於公之志先生之學兩有補焉又惟公之忠言大慮旣已効於朝廷今雖在外而其所以救菑而彌患者又如此其汲汲也則於先生之所存必有深感而默契於中者矣其祠之也豈獨以致其尊賢尚德之意使民不忘而已哉若夫推公之志而以先生之所以教者教其人使之從事於爲己

愛人之實而無空言躐等之敝是則孫沈二君之任也與二君勉旃熹於是其有望焉爾矣淳熙三年夏四月丙申新安朱熹記

眞德秀明道祠記云先生之生鍾乎元氣之會學之所至純乎天理故其生色也盎然若春陽之溫其吐辭也泛然若醴酒之醇同設教於家而士之願從者衆同爭新法於朝而天子亮其忠用事者感其忱一時忤意者皆貶而先生獨畀憲節力辭不就去之久而猶見思及其殁也士大夫知與不知皆爲流涕以爲時使見用必將有綏來動和之効而重哀生人之不遇不得與於先生佐與王道之澤也非夫先生之心學純乎天理其孰能與於斯乎先生之仕也嘗主江寧之上元簿攷其設施若均田賦興水利息邪說正人心等事皆天理之流行著見者也中更變故鄉之人士罕有能言之者乾道中資政殿大學士劉公珙知府事始祠先生於學宮而侍講文公先生實爲之記則旣較然昭著而足以風厲學者矣其後主簿趙君師秀復即廨舍之前爲屋數楹以寓尊事之意而庳隘弗稱嘉定甲戌危君和嗣居其職始請於帥守莆田劉公渠增而大之德秀時將漕焉捐金三十萬粟二千斛以助之未幾

豫章李公珏繼至咸相其役爲堂三間中嚴像設而扁之曰春風其上爲樓高明潔清内爲齋二東曰主敬西曰行恕後爲小室焉曰讀易外爲齋一曰近思齋之側爲亭曰靜觀又爲兩廡翼之而刻表墓與河南雅言於其壁危君之於斯役勤矣而劉公之經始也嘗屬德秀爲之記危君又重以爲請再三迓而不置德秀以固陋力辭而不可得也顧自惟念少知誦習先生之書初葢茫然不知所嚮而粗若有見者竊謂自有載籍而天理之云僅見於樂記先生首發揮之其說大明學者得以用其力焉所以開千古之秘覺萬世之迷其有功於斯道可謂盛矣而其所以進於此則又有二言焉毋不敬以操存於未發之先思無邪以戒謹於將發之際涵養省察動靜交飭知天事天三者兼盡及其至也中一外融顯微無間則雖人也而實浩浩其天矣若是者其於先生之道有合乎否也過不自料次第其說以授之危君幸以爲然則刻之堂上以示來遊於斯者使知先生之道雖高而用力有要萬有一可爲興起之助云爾嘉定丙子正月吉日眞德秀記　明太史焦竑重修祠堂記云明道先生爲宋儒理學之宗往主上元簿流風善政

藹然被於鍾山淮水間至今謳思之不忘淳熙劉公珙祀之學宮朱子爲之記久之改築學使者廨西楚耿公定向嘗大修葺之後若干年圮而不治頃萬曆壬子熊公廷弼至覩其湫隘弗稱尊賢造士之意謀于司空丁公賓納言吳公達可輩捐貲創爲之不三時告成且以學使者孫公鼎至耿公定向九人者祔焉齋祭有所講誦有堂俎豆有度賓位有序皆因耿公之舊而拓之巖巖翼翼壯偉閎麗於是縉紳縫掖來遊來歌歡喜道說以得學其中爲快而熊公乃使余記之余惟學者求復乎天理而已而載籍罕言之獨樂記曰人生而靜天之性也感於物而動性之欲也物至而人化物不能反躬天理滅矣余謂反躬者反乎人生而靜之初也先生獨契於此嘗曰天理二字吾體驗而自得之而推以教人必曰觀未發之中嗚呼微矣夫人之四肢百骸人論庶物皆天也人知人之人而不知人之天故欲肆而理微知人之天斯能知性善知性善斯能誠意正心修其身而天下治非治天下之難動以天之難也先生正己率物惟天之師故所至安其政而樂從之遊即新法之爭擧朝爲忤而天子亮其忠用事者感其誠斯非學之驗歟

先生於上元均田賦興水利簡獄訟導畏拒淫爲惠澤甚渥余嘗行湖熟大浸菰然而獨稱程子圩者亘數十里無少罅食土之毛者蓋六百年而若新君子之盡心民事如此豈自待者厚而所埀者遠歟抑誠之所爲不自知其然者歟不可及巳九九先生之爲人不必同其修巳教人無媿於先生可知也熊公慕伯子之風而襲九九先生之遺跡其志之所存抑又可知也祠之建置不足爲數公之有無然後之人徘徊企仰有緬焉不可及之歎則於世教不爲無助九九先生行事載京學志不具論熊公戊戌進士楚之江夏人以功名方鵲起未艾云

范忠宣公祠在舊轉運司宋嘉定八年眞德秀建

眞文忠公祠寳祐間馬光祖重建于壽思堂之西

馬莊敏公祠在城隍廟東祀宋制使馬光祖

南軒先生祠在天禧寺公侍父魏公居建康時先生即

天禧寺竹間搆屋讀書名南軒淳熙三年杜杲建祠爲之記記畧云我宋濂溪二程先生出而發聖賢之秘孟氏始得其傳道統于是乎有寄中興以來文公朱先生以身任道開明人心南軒張先生爲文公所敬二先生相與發明以續周程之學于是道學之傳如日之昇如江河之沛凡講習之地皆有祠宇崇高嚴潔足以起人之敬仰百年之間儒風彬彬豈無自而然獨金陵天禧寺之側有屋六七楹曰南軒實先生講習之地想其朝思夕維參前倚衡天地之運化聖賢之傳授父子講求乎尊君救時之策朋友發揮乎垂世立教之序關百聖而不違通萬世而無愧是軒也豈容使之荒蕪而不治

一拂清忠祠在清涼山麓祀宋鄭介公俠公閩人隨父任讀書清涼寺中嘉定間總領商碩爲祠以祀明萬曆中葉向高修復之又建堂祠靖難閩中死事諸臣

葉福陳彦回陳繼之林英及諸生曾廷瑞伍性原陳應宗呂賢林珏鄒君默等而以張經周起元祔焉向高爲之記

記畧曰余惟先生聲名在天壤忠義在簡編魂魄在名山俎豆在郡國千秋無斁烏用辭也已取先生傳及諡議讀之而嘆曰嗟夫世之淺窺乎先生也彼以流民一圖爲先生重耳夫先生力拒權相之招至昭以美官而不顧屢觸羣奸之怒至中以危禍而不辭汲汲皇皇爲萬姓請命此其人豈僅以慷慨敢言自表見者銀臺之疏一上人主致感歎咨嗟徬徨不寐舉其平日君臣間日夜講求以爲振古之事業者一旦而幾于盡格是時元老大臣如富韓諸公力爭而不得而先生以監門小吏乃能得之其精誠力量爲何如乎先生一爭于安石而僥勝再爭于惠卿輩而遂不勝人主一中于安石而僥悟再中于惠卿輩而遂不悟新法之行而罷罷而復行先生之竄而歸歸而復竄以卒成元豐紹聖之禍焉此天也非先生之所能爲也吾讀先生前後疏語皆忠憤激烈至于用兵之利害羣小之奸欺反覆開

陳無所顧忌千載而下猶足酸鼻宜其足以感人主之心而動其聽使世之臣人者皆如先生天下豈有不可爲之事哉先生之志雖不售而精忠勁節已足暴于天下萬世無所復憾獨惜元祐彙征之時僅以廣文一秩置先生於遠郡而無能推轂同升以究先生之用則司馬諸賢亦有不得辭其責者後之議先生謚者曰介然特立于衆小人之中猶可及也介然特立于衆君子之中不可及也斯其爲知先生矣先生大節具在宋史其詳在宋景定建康志初建祠者爲總領商公碩以嘉定十四年有上梁文并謚議皆得自焦公家藏而訐部爲梓行附以祭文題詠雜作而余爲書此以復焦公且使過祠下者有所考焉祠在清涼山之麓其右爲耿天臺先生講學處時萬曆三十二年癸卯之冬月也

陽明先生祠在西華門大街許眞君廟側今廢太史焦竑有重修陽明先生祠堂記記云孔孟之學至近世而大明如日之中天非無目者未嘗不知而仰之則陽明先生力也先生自謂其學凡數變葢從萬死一生中得之是豈可以易

易言哉今先生之説盛行於世而尸祝之者幾遍宇内獨金陵京師首善之地先生生爲太僕鴻臚卿於此者且六年都人士沐浴膏澤沾丐芬香者不少矣面顧無專祠以祀之非缺事歟頃歲紹興周海門公以符卿攝京兆士大夫摳衣問學者無虛日其所推明闡繹率先生意也爰念居游無所而瞻嚮靡從非所以興學乃擇高敞燕閒之處畚壤測泉而大葺之經體面勢言言噲噲不大變徙而祠適成當是時京兆黄公繼至尤嘉公意而相其所營於是斵削丹雘之飾煥然完富而士以得學中爲樂相約而詣余請記易曰形而上者謂之道形而下者謂之器余觀先生之始也其爲慮深嘗示人以器而畧於道俾守其矩矱而不爲深微之所眩然使終於此而已學者將苦其無所從入而道隱矣乃遴一二俊人時以上焉者開之如所謂無善無惡者是以至今昧者未隱於心而大以爲先生病孔子不云乎我則異於是無可無不可可不可者即善與惡之云也究且舉意必固我而絶之則空洞之中纖微不立而何善之可言乎無美者天下之眞美也無善者天下之至善也是非都捐泯絶無寄而變化兆焉此道之竅繇而名曰大本

者也不此之求而吹吹然枝葉之辨譬於執糟粕而棄醇醪惡足以與於道哉夫爲學而致道猶掘井而及泉泉之弗及卽九仞何爲也先生起於學絶道廢之餘處困居夷矢志必得以彼磨礱鍛鍊如木生嵌巖奇蹇之隈欲透復縮而非于霄摩雲則弗止宜乎明旣晦而續不傳其所成之偉如此也學者有志於先生之爲人不可不求諸學有志於先生之學不可不求諸道苟其以語上爲諱而安於日用不知之民甚非先生之意而亦非符卿所望於諸君子者矣

廉直何公祠在富民坊西祀工部主事何遵正德時諫南巡杖而死嘉靖初贈尚寶司卿祠祀之堂名表忠

耿天臺先生祠在淸凉山之南祀明督學御史耿定向有坊額曰耿天臺先生講學處

表忠祠在全節坊明萬曆三年本府奉詔創立祀建文

死節諸臣建坊于朝天宮之東

文學博士方孝孺　禮部尚書陳　廸

兵部尚書齊　泰　兵部尚書鐵　鉉

刑部尚書暴　昭　刑部尚書侯　泰

都御史　景　青　吏部侍郎毛　泰

戶部侍郎卓　敬　戶部侍郎郭　任

戶部侍郎盧　廻　禮部侍郎黃　觀

禮部侍郎黃　魁　兵部侍郎陳　植

刑部侍郎胡子昭　副都御史練子寧

副都御史陳性善　副都御史茅大芳

太常寺卿黃子澄　僉都御史周　濬
僉都御史司　中　大理寺少卿胡潤
太常少卿盧原質　太常寺少卿廖昇
太常寺丞彭與民　太常寺丞劉　瑞
太常寺丞王　高　太常寺丞鄒　瑾
修　撰　王叔英　修　撰　王　艮
侍　講　婁　漣　衡府紀善周是修
給事中　龔　太　給事中　陳繼之
給事中　韓　永　給事中　黃　鉞
左給事　戴德彝　監察御史高　翔

監察御史鄭　智　監察御史曾鳳詔
監察御史王　彬　監察御史王　度
監察御史甘　霖　監察御史謝　昇
監察御史葉希賢　監察御史董　庸
監察御史王　玭　監察御史魏　晃
戶部主事巨　敬　兵部主事樊士信
四川按察李文敏　浙江按察使王　艮
河南參政鄭居貞　江西副使陳本立
陝西僉事林嘉猷　北平僉事湯　宗
蘓州知府姚　善　徽州知府葉惠仲

徽州知府陳彥回　徽州知府黄希范
宗人府經歷宋徵　國子博士黄彥清
谷府長史劉璟　遼府長史程通
燕府長史葛誠　漳州教授陳忠賢
魏國公徐輝祖　駙馬梅殷
駙馬耿璿　駙馬胡觀
都督廖鏞　都督同知陳質
都督僉事耿瓛　豹韜指揮俞通淵
指揮張倫　指揮王賁
揚州衛指揮崇剛　燕山衛千戶倪諒

副總兵　瞿　能　　　　都指揮　宋　忠

都指揮　莊　德　　　　都指揮　孫　泰

都指揮　楚　智　　　　北平都指揮朱鑑

指　揮　馬　宣　　　　指　揮　彭　聚

指　揮　彭　二　　　　指　揮　謝　貴

指　揮　余　琪　　　　舉　人　劉　政

指　揮　宋　瑄　　　　錦衣衛鎮撫余本

錦衣千戶周拱元　　　　松江府同知失名

賓州知州蔡　運　　　　蕭縣知縣鄭　恕

沛縣知縣顔伯瑋　　　　沛縣主簿唐子清

興史黃謙　睢陽教諭王省
中書何申　燕府伴讀余逢辰
參軍斷事高巍　東平州吏目鄭華
定海人梁良用　齊黃講士盧振
鎮撫曹濬　漳州生員曾廷瑞
生員伍性原　生員陳應宗
生員呂賢　生員林珏
生員鄒君默　守金川門牛景先
燕山衛卒儲福　臨海樵夫失名
巡撫都御史宋儀望爲記知縣林大黼爲祭田祭器記

崇禎五年賜諸臣謚府尹詹士龍重修南禮部侍郎錢士升有記今廢萬曆四年宋儀望記曰皇上御曆改元崇慶覃恩詔雪靖難諸臣俾郡邑吏置祠祀之仍卹錄其後詔下之日薄海內外皆舉手加額以我聖祖神孫其扶世敎拔忠魂之心益萬禩如一日也予旣續崇陽汪公所著表忠錄茲然久之然不能無私臆焉自古人臣不幸當國家橫決變故出其身抗大誼排大難脫有不濟則繼之以死若龍逢比干巡遠及世傑秀夫天祥諸人是也建文初纘大統顧命諸臣皆高帝一時簡付苟務自兢兢一遵成法敦固懿親以藩屏王室諸王雖處尊屬列疆藩然親承冊券帶礪在盟誰敢與亂齊黃諸人膚慮輕謀啓釁階禍湘齊周代岷五國逆節未萌瑕垢屢摘或徙或廢或焚死咸微入之辜又下詔讓燕文皇神武英明非諸王比靖難師陳諸大臣罔暇卻顧移檄發兵必欲加威以逞而大將持貳動遭敗衄北兵曰邇務得齊黃如黿錯故事建文英斷不及漢景而諸故臣又以謾護焉決事金川旣入始以誤國莫贖爲言天威斯赫誅戮尋加根連株引至不可

勝數推皇祖之心豈獨以其迫抗抵觸問識天授已哉要以二三故密首發難端致勤師旅故其時齊黃方練受禍最慘帝之心有餘憾矣方其舉義旗而南也前軍所指所嚮克捷雖鐵鉉諸人竭其螳臂之力以當車轍而天命所屬竟莫能阻夫用命有厚賞不用命有顯戮非湯武誓師之詞乎革除諸人就執之日堅盟初心視死如歸寧負順天應人之舉而不敢忘叩馬之心寧甘鼎鋸塗釁之禍而不敢効檻車之辱一時被難死志多至百數十人自紀載以來信未兩見者也嗟乎流言興而周室危未央清而代邸入孟津濟而餓夫亾洛邑營而頑民梗彼度德以救時與懷故而寘力其歸一也借也經生學士不能發揚大誼謂革除可以表年矣而不知甲子濟師之日固湯武革命之秋也謂誅黨可以懲姦矣而不知式閭表墓之舉固聖王下車之度也果與日者陳瑛嘗請究餘黨矣成祖否之曰彼食其祿固自盡其心爾又嘗詔大學士楊榮曰使練子寧等在朕固當用之嗟哉悲乎此其大公之心舍弘之量大矣如天地之無不覆載也明矣如日月之無不照臨也去今百七十年紀載忌諱是非晦蝕使主仁臣忠之分無以暴著於

時此則任事者之罪也萬曆二載夏予承乏來撫南畿太平府推官劉揭言留都爲革除諸人効忠故地垓以爲宜遵明詔建崇祠以彰顯我二祖備養矜恤之恩億千百年大小臣工往來瞻顧則思諸故臣殉國死綏之烈與當時開國元勳諸人所以翊贊鴻業扶植世教其成功駿烈皆足掀揭宇宙配天無極予覽其言壯之先是巡撫張君佳胤等以修舉祠祀事下有司議之未報予惟留都内地非支郡比尋以嘗所聽說請于政府江陵張公公手報曰褒錄特出上恩建祠增祀以祗遵明詔則守臣事也會今少司徒汪公以光祿卿來尹京兆既得報喜曰革除諸臣或死封疆或死故城予天子之守臣也惟祀典神祇是司明詔赫奕曷其敢廢於是議以嘗殉都城咸如例列祀使諸孤憤遺魂猶獲血食兹地豈惟彰顯一時遭際表俗勸忠於是乎在議既定遂委成上元令林大黼江寧簿郭祺擇地飭村工役棘與予與巡按御史鮑君希顏唐君鍊詢謀僉同各發贖金以佐工作提學御史李君輔褚君鈇與觀風敎敦勸彌篤未幾京兆公晉官大理卿已又晉今官祠既訖工今大京兆程君嗣功少京兆陸君樹德適來觀成司徒公遣

官來告曰是舉也於國家爲懿章於天下後世爲公議是不可以無紀惟下執事圖之予辭不獲乃推本前說俾林令刻之碑庶幾來者因有攷焉崇禎十三年祠部周鑣疏陳復建文廟號並靖難諸謚允請

青溪忠節黃公祠在桃葉渡祀明禮部侍中黃觀夫人翁氏及二女配焉相傳卽妻女死節之處萬曆中重修禮部侍郎趙用賢有碑葉向高有黃公忠烈祠記

趙用賢記云按表忠錄載公始從父贅外公許姓字尚賓舉洪武二十四年會試第一高帝親策士公對稱上旨擢狀元及第授史館修撰累遷禮部右侍郎建文二年知貢舉尋改制以公爲侍中仍賜尚書員掌尚寶司事與方公孝孺齊公泰練公子寧皆被親用乃奏復黃姓當北兵起時嘗草詔極詆責四年靖難兵既渡淮公徵兵上游諸郡奮不顧家且行且募兵至安慶聞建文君遜位又得令諭暴左班文職姦臣罪狀列觀名第六公痛哭謂其友柯暹曰吾誓一死以報君行次李陽江公乃朝服東向再拜過羅到

磯湍急處紿其舟人奮棹遂踴身自沉是年十一月
都御史陳瑛簿錄公與上叔英妻皆給配象奴公夫
人佯出其金釧命奴市酒餚將供合歡具奴既出夫
人乎挽二女暨家屬十餘人俱赴淮清橋下死青溪
居民時時見寃裳者一人携二三女郎立溪畔心知
其爲公也相與駭嘆宣德二年土人始就其地搆廟
爲三楹旁立二夾室其前逼街道又屬時禁未解故
隘其閾而寘土穀神像以蔽之歲益久故老益彫落
過者皆謬指爲土地祠而已予官南宗伯慨然念革
除之間忠臣義士其遺骸朽骼咲鳥鳶而委草莽湮
滅者不可勝數也則稍爲搜抉其遺跡因過青溪求
謁公廟而廟門雜於廛肆久始得之顧瞻遺像爲之
唏嘘泣下已乃少捐俸資拓其門而顏之曰青溪忠
節祠於是京兆府暮吳君繼茂上元令程君三省江
寧令周君詩簿杜君大中將謀更創後寢妥夫人二
女之靈而於前堂闢置公像云　葉向高記云忠烈
祠者祀建文中死難黃公及夫人翁氏與二女也據
舊志黃公募兵江上聞建文君遜國自沈羅刹磯夫
人詔配象奴不辱與二女俱沈淮清橋下清溪之居
民憐而祠焉或者曰淮清橋非夫人死所也夫人之

死乃在賽公橋今瘞骼其處祠宜于賽公不宜青溪也余曰公夫人神無不在即兩祠何不可者且賽公僻久則沒矣青溪通衢過者式焉是可以風也或又曰青溪故有小姑祠乃將子文之妹亦烈女也譌爲翁夫人耳余曰趙宗伯記中稱居民時時見冠裳者攜女郎二三人立溪畔故就其地構祠僅三楹以時禁未解置土穀神蔽焉又云顧瞻遺像欷歔泣下則公夫人之有祠有像所從來矣非自小姑譌也豈小姑故有祠今失其處耶公夫人祠得宗伯而顯又後數年而少宰晉江李公稍加飭焉然堂迫于門門迫于衙淺隘諠囂登降無所余時爲禮官念欲改作而力詘未遑頃自留銓攝曹事屬署中有所摘發得數十緡余與儀曹汪君輩謀因以爲資太常兢李丁公從臾甚力復有捐助會太學生汪宗孝者以百三十緡貿祠傍民宅一區輸入祠基址益拓于是鳩工庀材諏日從事以太學生潘廷讓督役祠故背河乃改而面之既寢既堂無不具飭闢其旁爲路樹楔焉移水亭于左無使蔽祠甃石爲岸以禦河周以欄楯顏其前曰一門忠烈廟貌翼如視昔改觀矣已復撤舊宅爲精廬使僧奉香火既落成客有過祠下談靖難

時事輒咨嗟感嘆於諸臣之死若有難言者而且引叩馬事爲解余直語之曰無以爲也高帝肇造乾坤功德冠千古然而有高帝不可無文皇也何也高帝艱難開創王業未康繼之者其力難微文皇則明尚未得爲明也當永樂時建文之故臣以功名顯者不乏人然而有文皇可無建文之故臣也何也文皇神謨遠畧以守代創輔之者其力易即微故臣而明亦不失爲明也夫天下事覩得已與不得已耳高帝不可無文皇則文皇之靖難爲不得已文皇可無建文之故臣則故臣之事文皇爲得已昔管仲事桓夫子仁其功以爲微仲則不成桓耳而子糾未君則仲亦未臣故可以無死夫如黃公輩者死可哉乃婦人女子志節皆與公同斯爲奇矣或曰然則文皇固欲死諸臣否歟余曰此亦文皇之不得已也夫諸臣不事文皇而又不死則固無所置此身矣死之以成其是而使知有萬世君臣是聖人之微權也他日曰彼食其祿自盡其心益子之矣祠諸臣者從文皇意也諸臣合祠曰表忠而黃公與正學方公各有特祠黃公祠建于萬曆乙巳之仲冬成于次年之仲夏經理其事者爲儀部汪君國楠堵君維垣洪君佐聖祠部葛

君寅亮鄭君三俊客部施君浚明膳部劉君洪謨司務李君允懋余爲次其事勒之石

馴象門外黃侍中祠塞洪橋之東公墓在焉相傳翁夫人與二女投水而死家人亦從之即此地太史焦竑爲之碑記

青溪夫人祠在金陵閘夫人南朝甚有靈驗宋猶有之今廢　青溪小姑者漢秣陵尉蔣子文妹也嘗遇難妹挾兩女投溪中死青溪小姑祠其來舊矣明萬曆戊戌間有以通紀載黃觀夫人翁氏死節挾兩女投淮清橋下見此像相似以爲當時隱其迹也遂改作節烈祠祀翁氏母子焦太史竑云秘閣見書載翁氏母子死節在賽公橋三屍倚岸久之有以一木共收之者至弘治間始以土掩之賽公橋近馴象街與配象奴說合存之以備考

方正學先生祠在聚寶山之南先是祠面東北堂與鍾

山相對垣不盈丈先生幞頭朝服秉笏端坐常向孝陵示不忘也祠以南公墓在焉祠以西木末亭也相傳門人王稌輩拾遺骸瘞此萬曆己丑始于其地祠之甲申祠毁其十七代孫方樹節死于墓側今順治十三年民部洪若臯學博朱謨後學臼夢鼎謀復其舊守者以山巔不可久迺建今祠易堂而西易亭而南易幞服而冠裳先生之祀則存而先生北向之志則失矣庚子祠成民部洪若臯後學臼夢鼎爲之碑記其題柱有起懦廉頑一夕秋風生木末成仁取義千年春草在長干之句先是宗伯王公弘誨鄧

公以讃湯公顯祖葛公寅亮俱有記録其一以存舊

陳公丹衷修祠引附焉

王弘誨記云明文皇帝靖難師入金陵一時抗節死義之臣則正學方先生爲尤烈云始門生王稌輩取遺骸葬聚寶山其事秘不傳越二十年姦黨禁除而先生之事騐以章顯迨今上初下褒祀之詔天下言者益以不諱而先生之名遂炳烺寰宇間矣萬曆巳丑冬客部新安汪君祠部臨川湯君間過聚寶山弔古訪先生墓而封識之於是予與少宗伯常熟趙公爲闢墓道建祠山上一時南中大小九卿及諸縉紳捐俸相工不謀而合祠部將君爲之潤飾有加焉於戯是不可以觀人心哉夫以先生天挺之才醇儒之學高皇帝稱爲異人欲老其才須後用稍擢漢中教授建文中召入翰林進大學士日侍宸扆備顧問其遭時遇主爲何如也文皇帝靖難師入所至皆嚮應乃郎位一詔非得先生草定不可其倚任托重又何如也藉令與時委蛇垂勳竹帛天命人心之際先生豈不籌之熟哉乃衰絰哀號峻詞拒命至赤族不顧鼎鑊如飴先生之心也予讀其絶命之詞至忠臣殉君兮

抑又何求感慨唏噓有足傷心流涕者間嘗律之孤竹叩馬之事則易姓受命視家事慰諭之日其所處孰難首陽全身視萬死不磨之秋其爲情孰苦要以取義成仁可爲後世人臣懷二心者之愧則所謂易地皆然百世以俟聖人而不惑者也乃若孤竹得武王而臣節益彰武王得孤竹而主度益顯今天下知與不知皆謂先生之節文皇帝成之矣至文皇帝他日有言彼食其祿自盡其心然則文皇帝之度謂自先生啓之奚不可乎子故表而出之俾後之知先生者因此知文皇帝而尚論千古君臣之際我明與成周寔異代北隆云適致仕通判程君心德同其子儒士近光董祠堂之役來告成事聊致數語系之碑陰其死事始末詳本傳祠堂與建别有紀　陳丹衷修祠引云崇往烈無使湮泯所以勸後教忠也事不可立教不舉也古今死國有修于正學方先生者乎陰霜沍結高山爲平原有懼于天有虞於地以十族之死塞之我知十族九原不懷怨先生也古有及十族者乎先生爇曰若晉里鳧須之言罪至十族未足塞責先生之靈如有傷傷不能存君捄亡故無懟猶引罪也歸藏之殺藏墓也曰聖人以穴丘之故有墓古

皇曰無廢祀事國祀弗廢野祀弗廢野祀佐國祀之不及也今夫憤不畏死死矣死十族死止矣死又何求豈計後有祀者虞鄰洪公霜劬朱公輿孟新白子圖再剏往祠於木末亦云惟食喪祭以典明教娶則詈予者天下乃知詈之功故忠在家爲孝在友爲義在民爲順民何嚮非私私生抗見古節烈忠憤生哀哀生禮禮生義或云先生忠矣語過暴激乎嗟乎噫詆日星之空暗責風雷以當瘖不可哉忠烈之事天有同性性有同心知圖佐助聽斯言如聽變徵之音眼尾掀豎擲金足工不遑安席者矣　張琪過祠詩木末橫江自苔痕片石青孤忠爲暮雨千載一空亭論世今誰在傷心古未經道人高座語側耳正冥冥丹衷詩木末風起兮西日藏寒食近兮春煙黃河人椒野祭兮陳漿嗚呼臣罪不當祀而祀兮魂愈傷

御史大夫景公祠在聚寶山方公祠左明靖難兵至一時元勳國老大夫士庶以暨樵牧緇羽匠作憤發敢死者數十百人御史大夫景公淸特著景公後方公

黄公練公死尤奇至今想像中丞公忠魂義魄著緋衣行殿上屍斷鐵索走午門犯駕凛凛如生瓜蔓之誅古今未有也萬曆中方公建祠梅岡景公祠與方公祠鄰明季祠毁　順治庚子解公幾貞來涖民部學博朱謨後學白夢鼎請于解復傳祠仍與方公鄰解幾貞白夢鼎各有記先是太常李公維楨文公翔鳳惠公世揚皆有碑記

羅椬碑畧曰高帝旌余闕鄙危素以風勸天下忠義故建文時死難諸臣最盛秦得其六秦人仕留京者勉爲祠祀六公又以御史大夫景公事最烈禍最酷乃建專祠與方正學祠並而屬楨爲之記葢靖難之師所連染芟刈遍薄海視唐宋兩太宗不啻百倍然當時謀國者力不能制於初或以起釁比其發難又不能知人善任致敗則以死殉固當惟景公未嘗失策爲

厲階勤王之師無可復徵諸並死者澤量若焦人心寒怨莫必其命景公不勝憤挾七首致効荆軻之所爲其計畫無奈之至也抉齒斷舌含血噴御袍肉已就醢實草之皮猶斷索繫趨乘輿復見夢於文皇爲故主報讐如左伯朱衣冠弓矢射王於鄗者自是白骨爲爐爇其族及其鄉黨無噍類焉俗謂之瓜蔓抄而邑版籍至于絕戶仍曰某某以奸惡誅尚沿永樂時傳檄云隆萬以來體文皇帝人各爲主盡心之說褒錄諸死難臣恩禮隆茂有傳方正學後裔者事甚奇秩秩廟貌于國于家於吳於越不一而足若景公慘愈甚廟貌曾未有特起者秦之合祠專祠固空也特祠死事之地尤空也姦回之夫子孫恥以爲先冢墓未嘗過而問焉忠如景公二百餘年薦紳韋布無論萬數俎豆香火趨事如不及豈必待子孫然後血食卽景公始顧寧爲今日計要以君臣大倫忠義大道同天地不毀故感動人心如是嗟乎爲人臣何不爲忠而墮於辱人賤行使孝子慈孫百世不改乎

忠節周公祠祀衛府紀善周公是修公名德以字行江

西太和人舉明經爲霍丘訓導陛辭高帝問家居向爲對曰教人子弟孝弟力田高帝喜留之命侍東宮講讀尋改周府紀善建文元年王有過盡逮府吏詔獄是修以嘗諫得免改衡府紀善衡王建文母弟也未之國是修留翰林纂修國史數陳國家大計燕兵渡淮與蕭用道上書指斥用事者誤國罪及師人金川門宮中自焚是修留書别友人付以後事具衣冠入應天府學拜先師畢爲贊繫衣帶上自經于尊經閣下故于學宫立祠祀之修撰焦竑爲之記

三忠祠在聚寶門外南岡祀宋楊忠襄公邦乂文忠烈

公天祥最後祀南大司馬李公邦華三公皆吉產而以靖難死事諸臣吉水王公艮王公省永豐鄒公瑾魏公晃鄒公朴廬陵曾公鳳韶顔公環泰和周公是修龍泉張公彥方九公配之忠襄公死事建康父老百世祝之忠烈公過金陵懷忠襄死燕市祀之南大司馬李公死京師賊難江東父老思之不忘合祀之南禮部侍郎孔貞運爲之序巡撫應天宋儀望爲忠襄公墓碑忠襄二十七世孫楊嘉祚爲重修忠襄公祠堂記御史郭維經爲忠烈祠引侍讀學士忠烈公孫文震孟爲新建文丞相祠記兵部尚書李光邦爲

忠襄忠烈合祠碑記　順治十年吉安後學康范生

文佩倡議重修爲三忠合祠碑記

羣公惠澤祠在善世橋隆慶元年邑人趙善繼等建祀

巡撫都御史方公廉巡按御史黄公　宋公纁戸科

給事中郭公　巡江御史艾公　府尹呂公光詢通判

陶公守訓上元知縣房公韞玉　丞程公民孚江寧丞李公

懿范馬寺卿盧璧記記畧曰祠生祠也神明之也作之者誰上元江寧之人也二縣於應天附郭諸司轄焉其賦役之繁坊廂之困固非一朝邇年以來征派百出逃亡曰衆存者凜凜然愁苦呻吟殆不知有生人之樂矣乃郭公以考績入京則親爲題請悉獲俞旨宋公駐節於茲又虛心博訪詳定條約俾郎縣亭勒石其詳具於惠政錄中語其槩則光祿之柴薪九庫之夫役歲免賠納者各不啻

千金矣各衙門之修理與燕會以及額外之應付新增之工食與諸雜辦其所省又不知其幾矣坊長總坊當頭華而爲顧役而取之者阻作奸者消矣徵派有數盈耗有權力差有等什物有紀益之流移當鋪三百則兩利而俱存矣府有號薄縣有循環部院有稽查戶科有奏繳其防檢可謂密矣是故昔之費也五六今之費也二三昔之勞也八九今之勞也一二昔之愁苦呻吟者今欣欣然有喜色而相告矣民之感之豈待旣去之後哉祠之所以作也報之所以周也隆慶元年夏六月吉旦

續建惠澤祠碑紀云應天爲天下首善之地上元江寧若縣始爲坊百餘民咸隷焉正統間遂於上元併爲坊者四十有四江寧併爲坊者三十有五厰坊定爲十甲坊長一人甲首十人以供勾攝後以里甲告訐始度力徵銀以備邑公費甲每二載有半役輪一季先是戶蕃事簡吏咸守官常重名節民不告勞嗣是浸淫徵需無厭民始嗷然不堪命矣旣又每坊擇民之少裕者數戶以總徵銀之出納號曰買辦名雖曰總而實則欲浮費之不足者責數戶以足之也夫以十數戶之窮氓供數十百大吏之冗費民安得不瘠且亡邪郡士趙子心

獨傷之乃率同志者陳諸當路時巡撫中丞方公諫議郭公代巡黃公京兆呂公惻然一爲經畫民痛甫少蘇居無何夙弊仍薦臻矣趙子重悲傷之更欲赴愬適通府陶公攝江寧篆輒往陳之相與謀謀僚友告諸京兆徐公方圖維興革會代巡宋公以民瘼質諸文學時趙子盱衡言之邑人亦往陳之宋公深憫遂屬陶公綜紀之公乃籌諸旦夕寢食幾廢剔奸蠹遏弊源痛爲裁革剏爲定畫一日審實編櫃銀以去無徵者而公家得實用二曰定額設外櫃銀貯庫以備公費而坊民免浪賠三曰顧募應辦人役以便集事而吏胥公同支取四曰輸人夫以應役使而窶乏者敘次撥差至於應用什物之類貯于郡宇屬之吏以後迎送一不煩諸民於凡費之公者節之冗者裁之自此法立省民費者大半而昔之鼠穴狐窟率皆屏息若坊民之買辦借辦者舉皆罷去祭法曰法施於民則祀之非此不在祀典若數公之于民也非所謂法施者與然則尸而祀之于不朽固趙子及二三邑民之念亦人心至公不易之理也宋公諱燫按應天屬郡河南商丘人陶公守訓任應天通判廣西平樂人趙子善繼爲郡弟子員上元人隆慶丁卯十一

月十二

日記

丁清惠公祠祀南京工部尚書丁公賓公初任句曲令有惠政民尸祝之後歷任南操江大司空行條編法裁革坊廂均賦役里甲坊甲各有定制興學校濬河造橋梁惠民便商與海忠介公先後德澤被于江左紳士庶民感公清惠立祠淮清橋之西南遵旨額曰勞績祠太史焦竑爲之序尚書李長庚爲祠記記曰夫公之茂績在南都輿有誦口有碑薦紳或因觴祝而颺言或因政治而紀述更僕未易殫悉余獨謂公之大有造于留都也殆蒼蒼有意于南天而錫之我公乎雖然當公不阿權相意以下石同儕斯時而留都二十年之偉績殊勳實根柢于一念中矣藉令公此時稍有希榮邀寵心必且呼順風而速化何至二十年

隱淪不起假令逆順忌逆位高名卑迨冰山消而偕之泯滅彼留都一一不可磨滅之勞績天安所錫公民亦安所得借公而錫之福也是知策蹇去國掉頭不顧惟此皭然不滓者把彼注茲天之道猶酌也豈偶然哉庚楚人也不欲爲楚祖而拳拳向往公者匪獨羡公之壟斷興衰改觀今日之豐芭匪獨羡公之阻饑賑恤常活溝壑之鴻雁匪直羡公之勞思極慮莫枕百萬之蒼赤匪直羡公之披衷殫愫永垂千載之鴻猷而殷殷注切于公云者正以當時權宰勢焰炙手可熱而鴻冥鵠舉必不肯中人以媚人此其靜定志慮非平時之學講明有素不能至此此長庚有所深服也至于公之勞績茂著勒金石而鐫盤盂不特與公共事時目擊耳聞而聖明鑒知亦有其素士庶謳歌更非一日矣崇禎庚午李長庚記

兵部船政倪公祠祀南兵部車駕司郎中倪公涷公字雨田上虞人轄船政剛方愷悌定運甲編審黃快船丁永不許運戶妄扳丁戶載在船政新書衛所感之

立祠于朝天宮卞將軍廟之左文正公鴻寶倪元璐
其嗣也
大清順治乙未衛弁欲變成法督府馬公國柱允紳士
公請下道府詳勘會王公燧趙公廷臣查照船政新
書遵萬曆會典行核實以報馬公具題奉
俞旨萬姓感戴奉馬公王公趙公生位于倪公祠馬公
疏列于後疏云題爲運丁舊冊堪稽僉勾積弊宜剔仰祈
聖明俯賜採擇事臣聞凡事更張卽起借端之弊前人
有例何難按籍而求如明用黃快船以裝貢物設運
船以輓漕糧事雖並重然黃快船丁係編審小甲糧
船運戶係食糧祖軍人實分途先是兩丁皆以正身
應役儹受監局厰衛之騙害蕩產傾家賣妻鬻子甚
至逼勒投没河二百餘年有寃無告嗣 南北兵部

堂屬詳議疊疏奏請定爲免役編銀之法快丁每歲納銀壹萬五千兩黃丁每歲納銀二千三百兩徵解南兵部以爲繕船募役之資此萬曆十四十六等年兵部題准刻有船政新書可據兩丁遵此而行非一日矣至于運軍承祖戶運差凡有事故止于本差軍餘內撥補不得將黃快船編丁掣出領運此萬曆二十一年兵部題准至崇禎四年南兵部尚書傅振商與漕運總督李待問因明職掌又題委司官陳鍾盛將萬曆八年及四十六年老冊與運軍祖冊運餘底冊逐月支糧冊兜底清查審定運軍一萬八千六百六十名有現運旗甲有食糧運餘有清出竄丁有空門備補其間某衛某幇某戶某丁祖宗姓名子孫人數刻有運冊新攷可據運軍遵此而行亦非一日矣乃值我　朝創造紛然舊弊叢生奸甲旣思竄戶而自肩貪弁反借勾查而居奇臣前閱總督漕臣沈題疏及部臣覆議愼重精詳深恐殷實運軍竄戶逃差致悞　國家漕務雖然臣謂此輩有敢竄之心無能竄之法何也兩書在案運自運丁自丁固截然不容混也臣思我

皇上念念爲民事事除害一切省直錢糧盡照萬曆年

閒編派以絶貪官汚吏額外濫加之弊則船政運册亦萬曆年間臺省兵部幾經參駁而後成書使清查照此清查則載册祖軍誰敢指鹿爲馬僉運照此僉運則納銀船丁自難以羊代牛斬斷無數葛藤省盡許多騙詐兹據分守江寧道副使林天擎呈送兩書到臣除另咨送户部查驗外臣謹繕疏奏聞伏乞

皇上勑部詳議請

旨施行仍將原書發臣臣惟捐俸重刊頒布各該衙門使軍丁世守成規永戴

皇仁可也緣係軍丁舊册堪稽僉勾積弊宜剔仰祈

聖明俯賜採擇事理未敢擅便爲此具本謹題請

旨順治九年八月初八日題十月初五日部覆奉

聖旨是

王公祠在雨花臺側祀應天府尹王公𦡉公爲尹有德政民立祠祀之事詳名宦傳

汪公祠在梅岡下祀府尹汪宗伊事詳名宦傳

鄭公祠與汪公祠並祀兵部武選司郎中鄭一麟

黃公祠在秦淮貢院左祀府尹黃公承元郡人顧起元記事詳名宦傳　順治己亥年燬令重修

張莊節公祠祀太子少保左都督張公可大在雨花臺松風閣公死事顛末載人物傳祠南向中爲佛殿右東向爲閣閣之北爲小閣爲看竹軒閣之後爲半閣顏曰蟲天殿之右爲西軒羣室數楹庖湢畧具先是公仲子鹿徵購爲讀書之地崇禎壬申公死登州難鹿徵伏闕上書得賜祠祭贈廕祠額旌忠例于里中建特祠遵賜額患難之後力不能舉乃奉主于閣之上以妥時祀乙巳公伯子元徵復奉先代神主于西軒顏曰張氏家祠歲時修祀鹿徵無子乃銘于東壁以示後人曰高閣層軒先靈妥焉一木一石一瓦一椽皆經心血護此幾筵灑掃必親享祀必虔勿替引之是在象賢嚮及借人雜聚叢褻是曰不孝罪通于天神之聽之苟曰無

然

汪文毅公祠祀明翰林院檢討汪公偉崇禎甲申三月十九日京師賊陷公與繼室耿氏同日死之今

世祖順治之捌年辛卯十月詔恤崇禎死事諸臣賜謚

賜祭賜祠各有差賜翰林院檢討汪偉祭葬謚文毅

命建祠江南賜田七十畝春秋祀之其子孝廉觀受

命擇地于冶城之西古城隍廟之北西園故地而祠祀之後學白夢鼎爲之記其題柱云君死社稷臣死忠君臣留二百八十年正氣夫殉國家婦殉節夫婦結三月十九日同心觀者以爲實錄云

陰山廟在縣西南十二里晉王導建武中於岡阜間隱約見步騎數十駐立壟上導怪之使人致問俄失所在是夜夢曰我陰山神也昨隨帝渡江寓泊于此卿爲我置祠當福晉祚導以是事聞上爲置廟名曰陰山宋開寶八年平江南曹翰重修因爲記書于堂之西壁今廢

蜀三大神廟淸源君梓潼君曰崖君皆蜀中神制使姚希得自蜀來建三神廟於靑溪之側卽今洞神宮是

二郎廟在西華門大街巷內祈禱靈驗　順治己亥馬公鳴珮建痘神廟于旁

華光廟在上浮橋西

蕭公廟在驍騎營西隅臨城明萬曆中重修學士余孟麟爲之記

翔鸞廟在武定橋南翔鸞坊明萬曆中重修

五顯靈官廟在聚寶門外來賔橋西南小巷西善橋又有五顯廟鄉人香火亦盛

劉公廟在三山門外西南

眼香廟在牛首山傍俗傳宋高宗妃避難于此死而爲神眼疾禱之輙愈

揷花廟在上元縣東清化鄉廟建于元季祀土神明崇

禎中重修闔黄居中有記

宗三廟在三山

李氏女廟在三山詳見山川下

西齊王廟在東流不詳所自俗謂夫人能治目疾並祀焉

白都廟在白都山

元武廟在後湖中元嘉中有黑龍見乃立廟

劉思肅公廟在蔣山東公諱珙淳熙初爲建康留守有惠政上元等五縣士民相與繪像立祠李處全撰記

惠澤祠在觀音門外燕子磯上祀府尹汪宗伊府丞雷

稽古知縣林大黼

天臺先生祠在北門橋卽焦氏退園建立中奉耿先生
像爲諸生會學之所

起鳳祠在翔鸞坊南祀諸葛武侯

世學宗祠在城南來賓澗子兩橋之間崇禎辛巳府尹
張瑋從紳士請建祀理學如眞李公登

康樂公廟在江寧縣西南杏花村北唐咸通九年建在
城西南隅宋乾道間統制曾安仁改近鳳凰臺卽今
處正德中太常羅玘改建規制益宏

炳靈公廟在飲虹橋西南唐昇元中建長興四年封威

雄將軍廟久廢正統重建宋大中祥符元年改封炳

靈公

扶風書院在獅子橋紳士公建祀總制馬公鳴珮

陳公書院在清涼寺內知府陳龍巖建公歿後郡人奉

其主于中

句容

社稷壇在縣治西一里明洪武元年立舊在子城北後

移青元觀西南元樊仲式記自天子達于庶人得以

通祀者社稷而已社祭土稷祭穀所

以重民命也壇而不宇所以霜露風雨之也禮曰王

社曰侯社曰置社曰州社曰里社均之祀土也自天

子諸侯而下以夫家多寡之數而爲之隆殺耳余稽

諸經傳有曰民爲貴社稷次之又曰重社稷故愛百

姓先王勤禮於社以神地道不曰所重民食乎夫長令民人社稷之所寄也苟不致謹於是不幾慢神病民哉按邑舊志士瘠民窶是宜尤加謹賢邑長以啓以承前後輝映其誠之所要重矣旣又繫之詩俾邑人歌以祀神其詞曰我思勾龍繼社之宗亦有田祖曰棄曰農神之來矣說與我里有壝有壇陟降孔邇靈鼓淵淵靈斾有輝以報以祈神其忻忻春有獻禽秋有稻粱曰殺犧羊神其洋洋神旣醉止錫我多祉雨暘以時疫癘不起我穀穰穰樂我壽康以翼以匡邦家之慶

山川壇在縣治東南二里明洪武九年立

邑厲壇在縣治東北

鄉厲壇一十二所在各鄉

城隍廟在縣治南至元立明景泰三年重建　順治十三年重修

關帝廟一在東門一在西門一在南門内

宣聖廟一在福祚鄉許巷紹興間四十八代孫孔端隱立祠明永樂間五十八代孫孔禧移于今處五十六代孫孔希潮記萬曆間六十二代孫孔聞敎重修吳文梓爲記　一在縣坊郭東南隅四十八代孫孔端佐爲記裔孫亂祖重修　一在承仙鄉北社村子孫書香蕃衍不絶

名宦祠在縣治東北

鄉賢祠在縣治西南泰定二年建忠臣劉鄞孝子張常洧二祠於講堂之西胡炳文有記

祠鄉賢所以善風俗表忠孝所以厚綱常容邑祠非其鬼者甚衆古所謂鄉先生歿而可祭者學未有祠

非缺典歟泰定乙丑乃始闢講堂之西爲之按邑志及史書唐張公常洧居喪盡孝廬墓三十六年劉公鄴事主盡義當黄巢之亂不懼賊而死此正李泰伯學記所謂爲子死孝爲臣死忠者也祠之於學見鄉先生之所以可祭者如此見士之所以爲學者當本乎此高山景行之思秋菊寒泉之薦使人親親尊尊之天油然不能自已者

眞武廟在縣東北隅宋景定間建今坊民重修

三茅眞君廟按舊志漢詔勑郡縣修守丹陽句曲眞人廟以茅君分理赤城每年十二月二日駕白鶴會于此

護聖廟在茅山元符宫祀句曲山神歲五月　日有司祭

廣濟廟在茅山前有龍池相傳陶隱居豢龍于此歲旱禱雨輒應宋紹興勅封敷澤廣濟侯歲令有司鷩蟄日祀之

馬神廟在縣治北

夏禹王廟一在秋干邨一在赤山湖

梁文孝廟在東門內昭明嘗讀書茅山邑人祠之

李衛公廟在縣治東南唐武德四年輔公祏據丹陽反靖討平之民遂祠祀

顏魯公廟在縣東顏家村宛陵太守王遂有記

盧大王廟在縣西北南唐史盧絳任江南昭武節度使城圍日頻立戰功及金陵陷募兵

入閩以圖興復不果而敗邦人
立廟祀之舊以爲盧綰者誤

曹王廟在縣南祀武惠王彬

張王廟在縣南十里福祚鄉有張墓數百里紹興經界
時蠲賦禁民佃東有石柱前有陂池相傳王飲馬于
此今額正順忠祐靈察昭烈廟

武烈廟在東門南唐陳杲仁以陰兵助柴克宏取捷奏
封武烈帝詳見金陵志

劉明府廟在縣東門內祀晉邑宰劉超明天順間劉義
爲令有德政民肖像祠中

沈使君廟在縣北七十里仁信鄉祀宋沈慶之

戴尚書祠在縣南六十里政仁鄉祀後周禮部尚書宏

迄今子孫蒸嘗不廢

季子廟在縣東四十五里地屬延陵孔子題其墓曰嗚

呼有吴延陵季子之墓

達奚將軍廟在縣東南隅白羊門内事見仁威壘至至

元庚辰重建

西祠山廟在縣郭之西宋天聖間建正統成化間重修

今重門四廊殿宇深邃可觀

三聖廟在縣治東南隅宋元間建

射烏廟在縣治西北六十里瑯琊鄉射烏山

龍王廟在縣治東三十里

張果廟在縣治東望僊鄉張果洞前

秘書郎廟在縣治南句容鄉

文昌廟在縣南政仁鄉東岡村

駒驪山神廟在縣東北移風鄉駒驪山下

王義廟在西門外

龍王廟在縣東門內

溧陽

社稷壇在縣西門外宋嘉定中陸子遹建縣尉陳嵘有

記

山川壇在縣南門外明洪武初建

邑厲壇在縣北門外明洪武初建

鄉厲壇二百里各一

城隍廟在縣治東南明正統初建成化重修祭酒劉俊有記

名宦祠在儒學戟門右明弘治九年立

鄉賢祠在儒學戟門左明成化二十一年立先是宋嘉定中立四先生祠祀周濂溪程明道伊川楊龜山十三年又立楊忠襄祠今皆廢

伍相廟在西南六十里護牙山下員奔吳及破楚道經此地後人廟祀

顯惠廟在縣北二十里棣頭村祀漢司空溧陽侯史崇

宋大觀二年賜額政和二年封靈濟公

貞義女廟在縣北鳳凰橋吳越春秋貞烈傳貞義女黃山里史氏女也吳王僚五年伍子胥去楚自鄭奔吳中道而疾乞食溧陽值女擊緜於瀨筥中有飯子胥跪而乞餐女子飯之子胥餐巳欲去謂女子曰掩子壺漿毋令其露女子嘆曰嗟乎妾獨與母居三十年自守貞明不願從適何宜饋飯而與丈夫虧越禮儀妾不忍也子行矣子胥行反顧女子巳自沉於水其後闔閭十年子胥以吳兵入郢還過溧陽瀨水之上長嘆息曰吾嘗饑乞食於女子女子飯我自沉而亡欲報以百金而不知其家乃投金水中而去李太白貞義女碑銘皇唐業有六聖再造八極鏡照萬方幽明咸熙天秩有禮自古及今君君臣臣烈士貞女采其名節尤章可激清頹俗者皆掃地而祠之蘭蒸椒漿歲祀罔缺而茲邑貞義女光靈翳然埋寘古遠琬琰不刻豈前修博達者爲邦之意乎貞義女溧陽黃山里史氏之女也歲三十弗

移天于人清英潔白事母純孝手柔荑而不龜身繫漂以自業當楚平王時平王虐忠助讒苛虎厥政芟于尚斬于奢血流于朝赤族伍氏怨毒之于人何其憯哉子胥始東奔勾吳月陟星遁或七日不火傷弓于飛逼迫于昭關匍匐于瀨渚舍車而徒告窮此女目色以臆授之壺漿全人自沉形與口滅卓絕千古聲凌浮雲激節必報之讐雪誠無疑之地難乎哉借如曹娥潛波理貫于孝道聶姊殞肆槪動於天倫曾姑棄子以却三軍之衆漂母進飯没受千金之恩方之於此彼或易耳卒使伍君開張闔閭傾蕩鄢郢吳師鞭屍於楚國申胥泣血於秦庭我亡爾存亦各壯志張英風於古今泄大憤於天地微此女之力雖云爲之士亦焉能咆哮烜赫施於後世耶望其溺所愴惶低回而不能去每風號吳天月苦荆水響像如在精魂可悲惜其投金有泉而刻石無主哀哉邑宰滎陽鄭公名宴家康成之學世子産之才琴清心閒百里大化有若主簿扶風竇嘉賓縣尉廣平宋陟南朝陳然丹陽李濟清河張昭皆有卿才霸略同事相協緬紀英淑勒銘道周雖陵頹海竭文或不死其詞曰粲粲貞女孤生寒門上無所天下報母恩春風三十

花落無言乃如之人擊漂清源碧流素手縈波潺湲
求恩不可秉節而存伍胥東奔乞食於此女分壺漿
滅口而死聲動列國儀形壯士入郢鞭屍還吳雪恥
投金瀨沚報德稱美明明千秋如月在水　倪斯詩
偶因一飲饋將軍滅口沉淵信義存謾說有金堪報
德却憐無地可招魂春風瀨沚江蕪綠落日荒祠野
樹昏滄海桑田任遷變貞名終古照乾坤　倪岳詩
瀨水迢迢清復深窮祠精爽尚陰森壺漿聊慰將軍
渴鐵石應憐烈女心慷慨半生輕九死分明一
節重千金芳魂不逐東流去貞烈名傳亘古今

馬神廟在西門外溧邑舊有羣牧之地

岱岳廟在北門外

火星廟在城隍廟東

趙王廟在趙城詳古蹟

關帝廟在報恩寺左

潘眞君廟在三鶴山寰宇記所云潘氏兄弟三人化鶴者也

忠祐廟在東門外三里祀隋將陳杲仁宋陸子遹重建

三節祠在顯惠廟側史文焴之女善貞死紅巾之亂其從子以辰封股療母病元傑以千戸死交趾之役裔孫史學合祠祀之

祠山廟在西門外招遠坊相傳神姓張名渤發跡廣德

句容二處

高鄭二王廟在縣北街相傳漢所封也

普濟廟在縣北十五里楊莊亦祀祠山之神

溧水

社稷壇在縣西門外明洪武二年建嘉靖四年改今地

山川壇在縣南門外洪武二年建

邑厲壇在大東門外

鄉厲壇每鄉各一

城隍廟在縣治通濟街宋乾道提舉王瑞朝記云神爲唐縣令下邽白公諱季康元和四爲縣令而終于溧水歸葬下邽溧民尸而祝之數百年不忘郎縣治爲祠紹興請于朝賜廟額正顯後進封廣惠從子白居易誌畧云公爲人温恭信厚爲官貞白嚴重友于弟兄慈于子侄鄉黨推其行交遊讓其才自尉下邽至宰溧水皆以廉潔通濟見知于郡守流譽于朋僚才不偶時道屈于位而徒于州縣竟不至于青雲命矣夫明嘉靖重修萬曆縣令陳子貞重修建懷白亭有記

國朝順治十年邑民倡義復治之縣令閔泒曾有記

關聖廟明萬曆間建在河東岸知縣董懋中有記一在縣南郃村唐垂拱五年建宋孝宗甲辰修明萬曆重修

名宦祠

鄉賢祠

左伯桃羊角哀廟在縣南七十五里廟像伯桃羊角哀居左右祀介子推于中相傳左羊子推墓相近云

禮部侍郎劉公祠在縣北三十五里宋杜子源有記云溧水縣北之柘塘劉君有祠舊矣禬禳祈禱輒響答

表忠祠在北門外望京街明嘉靖四年邑令王從善建祀兵部尚書齊公泰扁其堂曰勁草名曰中山書院萬曆改元詔復建文死難諸臣爵予春秋祀縣令傅應禎建坊顏曰表忠

徐公祠在北門外望京街明萬曆間邑民建祀嘉興徐公必達邑人王守素記

烏龍廟在縣東南二十五里舊名張將軍廟

聖母廟東一十里蓋中山神俗號俞母元豐間禱雨應

樓子岡廟成化間訓導郭鋐有記

曹山廟縣西北一里嘉靖間禱雨立應建康志云曹姥

獨居曹山卒石室中人稱聖母云

東嶽廟在城隍廟西元至正元年建

張眞君廟大西門外半里

吳童廟在大東門外演武塲側東晉升平元年剏相傳晉時水大發有一木匣遡流而上至廟後旋轉不去里人異之發匣得一童子木像長尺許遂立廟祀之有禱輒應像至今存

祠山廟三一在縣南仙壇鄉一在縣北三十里一在大西門外

楚平王廟詳見古固城

荊將軍廟縣南四十五里孔鎮南大路西古城內

大山廟在縣北四十五里崇賢鄉栢塘市南唐時造

文昌祠在北門外永壽寺内

高淳

社稷壇在縣治西北明弘治間立

山川壇在縣治東南明弘治間立

邑厲壇在縣治北

鄉厲壇

里社壇每里各一

城隍廟在察院西明嘉靖五年建萬曆五年重修崇禎三年復修

國朝順治十二年再修

關王廟北門內設縣初明府丞龔綺建　順治四年邑人重修

祠山廟縣東六十里祀漢張渤明高帝提兵至此卜之神吉爲詩二章紀之戰於彭蠡神助戰滅敵遂封眞君春秋致祭

中山聖母廟中山去縣十里縣以是山得名山有聖母廟按舊志唐昇元六年韋君貞記蓋相傳爲后土之神云元豐間民禱雨輒應　順治癸卯知縣馮泰運重修

名宦祠

鄉賢祠二祠在戟門外俱明嘉靖五年立

遺愛祠在府館右明萬曆間知縣項維聰修并祀知縣劉啓東知縣鄧楚望又祀知縣董艮遂董其鳳有記

楊家祠在縣西十二里祀唐相楊綰

昌福祠在縣東南三十里

白鶴仙廟在縣東二十里遊子山

東嶽廟在縣東南六十里下壩南唐大德十年建一在廣通鎮上壩北

划船廟在縣西三十里唐大德間建祀水神居民五月競渡設祭

八仙姑廟在縣西北十里祀蠶神

成楚王廟在縣東北三十里莫考所自

江浦

社稷壇在縣治西北明宣德九年建

山川壇在縣治西北三里

邑厲壇在縣治北二里

鄉厲壇二十九在各鄉

城隍廟在縣治西南明洪武二十四年建天順四年修

萬曆四年重修

國朝順治　年再修

名宦祠明弘治間知縣胡昉始建嘉靖間知縣黃昭重

建於儒學戟門左萬曆間知縣余乾貞改建於櫺星門右

鄉賢祠在學門內東隅明弘治十三年知縣胡昉始置祠嘉靖二十九年移今處萬曆間重修祀邑人名賢

項王廟在烏江去縣西六十里

定山祠在縣治南大街嘉靖十三年知縣劉縉建祀理學名臣莊昶南京禮部尚書增城湛若水記湛若水記云先生之出處進退未易言也其始也懼之於瓊臺其中也乘之於西涯其終也成之於青谿而又悞於子弟門人之不力焉向使瓊臺而不入相入相而先物故則先生退居三十年矣未必出出而有知己故人調護之以累薦之賢則必復內翰必不南及南而疾作不知人矣使子弟門人而力焉則必知令法不但一

狀而可掛衣長揖以去而必知自奏知自奏以祈允必不羅青谿之忍使青谿而不忍則自十月告去至明年二月如彼其久中間一念同鄉之義全其節以副天下之人望必有以處先生而不至從考察以退也噫雖然昔者柳下惠爲士師三黜而不去猶曰直道而事人令尹子文三仕三已而無喜慍色甯武子邦無道則愚古之賢聖人立身遊世其遠意豈常情所可測哉先生之卒江浦尹胡君昉請祀于鄉賢祠後二十八年爲嘉靖乙酉從予遊者今新尹桂林劉君縉甫蒞江浦吏治民安不勝景行之思乃承前尹陳君文浩之志捐俸闢地治祠堂於江浦之涯歲時以祀先生以淑人心治之首務也凡爲堂三楹其前堂如之其爲大門亦如之爲左右廡各三楹劉君又有創樓三間於其後以爲來學者之登眺遊息焉

東嶽廟在縣治左正德七年易爲儒學基遂遷東偏

文昌祠在浦子口平山

張公祠在治西南二里

元帝廟在治南青石橋

天妃廟在浦子口城滄波門外

泰山廟近天妃廟半里許

龍王廟在治西二十五里

劉公廟在治西五十里

玉皇廟在治西南六十里

六合

社稷壇在縣治西門外明洪武間立正德間遷今處

山川壇在南門外明洪武間立

邑厲壇在縣治北明洪武間立

城隍廟在縣治西高岡上按舊志云廟卽淮南九江王黥布祠宋景德紹興開禧間靈跡顯異賜廟額曰昭衛明洪武封爲監察司民顯祐伯歷正統嘉靖萬曆間英靈益著
國朝順治間重修康熙丁未邑有虎害民知縣顧高嘉爲文告神以驅之虎三日卽遯

關帝廟在東門河干滁治二水合流處

名宦祠在儒學內明正德八年建萬曆間以韓世忠岳飛歐陽得基唐詔何宏茅宰入祀

鄉賢祠在儒學啓聖祠西明正德八年建

忠賢祠在縣治北南京禮部尚書霍韜立祀名宦鄉賢按舊志宋韓世忠岳飛禦金兵往來江上勇烈顯著唐康大尹禱雨投江志切民隱明歐陽得基宰邑惠

政爲民哀思皆六合名宦之著者也都督楊能策勳邊塞叅議黄宏死節抗逆皆六合鄉宦之賢也廟食兹土於禮爲宜創爲忠賢祠後續元處士郭淵明廣東按察使王弘二人又邑人張約人前代以忠見殺

明知縣唐詔首稱循良俱入祀今未修

論曰神人之際難言矣顓頊氏命南正重司天北正黎司地所以絶上下之通無相瀆也實則神之與人豈有間乎昔者說乘箕尾申頌岳降蓋其來也挾君蒿悽愴之靈而具往也順子臣弟友之命此其際必有克塞上下者焉是故日月之昭回山川之渟峙與

夫聖賢豪傑之輝映忠貞志義之流徽亘乎往古震乎來茲使其敬畏瞻視常在民心則天地之所以位也世宙之所以存也禮樂政刑之所以不嚴而肅也先王因之而祀典立焉自朝及野皆得濟濟蹌蹌以駿奔走于是乎有報焉有祈焉有由辟焉亦云盛矣況乎鐘鼓既設如在其上志士感之而勵其擦仁人感之而堅其志人道之窮以神道濟之神道之微以人道顯之至哉眇乎觀于此而知王道之易易也然必正以典章序其籩豆品物使之不僭不濫則又防民之心與昔之申命重黎者合耳今之撫几筵瞻榱

桷者誠不索之冥漠變幻荒誕不可知之域而兢兢乎若以子臣弟友之道相告語焉則無負神道設教之微意矣不然過墓則哀過廟則欽人情也而夫子所謂敬而遠之者又何心哉

江寧府志卷之二十三

寺觀

人心囂競聖教所不及靖者二氏攝之山水名勝文物所不必加者刹宇領之是故鐘鼓禪悅泬寥之政教也寶綱雲壇出世之典型也履其境瞻其像教聆其音聲其有憬然于故家喬木之外者乎志寺觀

寺

靈谷寺在鍾山東南、梁武帝天監十三年以定林寺前岡獨龍阜葬誌公永定公主以湯沐之資造浮圖五級於其上十四年即塔前建開善寺、唐乾符中改爲寶公院南唐昇元中徐德裕重修後主又改爲開善道場宋改太平興國禪寺後改蔣山明洪武初徙山之東偏改名靈谷自山門入松徑五里乃至寺其中路履之有聲鼓掌則聲若彈絲俗呼琵琶街梵王宮殿不施一木皆壘甓空洞而成其殿廡規制彷彿大內後有浮圖卽梁寶誌公幻身改葬於此塔前有石泉回曲僧曇隱所得八功德水也石旁有古松偃蓋明高帝月夜掛衣於上蟲蟻不生方丈扁以青林堂榜明高帝山居詩於上寺左有梅花塢寺有明高帝大靈谷寺記及徐一夔奉勅撰靈谷寺碑寺今廢殿

存

國朝順治十六年僧羽南住錫重修募種桃花萬樹於此陳陰鏗開善寺詩鷲嶺春光遍王城野望通登臨情不極蕭散趣無窮鶯隨入戶樹花逐下山風棟裏歸雲白牕外落暉紅古石何年卧枯樹幾春空淹留昔未及幽桂在芳叢　南唐李建勳開善寺詩樓臺雖少景何深滿地青苔勝布金松影晚留僧共坐水聲閒與客同尋清涼會擬歸蓮社沉湎終須棄竹林長愛寄吟經案上石窻秋霽向千岑　宋曾拯寶公塔詩六帝園林墮劫灰獨餘靈骨葬崔嵬行人指點雲間鶴嗅得齊梁一夢回　明林鴻春日蔣山應制詩鍾山月曉樹蒼蒼鳳輦乘春到上方馴鳥不隨天仗散曇花故落御衣香珠林霽雪明山殿玉澗飛泉近苑墻自愧才非枚乘匹也陪巡幸沐恩光　僧法聚靈谷寺詩石磴迢遥入翠微倚空臺殿映斜暉長廊春寂花初落萬木雲深鳥自歸靈谷慈風生梵境寢園佳氣護朱扉未應誌老無長舌古塔鈴音徹上機　顧起元詩山門纔入便悠然十里深松上綠

天佛刹啓扉皆疊嶂僧寮汲水盡飛泉玉堦碧草無人踏石戸蒼苔有鹿眠漫謂山靈謝逋客濫巾仍得共攀緣　余孟麟詩先皇標傑搆一塔隱千峯窈窕雲中路璝瓏石上松寶函傳白馬金鼎伏蒼龍刹畫長廊畫青山不改容　焦竑梅花塢詩山下幾家茅屋村中千樹梅花藉草持壺燕坐隔林敲石煎茶又薝蔔林東短墻曾開寶地齊梁初春老樹花發深澗無人水香　廖孔悦入靈谷詩十年休夏處離别嘆光陰歲月總辛苦雲林唯靜深入門破松色繞澗發鐘音寥廓滿天地如何世外心　傅汝舟靈谷寺詩古木灘中放野花開歌李白作生涯我與青山皆過客心隨明月是歸家石榻豈容眠蘢薉松杉依舊着袈裟吞來一掬天池水舌底雲香雨氣奢　陳丹東靈谷詩雲泉山色共平安百遍聞鐘到夜殘是夕遠帆眞入夢誰家酒甕最難乾鷗鳧就日惟成睡虎豹今年已畏寒消渴相如坐梅樹白頭老瘦轉相看　王亦臨梅花詩看花如得夢獨語上寒山深巷野雲滿西隣濁酒間春風尋草遂鶴影閑谿關各有平生在來窺水石間

棲霞寺在攝山南齊明僧紹於宋泰始中遊此山刊木
結茅二十許年於齊永平七年遂捨爲寺見江總持
碑寺有舍利塔乃隋文帝葬舍利處唐高祖改爲功
德寺增治梵宇四十九所樓閣延袤殿宇鱗次高宗
御製明隱君碑改爲隱居棲霞寺御書寺額武宗會
昌中廢宣宗大中五年重建南唐高越林仁肇建塔
徐鉉書額曰妙因寺宋太平興國五年改爲普雲寺
景德五年又改爲棲霞禪寺元祐八年六月改賜妙
因崇報禪寺額爲參政張璪功德寺明洪武初仍名
棲霞寺寺有王世貞記陳文燭重修棲霞寺碑陸光

祖天王殿記汪道昆般若堂及多寶塔記序焦竑董其昌五百阿羅漢畫像記按攝山一名繖山中峯屹然卓立左右山環抱如拱陳江總持及唐高宗碑尚完天王大雄法堂諸殿接于中峯之麓隋舍利塔前中峯澗水從石蓮孔中噴出爲品外泉倚山石佛千身爲千佛巖紗帽峯明月臺循中峯而上有白鹿泉珍珠泉疊浪巖再上爲天開巖爲明徵君故宅宅後有白乳泉僧寮倚山架壁各擅其勝白雲菴紫峯閣尤稱幽峻歷朝以來高僧棲息明覺浪禪師開法于此塔在焉笑峯竺菴繼起山門重新今禪堂創建于

中峯之下

陳江總入攝山棲霞寺詩淨心抱冰雪暮齒逼桑榆太息波川迅悲哉人世拘歲華皆採穫冬晚共嚴枯濯流濟入水開襟入四衢茲山靈妙合當與天地俱石瀨乍深淺崖煙遞有無鈌碑橫古隧盤木臥荒塗行行備履歷步步轔威紆高僧迹共遠勝地心相符樵隱各有得丹青獨不渝遺風佇芳桂比德喻生芻寄言長往客悽然傷鄙夫又遊棲霞寺詩霡霂時雨霽清和孟夏肇棲宿綠野中登頓丹霞杪敬仰高人德抗志塵物表三空豁已悟萬有一何小始終情所寄冥期諒不少荷衣步林泉麥氣涼昏曉乘風面泠泠候月臨皎皎煙崖憩古石雲路排征鳥披逕憐森沈攀條惜杳裊平生恐是非朽謝豈矜矯五濁自此淨七塵庶無擾　唐皮日休登棲霞寺詩不見明居士空山日寂寥白蓮吟次鈌香靄坐來消泉冷無三伏松枯有六朝何時石上月相對論逍遙　皇甫冉送陸鴻漸棲霞寺採茶詩千峯待逋客香茗復叢生採摘知深處煙霞羨獨行幽期山寺遠野飯石泉清寂寂然燈夜相思一磬聲

綦毋潛題棲霞寺詩南山勢迴合靈境依此住殿轉雲崖陰僧探石泉度龍蛇爭翕習神意皆密護萬壑

奔道場羣峯向雙樹天花飛不着水月白成路今日
觀身我歸心復何處　權德輿與沈拾遺宿棲霞
詩偶來人境外心賞幸隨君古殿煙霞夕深山松桂
熏巖花點寒溜石磴掃春雲清淨諸天近喧塵下界
分名僧康寶月上客沈休文共宿東林夜清猿徹曙
聞　南唐周繇棲霞寺贈月公詩明家不要買山錢
施作清池種白蓮松檜老依雲外地樓臺深鎖洞中
天風輕絶頂迴疎雨石倚危屏桂落泉欲結茅菴伴
師住肯饒多少薜蘿烟　明顧璘宿棲霞寺詩下馬
松門日暮時晩晴先自愜幽期巖深長蘙千年佛寺
古猶餘六代碑亂莽風生潜虎穴危峯月在挂猿枝
明朝賸有躋攀興一夜江山惱夢思　婁堅宿棲
霞寺詩木末鳥爭下峯頭客亦還坐看白雲外月滿
翠微間中夜起開戸無人獨對山禪心正如此暫與
境俱閒　曹學佺棲霞寺詩雙林初創跡卞代自垂
名古塔無全影疎鐘尚舊聲佛頻摇地得僧偶卓泉
生漫復追興廢
忘言在化城

雞鳴寺在雞籠山與覆舟臺城相接晉永康間倚山爲

室始創道場明初爲普濟禪師廟洪武二十年改創雞鳴寺置門三曰秘密關觀由所出塵徑皆賜額也遷靈谷寶誌公法函瘞于山麓建浮圖五級山廣數畝規制盤折高下若數里山門之右有施食臺寺中有憑虛閣望湖亭登覽最勝吏部尚書王與有重修記釋道果有施食臺記刑部郎呂律有憑虛閣記今閣圮

國朝康熙癸卯塔燬重修葺之并易山門而湖山烟景猶見六朝勝槩

明姚廣孝雞鳴寺詩秘密關虛人少到煮茶亭畔我曾過山禽啼斷暮鐘靜雨雨僧行出薜蘿

陳沂宿雞鳴寺詩春山臨淨域夜檻出高城萬境烟雲暝諸天象緯明寶燈分

塔影金鐸亂松聲定處塵機破喧中道念平感靈僧錫化虛寂佛香生鳥息林初靜龍歸水自清蕭皇遺世志師竺住山名不到深棲地那能識此倩　黎民表鷄鳴寺詩寶地空香散金繩覺路賒樓高礙白日軒客秘青霞緣泫臺城草紅悲辱井花江山今幾劫非獨有恒沙　盛時泰鷄鳴寺憑虛閣詩春雲如黛點鍾陵湖水生波盡解氷幾處春風迴弱柳千巖雨色潤垂藤香筵寶座初聞梵塔院蓮龕正試燈閣上莫辭同醉酒望中原草漸層層　黃居中登憑虛閣因過功臣廟及觀國學詩檻外平原古戰場朔風吹雪晩蒼蒼越王臺廢名空在孫氏陵存跡已荒汗馬幾時開畫壁橋門此日盛冠裳登臨賸有懷人興自倒壺樽閉竹房　姚履素憑虛聽雨詩高閣四無垠虛窗萬綠新時聞風習習忽見雨潾潾遠近迷山色高底濕草茵夜深留客意燒燭酒杯頻　廖孔悅鷄鳴寺仲秋十一夜看月詩暑退思探勝蟬聲冷寺房秋容眞似水樹色忽如霜人意凉初靜山堂晩自香不須參半偈今已萬緣忘

清凉寺在石城門內崇山之阿吳順義中徐温建爲興

教寺南唐昇元中改爲石城清凉大道塲宋太平興國伍年改爲清凉廣惠禪寺舊傳此寺常爲李氏避暑宮寺中有德慶堂後主嘗留宿寺中德慶堂名乃後主親書祭悟空禪師文乃後主自爲之東坡嘗捨彌陀畫像于寺中寺有大鍾乃後主所鑄類說載江南李氏時有一民死而復蘇云至冥司見先主被五木甚嚴民大駭曰主何至此耶主曰吾爲宋齊丘所誤殺和州降者千餘人汝歸謂嗣君凡寺觀鳴大鍾吾受苦則暫休或能爲吾造一鐘尤善後主造鐘于清凉寺鐫云追薦烈祖孝高
皇帝脫幽出苦寺有白雲菴翠微亭不受暑亭鄭介公書堂舊有董羽畫龍李昱八分書李霄遠草書時人目爲三絶明洪武初周王重建賜今額左上爲

清凉臺俯視大江卽南唐翠微亭舊址登覽最勝秋高氣爽遊人來其地者甚多徘徊不能去云

宋陸游遊清凉廣惠寺記清凉廣惠寺距城里餘據石頭城下臨大江南直牛首山氣像甚雄然壞于兵火舊有德慶堂在法堂前堂榜乃南唐後主撮襟書石刻尚存而堂西徙矣又有南唐元宗祭悟空禪師文登石頭西望宣化渡及歷陽諸山眞形勝之地若異時定都建康則石頭當仍爲關要或謂今都城徙而南石頭雖守無益葢未之思也惟城旣南徙秦淮乃横貫城中六朝立柵斷航之類緩急不可復施然大江天險都城臨之金湯之勢比六朝爲勝豈必依淮爲固耶

蘇東坡清凉寺阿彌陀佛贊蘇軾之妻王氏名閏之字季章年四十六元祐八年八月一日卒于京師臨終之夕遺言捨所受用使其子邁迨過爲畫阿彌陀佛紹聖元年六月九日像成奉安於金陵清凉寺讃曰佛子在時百憂繞臨行一念何由了口誦南無阿彌陀如日出地萬國曉何况自捨所受用畫此圓滿天日表見聞隨喜悉成佛不擇人天與虫鳥但當長作

平等觀本無憂喜與壽夭丈六金身不爲大方寸千佛夫豈小此心平處是西方閉眼便到無魔嬈　唐温庭筠遊清凉寺詩黄花紅樹謝芳蹊宮殿參差黛巘西詩閣曉窗藏雪嶺畫堂秋水接藍溪松飄晚吹縱金鐸行蔭寒苔上石梯妙跡奇名竟何往下方烟暝草萋萋　張祜遊清凉寺詩山勢抱烟光重門突兀傍連簷金像閣半壁石龕廊碧樹叢高頂清池占下方徒悲宦遊意盡日老僧房　宋林逋清凉寺翠微亭詩亭在江下寺清凉更翠微秋階響松子雨壁上苔衣絶境長難得浮生不擬歸放情何計是西巖又斜暉　明李東陽登清凉臺詩虎踞關高鷲嶺尊四山環繞萬家村城中一覽無餘地象外空傳不二門人世百年同俯仰江流今古此乾坤南都勝槩今如許歸向長安父老論　王守仁遊清凉寺詩春尋載酒本無期乘興還嫌馬足遲古寺共憐春草没遠山偏與夕陽宜雨晴澗竹消蒼粉風暖巖花落紫甤昏黑更須凌絶頂高懷想見少陵詩　陳鐸清凉寺詩夕陽峰頂一攀躋萬里川源望不迷帆影遠來江樹外山形多在石城西苔荒輦路人稀到花近禪房鳥亂啼直到翠微亭子上漫吟重續舊詩題　顧璘

淸凉寺後西塞山亭詩晚上高臺對落暉萬山寒翠濕秋衣江流一道杯中瀉雲樹千門鳥外微古寺頻來僧盡老重陽欲近蝶爭肥霜楓惡作蕭條色故弄殘紅遶客飛

帥機淸凉寺詩水殿淸幽歌管餘今朝化作梵王居後庭花謝臙脂冷猶自京風薄綺疏

徐渭淸凉寺詩蕭梁臺殿一灰飛薺麥淸明雉兎肥壞榜幾更金刹字饑魂應爛鐵城圍東來鏡折龍潭水北去蘆長燕子磯千古興亾眞一夢隔江閒數暮鴉歸

鐵塔寺在朝天宮後劉宋泰始中建名延祚寺梁王僧辯討侯景景使其黨宋長貴守延祚寺卽此地唐有僧靈智生無目能通曉經論時人稱有天眼爲建塔於寺宋熙寧中賜寺名曰正覺改塔名曰普照王荆公嘗于寺西作書院有軒名犨龍建炎三年以法堂

西偏爲元懿太子攢宫明建文中嘗募修今寺廢獨塔存唐許渾金陵阻風登延祚寺詩極目皆陳迹披圖問遠公戈鋋三國後冠蓋六朝中葛蔓交残壘苔花没後宫水流簫鼓絶山在綺羅叢　宋劉克莊詩細認苔間字方知鑄塔時不因兵廢壞似有物扶持古殿人開少深牕日上遲僧言明受事相對各攢眉

永慶寺在北門橋之西梁永慶公主建又名白塔寺明洪武中重建賜今額萬曆間修太史顧起元爲記其地深僻林竹蒼翠蕭然野曠出寺數十武郎謝公墩顧璘永慶寺詩城郭晴光蕩客車古巖高寺切清虚鶯花不斷人天界龍象常依水竹居雲裏壺觴吞海色山中風物似秦餘靈踪咫尺常難到莫怪歸遲月滿衢　焦竑永慶寺竹院納凉分得蒸字詩結夏得名僧高林散鬱蒸茶香透深竹人語隔垂藤勝地疑中散元言失小乘琅玕青可刻聊欲記吾曾

吉祥寺在清涼山之北元時爲天妃廟明永樂初改寺

按金陵志宋有吉祥寺治平二年賜額疑卽此萬曆

間焦太史竑讀書于寺建華嚴樓爲重修吉祥寺碑

記後有古梅虬枝鐵幹扶踈拾畝新安鮑元澤見梅

拜之建拜梅菴明俞彥清明過吉祥寺詩野寺城西春望賒荒臺草暖徑全遮千峰雨歇飛流盡萬木風含落照斜撫景况逢將進酒趂晴那有未開花憑君莫問桃根葉已屬當年王令家

金陵寺在馬鞍山唐沙門貫休建明正統中內使金普

英重修賜額崇禎中廬山僧融城居此墓塔在山後

今其徒隱明嗣法南㵎開禪于此山門重新寺後遂

有亭晉安董崇相所建太史焦竑爲之記記曰晉安董君崇相

爲南計部時所治倉庾在城西北陬地有金陵寺寺後高不三四引而殷趾盤薄甚太旁占數墟俗稱馬鞍山隱敝松櫪蕭然清絶市喧蔑有至者崇相以職事之隙策杖携酒徜徉其上往往久而不能去因即其地爲亭以覽觀江山之勝而名之曰遂有以謂地因其舊而亭之自崇相始也亭成而其地益勝放懷高蹈寓目而靡所不適仰瞻鍾阜旁眡谿谷勢雄氣秀若蹲虎豹而翔鸞鳳各效其技於几簟之下而風帆浪泊出入於江濤浩渺烟雲杳靄之間皆不出户而坐得之何其壯也斯時崇相以會計爲職方嚴簿書課米鹽束胥吏日汲汲不暇乃能擇地之善者以寄其耳目之樂非獨忘其煩且勞又將有以自抗於埃壒之表其意遠矣都城以遊觀名者不下數十未有及馬鞍者自是屐齒日集觴詠遞作荒榛叢薄之區一旦而發聞於時物之興顧不待其人也哉以此推之巘巘曼絶車馬罕跡之地爲人所不窺者多矣

弘濟寺在觀音門外燕子磯明洪武初即山建觀音閣正德間因閣建寺賜名弘濟禮部侍郎呂柟記之殿

閣皆緣崖搆成危石半空嵌絕壁上以鉄繩穿石繫棟俯臨大江咫尺望磯頭下瞰江水如燕怒飛波濤噴激歷歷如畫今禪堂新搆金綺交錯而江山益爲之增麗矣

顧璘弘濟觀音閣望江詩塵服乍辭鞍花臺共倚闌林端憑樹短閣上見江寬地拔千尋險山藏四月寒東流爲誰逝終日浩漫漫

顧源弘濟寺詩蘭若臨無地山腰架佛堂水花分藻井巖翠拂紅梁海日臨空濶天風動渺茫洗心歸靜業白首事空王

文徵明觀音閣詩緋殿彤樓淩紫煙危闌飛磴撫蒼淵陰崖直下千尋鐵秋水平吞萬里天身世波濤舟楫外乾坤勝概酒尊前解衾恨不中霄住自鷺洲南月正圓

徐渭觀音閣詩青山如美人樓觀卽奩敉若無一片鏡妙麗若不昌茲石一何幸值此江中英上乘巨搆支下集帆與檣朱碧得水鮮鳧雁拂波光烟霧不見海神去萬里長我與三友俱兼以僮僕雙日西買市飯半道謝驢韁歸來乏燈燭徽雨沾我裳沾酒不成醉頹然倒方床猶夢立閣

中逕觀大魚翔　柴奇登觀音閣詩海湧藍珠宮飛
夌萬水中潮生朝閣迥雲出夜堂空鴈落平沙白鼉
鳴孤嶼風凭欄幾怯步吳楚一帆通　夌世韶詩石
磴朝躋遣市饒潮痕千里救巉巗魚龍中擁青螺髻
天地高容白氈衫烟渚一方堪入夢晚風無數急歸
帆蒲團竹杖餘蓬鬆欲向僧寮勒別銜　陳丹衷詩
老僧經雨背三衣旅客逢秋算遠歸夢寐祇棲荊棘
穩風塵焉得鷓鴣肥柳灣荻港多游泹玉板金書有
是非一片孤雲橫馬
首千年湖海未曾飛

靜海寺在儀鳳門外盧龍山之麓明永樂間命使海外
風波無警因建寺賜額靜海寺中有危石下空洞相
傳虞允文三宿于此有宋人題字于上是時石臨江
滸也潮音閣傑出殿表寺有禮部侍郎楊廉重修碑

明蔡羽遊靜海寺詩夜宿猶依白鷺洲朝遊忽到古
城頭江聲不爲行人竚山色常含往代愁葉下碧欄

蕭寺晚馬嘶紅苑白門秋風風流總是周南客看海御杯一椅樓　黃甲靜海寺夜坐詩落水亂山巔江樓雲夜船山川千里外風雨一燈前　白髮翻岐路淸尊共昔年浮生寬妄盡今夕故依然　黃幼元詩明河千尺水江樹此悠悠月影沈無際天光停不流魚龍黃石外鷗鷺白蘋頭何處客邊棹芳蓮葉上舟　楊伯祥詩天地已如此江流不蹔停椒蘭怪曲水沙石見明星雙槳開蒲路千山響鮎亭塔鈴初靜處夜氣入荒汀　顧起元三宿岩詩靈石何磅礴參差古殿前閣今標海月岩昔枕江烟窈窕瑶芳秘晶熒玉乳懸飛疑分竺嶺醒或類平泉乍可捫蘿上徐堪籍草眠藤搖靑靉靆松掩翠連蜷令月攜琴至淸秋躡屐穿洞如窺牖日峰似縮壺天叱石黃初隱披雲謝客篇徘徊三宿事莫憶問桑田

幕府寺在幕府山晉元帝渡江王丞相導嘗建幕駐軍於此梁天監中武帝與寶公來遊始建寺因名幕府明萬曆間重修修撰焦竑爲之記山有達摩洞寺傍

有蘆相傳達摩折以渡江之餘明王韋遊幕府寺詩將軍分幕府昔駐此山隈事往遺墟在年深古殿開石牀横蔓草巖洞長苺苔遶砌黃蘆遍無因隻履來釋醒菴達摩洞題壁詩絶壁靈岩掛古籐十年前此一來登記得桃花紅洞口石牀高臥掃花僧

嘉善寺在鉄石山明正統中僧法通建寺賜今額山椒有石佛閣蒼雲崖一線天奇石綺錯崖壑幽勝焦竑爲之記記云蒼雲崖奇石綺錯爲都城最顧閣頹於前勝掩其半新安張大晉率同志改建於崖之左方於是陰翳刻露諸巧盡出而閣踞高以臨下林壑分入深秀挺特於恬曠者爲宜先後糜金錢二百緡有奇工始萬曆丁未秋明年二月成瑯琊焦竑集諸名勝燕而樂之因著其事刋於樂石焦竑嘉善寺石壁詩平生寡所營幽期在林壑及辰訪雲根巾車蔭蘭薄山阻覺徑紆苔滑嫌足弱危巖骨胃緣空庭下鳥雀崖傾石欲墜澗折泉如約一線喜披豁雙壁驚峭崿行看巖腹穿坐知谷口拓朋儕笑相顧

文酒時間作風徽結篇翰嘯傲寄杯勺誰言賞心遲投老幸可托

崇化寺與嘉喜寺相連古高峰院明正統間重建賜額有吏部尚書魏驥碑崖下有泉沸起水面若散花故名梅花水焦竑梅花水詩投策長林外浮杯曲水隈影搖頻寫翠香冷不關梅雨脚添新藻雲根翳淺苔煩襟端可滌欲去暫徘徊又詩尋梅來水上水與流杯轉不惜杯行遲秖恐花如霰

草堂寺在鍾山鄉臨大江舊建鍾山西麓本齊周顒隱居之所後顒出仕孔稚圭北山移文假草堂之靈以譏之時有釋慧約姓婁少達妙理顒素所欽服遁於鍾山舊館造草堂寺以居之寺左婁約置臺講經文之地寺後即顒舊居也唐會昌中寺廢宋復建治平

中賜額寶乘紹興三拾貳年改賜隆報寶乘禪寺額

明洪武七年以其地爲開平王墓徙寺今處

梁劉孝先秋夜

草堂寺禪房月下詩幽人住山北月上照山東洞戶臨松徑虛牕隱竹叢出林避炎景步逕逐凉風平雲斷高岫長河隔淨空數螢流暗草一鳥宿疎桐典逸

宋

煙霄上神閒宇宙中還思城闕下何異處樊籠

王安石草堂寺詩周顒宅作阿蘭若婁約身歸宰堵坡蕙帳銅瓶皆夢事翛然陳迹翳松蘿

偶向松關見舊題野人休誦北山移丈夫出處非無意猨鶴從來自不知

明王韋遊草堂寺詩故結鍾峰麓今開江水濱門猶妨俗駕僧尚誦移文猨鶴何年謫烟霞別澗分山靈招未得休遣昔賢聞

陳欽詩江開春深特地寒雨聲千點一燈殘歌餘野曲誰同調開到梅花好自看皆醉獨醒吾豈敢孤忠特立古來難浮生却笑緣名累不及鷦鷯强自安

佛國寺在太平門外鍾山之西古華嚴菴明景泰間僧

募建賜今額有胡淡記今復重修明王韋遊佛國寺詩嶂開佳麗地門對沉寥天幽室憐容膝塵勞喜息肩望窮鴻雁外歌向菊花前回首重城路鐘聲隔暮煙

三塔寺在神策門外明永樂間建舊有寒光亭今廢宋張孝祥寒光亭詩亭依三塔占清幽松竹環除翠欲流曉色晴開千丈月波光冷浸一天秋瓊瑶影裏詩僧屋雲錦香中劍客身風送不知何處笛雁聲驚起荻花洲

興善寺在太平門内明内使建　今康熙五年寺僧重修

普緣寺在城北隅晉名耆闍寺明成化間僧能知重修請今額　今康熙三年寺僧重修陳張正見陪衡陽王遊耆闍寺詩甘棠聽訟罷福宇試登臨兎苑移飛蓋王城列玳簪階荒猶累玉地古尚塡金龍橋丹桂偃鷲嶺白雲深秋

窗被旅葛夏戶嚮山禽清風吹麥壟細雨濯梅林

祈澤寺在高橋門外祈澤山劉宋時建梁郎寺置龍堂龍池在焉世爲祈禱之所明嘉靖間重修寺去城遠遊人之至者亦少其北入山五里有天寧寺在青龍彭城二山之間最幽勝

宋王安石遊祈澤寺詩駕言東南遊午飯投僧館山白梅蕋長林黃柳芽短笭箵河際來罟約桑間斷春暎一川明雪消千壑漫魚隨竹影浮鳥悮人聲散玩物豈能留千時吾自懶

明焦竑祈澤寺詩紺殿銜山古清川帶薄長樹身迷日月碑額見齊梁旛影風前靜曇華劫外香龍堂況幽絕一酌世緣忘

定林寺在方山舊定林寺有二此上定林也在蔣山應潮升後宋元嘉十六年禪僧竺法秀造在下定林寺

之西乾道間僧善鑑請其額重建于此明弘治五年重建有昭明讀書臺石龍池諸勝其下定林在蔣山寶公塔西北宋元嘉元年置後廢又爲定林菴王安石舊讀書處宋王安石定林詩定林青木老參天橫貫東南一道泉六月杖藜尋石路午陰多處弄潺湲　楊萬里遊定林寺詩一箇青童一蹇驢九年來往定林居經綸枉被周公誤相罷歸來始讀書

翼善寺在土山即謝安東山高臥處梁名資福院武帝時寶公說法于此宋元改淨名寺明正統間始賜今額

天寧寺在高橋門外宋治平間建明正統重修山林幽

迴野泉散落人跡罕到江東顧璘有記碑略云正德丁丑春三月予兄東橋先生赴官台州予出餞于祈澤寺酒數行東橋別去予與諸君共宿祈澤舊聞隣寺號天寧者境絕幽夐次早邀諸君遊從僧借小童導騎緣寺前逕登山歷墟墓數處即平野曠然兩旁皆重山環抱縱轡行里餘見山盡處如門闕狀闕外諸山濃淡晦明如畫方愛玩未已覺山腹間隱隱有樓閣在空際到即寺也衆皆大喜棄馬振衣緣石逕而登逕且半聞陂陁下灌莽中有聲洶洶如雷奔風怒予謂諸君此當有異泉乃遣人蹤跡之徐步入寺寺僧多出乞食獨老僧惠禧者見客至似喜延入室焚香供茗甚肅室亦雅潔不類荒山少憩復出寺先所遣人來報山下果得泉但荒翳不可入予奮然先行藤梢竹刺時絓冠袂輒絕之以去稍下見泉珠零玉散飛落石澗中可十數處不知所從來亦莫能極其所止澗闊尺餘兩旁及底皆山石自然所成玲瓏峆岈清泉如空碧下漬予喜呼酒飲擇泉流平緩處到坐汎觴引滿數觥而出回及山半得泉脉樹間乃平地湧出不甚瀰溢不知何緣流衍之廣乃爾既登復觴寺外石

上數行乃上上馬歸　明王韋遊天寧寺詩問年看井
幹結夏閉山門路夾雙峰起泉流百道喧葡萄纏屋
棟蛺蝶舞荒園窈窕堪棲隱逢人未可言　顧璘
遊天寧寺詩寺古煙霞積山幽草樹香聞鍾尋石逕
下馬入松行蘿澗鳴飛瀑花林駐
夕陽向來離思在俯仰忽成傷

莊嚴寺在高橋門外舊在竹格渡之北本謝尚宅也亦
號塔寺永和肆年名莊嚴寺宋大明中改爲謝鎮西
寺陳宣帝改名爲興嚴寺宋紹興中徙此明永樂間
僧眞常重建仍前名江總舊有寺碑

龍潭寺在龍潭　明謝少南遊龍潭寺詩洞壑空虛已自
凉門前綠樹拂雲長尋僧半日心同白
作客經年鬢欲蒼古殿籠紗留藻翰故侯遺廟
有冠裳不嫌遲暮淹歸騎落月迴廊照石床

本業寺在麒麟門外按建康實錄梁天監九年建有唐

乾德年寺碑尚存明顧源遊本業寺詩石壁瞻龍象香林踏虎蹤雲中開殿閣烟際織杉松日月三天過乾坤一氣封此心隨物化長嘯倚諸峰

紫竹林在城北者閣山麓明崇禎間禪師顓愚建師初在南嶽開堂江西青源雲居稱雲居顓愚和尚嘗露坐傘下入定如木石又稱傘居愛城北靜僻結茅茲山自題曰紫竹林其徒妙明增修

國朝康熙六年太守陳開虞搆一閣一亭於山巔閣曰攬勝亭曰共賞以示與人同樂爰作紫竹林碑記記曰金陵佛教之勝自梁迄今崇宮峻宇煌煌乎麗日聯雲不啻王侯第宅漪歟盛矣顧千餘年間興廢匪一雖屹如金湯如報恩天界諸剎比比皆是然蕩爲瓦礫鞠爲茂草者葢亦迬迬有之若乃崛起於荒榛叢

篠之間而忽幻現金沙七寶金銀琉璃如紫竹林者何其典之勃也嗚乎豈非以人哉余不佞承乏金陵稱守土吏爲 國朝宣揚王化崇進聖學斯固郡守之職然佛氏之懲貪淫弘利濟其於吏治亦有補焉余自公之餘偶過紫竹林見竹林陰翳欝欝蒼蒼者山門也林迴逕轉有亭翼然者鸎鵡亭也少進則彌勒殿伽藍殿戒堂在焉再進而棟宇霞明寶幢錦燦則寶殿巍巍矣余爲題額曰圓通寶殿云與圓通對峙曰大悲殿大悲後曰多寶殿由圓通殿而左曰方丈方丈旁曰書記寮由圓通殿而右曰禪堂殿背山山杪則顓師衣鉢爪髮塔在焉麓即普同塔背即觀音洞也其鐘板堂般若堂客堂監院寮庫司雲水堂香積廚放生所田舍園房浴堂靜室一一咸具各殿所供佛菩薩羅漢旃檀金身凡七十餘尊寶塔寶幢一切香花供奉罔不畢備院有竹林尊者瓔木炉羅漢橋仙人井龍王田緑栁堤鉢盂池麥浪丘白鶴池善財閣及觀音洞鸚鵡亭共十二景多有題咏通計本院基址爲畝凡三百有奇外小西庄三百畝裕溪口二百餘畝牛首建業鄉四十餘畝黄廠河一百畝通計院外田地爲畝凡六百有奇噫盛矣余嘗登山

而展顓師之塔蓋慨然懷其人而不可見也見妙明如見顓顓師焉顓師於宗教律三門咸造頂登峰而其於宗也臨濟曹洞尤不泥一轍憨山大師雅推重之余題曰圓通有以也顓師嘗趺草露處覆以一蓋迮迮經旬不起甲申至金陵衆請説戒於淸凉寺師於城西北隅覓靜室暫憇於是陳公昱昭劉公覺岸朱公石者吳公雪巖凌公蒼舒共蠲資若干買劉氏竹園爲結茅師命名紫竹林金陵之有紫竹林自此始越明年乙酉 王師入金陵 豫王聞師名禮召再三師以疾辭復命大宗伯牧齋錢公詣林敦請師辭益力王益賢之又明年丙戌夏五趺坐而化門人奉師龕塔于雲居山建爪髮塔于竹林妙明肯搆一新予爲誌諸石俾嗣院事者知所自始云 凌世韶讀紫竹林集詩孤雲漸漸老人間不止題書見一班洗足水寒雙栢樹伸眉月上五臺山桃花落後無錐卓石友年深與夢間古異尚勞尋梵筴眼前詩句未應刪 攬勝閣今改大慈閣共賞亭今改一蓋亭緣地屬梵林卓錫有因是宜標示云爾 甬東馮蕚舒識

文昌菴在白塔街舊有昭慶寺其地多荒圃敗池旁逈

大陽溝紅花地一帶閒無居人建塔鎭之宋易昭慶爲龍翔而塔附焉至元寺燬不復建西塔獨存祈禱多應里人殷一桂司馬逵等購屋爲菴延僧以居司其香火而奉文昌于菴賈戶部必選爲之記

隆昌寺在府治六十里寶華山梁寶誌公開創故稱寶華明初久廢嘉靖閒僧普照斷臂祭虎梵林建寶公菴萬曆三十六年僧妙峰奉旨供銅殿於巔建聖化隆昌寺崇禎十年三昧律師住錫兹山爲律堂始十五年復奉旨改向增修

國朝順治二年律師見月恢弘其制建受戒壇四方咸

知有寶華山云御史陳肝衷爲之碑記記畧云維華山之靈赫然而隆曰護國聖化隆昌寺由天子之至孝奉大后之大深慈捐帑遴材賜名著額始于妙峯大師得三昧大師而盛得今見月大師而他山無不仰　寶華梵光勃窣大江南會合山川之氣歸諸兹山先是朝命妙師之請冶銅爲殿得未曾有窓戸几筵間仙禽涌水異獸呈花慈聖太后神宗皇帝各賜大藏一部滲金塔一座衣鉢稱是是謂僧龍遂稱國寶賜紫之典再及三昧三師廼受四衆之歸爰結千華之社幢蓋鐘鼓盈谷彌山師古心律祖之嗣子也先是昆尼久淹古和尚中興至師益廣昧之人滅獨此衣鉢付見月大師如法躬行古模挺立俎豆斯存師律炎暑窮寒嚴持戒祴從不知枕被爲何物午停熄炊時丁荒歉粥弗克饘旦過充滿諸方跡其戸庭獨憤起立去僞適眞鮮不咨嗟太息以爲當吾世一人師載修般舟三昧九十日不坐不臥惟此三昧一名佛立以故聞與傳聞遥域勇赴亦如師初年繭足萬里求大戒時師嘗曰吾與妙老人吾先師爲山始事不敢謂後無人也妙師諱福登晉之蒲州人昧師諱寂光揚之瓜

州人見師諱讀體滇之楚雄人

慈應菴在麒麟門外龍潭大道爲寶華山隆昌寺往來下院今康熙六年居士薛必科建

古林菴在吉祥寺之左明萬曆間律師古心創建祠部沈匡濟爲之碑記今藏林恢弘舊規輪奐一新

華嚴堂在城北紫竹林之南西江頭陀華嚴海玉建

棲賢菴在謝公墩盧山高僧樂予結茅於此石頭余大成額其亭曰編覆白毫凌世韶又題曰橋巒新蔭林壑深秀棲禪勝地凌世韶棲賢菴詩日月紀行人不解紀迎送懷人復懷匡亭亭無伯仲老友結茅屋雙幢挺烟棟樹脫忪霜鍾山寒勞水甕一日百茗盌澆渴孤唫呀石城秋色深海陵雲景

動蕭條昜水來石骨清人夢同心借謂希相思一何衆相顧拍手笑將我游洪洞

文昌閣菴即文昌書院傑閣三層以奉帝像大殿鐵佛

羅漢相傳古草堂寺宋像

金剛經塔在天界寺禪堂以經名爲塔門之額接以全經演爲七級委折迴旋盤曲而上每層欄楯上皆巧值佛字景陵鍾伯敬惺所書也人爭榻之惺自記碑末云萬曆庚申惺病自七月至十有一月幾殆夢若有人教持金剛般若波羅密經天啓辛酉六月自書塔經刻石于天界寺禪堂供養夢登金塔光明徧照足之所至塔隨身長

大隱菴在耆闍寺西　國朝順治十七年建一名祇陀嶺

菩提塲在鐘鼓樓西北隅明永樂間常侍劉瑞建名普

光菴萬曆釋眞洪易今名澹園焦竑爲之記

濟生菴在石城西隅烏龍潭之南大中丞余大成建

唱經樓在北門橋北明仁孝皇后建

藥師菴在復成橋之北明崇禎間御史郭維經胡接輝建後廢　順治十年僧完璞重建規制較前增鉅

古觀音菴在府治前板巷

華嚴菴在武學後里人章如意施僧達如募化重建

水草菴在通濟門外明萬曆間建爲放生接衆之所

觀音菴在西華之西　國朝工部侍郎周天成修

普濟菴在大中橋僧妙峰募建　以上上元

大報恩寺在聚寶門外古長千里吳赤烏間康僧會致
舍利吳大帝神其事置建初寺及阿育王塔江南塔
寺之始也晉太康間劉薩訶得舍利於長千里復建
長千寺晉簡文帝勅長千造三級塔梁武帝詔修宋
改天禧寺建聖感塔元改天禧慈恩旌忠寺元末燬
於兵明洪武間黄立恭請修永樂十年勅大建之梵
宇悉準宮闕造九級琉璃塔賜額大報恩寺御製碑
記宣德再賜御製碑嘉靖間大殿燬惟塔存
國朝康熙三年募建大殿規制宏麗黄國琦有記殿左
爲禪堂有三藏殿唐三藏法師石塔在焉禪堂前有

修藏社藏南藏板僧松影修藏十年藏成康熙五年太守陳開虞爲之碑記塔後爲無梁殿萬佛閣僧休然建閣後有放生池濠上亭皆與塔前後相映塔高百餘丈五色琉璃合成冠以黄金寶頂照耀雲日夜篝燈百二十有八數十里風鐸相聞鍾山大江悉在憑眺中萬曆間塔頂偏僧洪恩修正順治十七年雷火損塔寺僧重修正丹陽記大長干寺道西有張子布宅在淮水南對瓦官寺長干是秣陵縣東里巷名江東謂山隴之間曰干建康南五里有山岡其間平地庶民雜居有大長干小長干東長干並是地名小長干在瓦官寺南巷西頭出大江梁初起長干寺按塔記在秣陵縣東今天禧寺乃大長干也宋開寶中曹彬下江南先登長干北望金陵即此天禧二年改爲天禧寺政和六年建法堂編

脩陳沂報恩寺琉璃浮圖記都城之南聚寶門之外有大佛字孫吳時云神僧所居南朝始有寺因地長干曰長干寺趙宋改名天禧寺國朝永樂初大建之準宮闕規制而差小焉名大報恩寺故有浮圖於舍利光文皇詔天下盡甄工之能者造五色琉璃備五材百制隨質呈色而陶埏爲象品第甲乙鈎心鬬角合而甃之爲大浮圖下周廣四十尋重屋九級高百丈外旋八面內繩四方外之門牖實虛其四不施寸木皆埏埴而成連大宮後疊玉砌數級上爲五色蓮臺座高擁尋丈乃列朱楹八面闢爲四門懸十有六牖於八隅門綴以曼陀優鉢曇花壁刻以天王金剛四部門大神具頭目手足異相冠簪纓胄衣帶鎖甲異制戈戟輪鐸器餙異執種種不類載以獅象承以棼橑井拱翔起光彩璀璨覆以碧瓦鱗次螭頭豹尾交結上下又蔽以鏤檻雕楹青瑣繡闥于外二級至九級不設瑣闥惟楹楹皆朱壁皆黝堊榱拱則間以元朱其花蔓旋繞牖戶懸闌之制皆如初級焉盡九級之上爲鐵輪盤盤上輪相疊起數仞冠以黃金寶珠頂維以鐵綷墜以金鈴每級飛欄皆懸鳴鐸明牖以蚌蠣薄葉障之冐出楹外凡百四十有四晝則金

碧照耀雲際夜則百四十有四篝燈如火龍自天而降騰焰數十里風鐸相聞數里響振雨夜舍利如火珠數顆次第出入輪相間有聲浮圖之內懸梯百蹬旋轉而上每層布地以金四壁皆尺方小穉像各具諸佛如來因緣凡百種極致精巧眉髮悉具布砌周遍井拱疊起皆青碧穹覆如華蓋列牖設篝燈處若蝸殼宛曲一竅穿出門至絶級亦洞敞首不低縮出攔檻外則心神惶怖不能久佇四顧群山大江闕阻傍達無遠不在近都宮城廨舍陛衢水道民居巷市人物往來動息罔不畢見飛鳥流雲常俯視在下矣

宋王安石遊天禧寺詩梵館清閒側布金小塘回曲翠文深柳條不動千絲直荷葉相依萬蓋陰漠漠岑雲相上下翩翩沙鳥自浮沉羈人樂此忘歸志忍向西風學越吟　宋蘇頌三藏塔詩凡刼半依山經營昔甚艱周遭嚴佛宇直上俯天闕登陟緣梯險淹留布坐慳椽楹亦塗附檽檻遍朱殷白日分明到青雲咫尺攀龍潭斜影落鳥翼怯飛還基趾從吳晉聲名動朔鑾燈然時照耀梵唱每循環往事稠重問前朝指顧間誰知息心處香火老僧閒明李東陽遊報恩寺詩古磴穿雲到石窓樓臺四面隱旌幢北臨廣路

斜通郭西隔平原俯見江萬里乾坤蹤跡罕百年風
雨鬓毛雙向來作賦軀全瘦獨有凌雲意未降　顧
璵報恩寺詩塵騎凌晨散矚來帝城南下有香臺雲
陰古木千章合石鑿靈泉一道開瑞塔迥臨丹闕上
銀題高倚絳河隈身從淨界窺人世始覺浮生日月
催　王世貞報恩寺塔歌壯哉窣堵波直上三百尺
金輪撐高空欲鬭曉日赤浮雲過不度穿泉下無極
鍾山頡頏一片紫餘嶺參差萬里碧高帝定鼎東南
陲文孫潛啓燕王師燕師百萬斬關入廟社不改天
樞移六軍大酺萬姓悲欲向罔極酬恩私阿育王家
佛舍利散入支那有深意中夜牟尼吐光怪濤畫琉
璃映纖碎帝令攝之寘塔中寶鏁嚴供蜀錦裳諸天
悉憑龍象擁千佛趺坐蓮華同匠師琢石細於縷自
云得法忉利宮亦知秋毫盡民力謬謂斤斧皆神工
波旬氣雄佛緣盡紺宇雕闌銷一瞬烏匒額爛走不
得韋馱心折甘同燼海東賈客莫浪傳此塔至今猶
巋然老僧向誇護法力永寧同泰能幾年　錢謙益
長干塔燈詩空門至日拜空王肅穆爐烟玉几旁是
夜然燈多寶塔此心祈見白毫光鍾鳴圍繞高低級
梵罷低迴左右廂良久下方仍暗里少焉東壁破昏

黄科頭老衲驚呼急禿袖中官指顧詳昱曜乍看銀
色涌晶熒諦視玉毫長一重欄楯明初地半壁琉璃
映十方鈎鎖金鋪連白道瀰漫碧落隱紅墻水晶宫
闕遥分影天漢星文暗助光共説丹鑪呈變幻又言
火樹漾低昂似懸荔子銀青色欲奪蒲萄紫翠飄交
絡倩誰排帝網鋪舒那得截雲肪露槃螢燭如移級
彫角搓挪欲差行斫樹不愁傷玉斧雨花還喜見金
床紅樓夜靜香爲界白氎僧歸月在廊舍利冥心觀
掌果燈輪彈指斂毫光長依慧火消灰劫但倚光嚴
入道場歡極身雲都湧現歸來毛孔亦淸凉帝心鴻
朗開三寶佛日弘明長一陽大地何曾亾玉鏡普天
還欲理珠囊慈恩盛事人能記一夜齋宫每降香

黄居中報恩塔詩玉琢浮圖插漢京先皇曾此散花
行空中不礙金毫現雨裏時聽舍利鳴塵世何須論
刧火人天且自翫蓬瀛休將同
泰輕相比梁武原非聖主情

天界寺在聚寶門外善世橋南舊在城中大市橋北元
名龍翔集慶寺學士虞集有記明初改天界寺洪武

戊辰寺災徙建今所榜寺門曰善世法門僧錄司在焉永樂間增置毘盧閣旃檀林三十六菴少師姚廣孝有記天順間重建觀音輪藏諸殿成化中益廓廡規制宏敞僧廬悠邃尚書林瀚記寺中萬松菴半峰亭最勝菴有王問題額陳文燭有半峰記崇禎間博山艤禪師開法于此大振宗風其後覺浪盛禪師繼之樸菴倪嘉慶蒼舒夌世韶涉江陳丹衷俱有詩記今康熙六年嗣法石潮重修禪堂廣其規制住持禪僧祖燈若志焚修垂二十年慕法聽講者甚衆元傅若金龍翔集慶寺詩楚王宮殿倚青冥先帝旌幢擁百靈寶綱自鳴空裏樂琅函時出賜來經近山鳳去花仍碧遥

海人歸樹獨青王肇宸遊竟寥廓行人揮淚讀新銘　明高啓寓天界寺詩雨過帝城頭香凝佛界幽果園春乳雀花殿午鳴鳩萬履隨鐘集千燈入鏡流禪居容旅跡不覺久淹留又登天界寺鍾樓詩朝罷登樓賞晚晴三山二水總分明人間地湧黃金界天上雲開白玉城宮樹遠連江樹色寺鍾微荅禁鍾聲憑高空此觀形勝深愧無才賦帝京　蘇正詩躋閣攀崖入化城上方闌檻寄登臨雲開霄漢乾坤濶春滿栴檀草木深御苑日華連王氣香臺花雨散輕陰從來此地堪乘興何處能忘世外心　王問宿天界寺詩看山遥在萬峰西歸路亭亭江日低散吏自堪攜伴侶閒心猶得住招提經壇露淨天花落塔院風清谷鳥啼長習跏趺入禪寂亦如虛幻此生迷　顧璘同魯南天界方丈對雨詩與子避俗祇園深高閣雨鳴如洗心芳草杜門無馬跡墨雲纏樹有龍吟堪憐把筆臨池水況復啣杯對竹林終歲驅馳城郭裏幸於支遁此開襟　殷邁天界寺詩春來抱病浥行色每到山中興便長雲護石牀僧在定月明臺殿草飛香烟霞暫是別三千里萍水俄驚二十霜欲了無生齊出處願從淮老問眞常　金大輿天界寺詩老去厭

紛華來尋靜者家午香飄石鼎中飰出胡麻古樹秋生耳踈枝暁綴花蒲團對支許終日共趺跏　陳丹衷天界寺詩此間側月限谿關夢坐松風風不肯還蓮道莫檇機畔石浮生眞老畫中山深泥有路安辭步大藥無功始破顏畢竟難消終古意黃花孤鴈水雲間　凌世韶天界別萬松菴詩林豊鳥夢重幾刧老書傭去病看流水逢渠是別峰長干新霽月高座曉霜鐘不聾金剛慧還憐負萬松　杜濬遊天界寺同周櫟園語次憶博山大師詩招提暇日踏晴暉邀客長廊野豆肥麋鹿有時窺半座海棠何意傍閑扉經分白馬臺邊字禪悟青藤杖下機閣後籜龍森萬箇諸天儼繞昔人非

弘覺寺在牛首山梁天監間司空徐度建名佛窟寺唐大曆元年代宗因感夢勅修浮圖七級相峙東西峰頂宋太平興國二年更名崇教寺明正統間改賜今額茲山爲唐法融禪師開教處入門有白雲梯石磴

百級銀杏一株蔭蔽天日緣石徑而上上爲觀音閣爲兜率崖又上爲文殊洞洞旁有閣明羅洪先題曰含虛閣隘且圮康熙丙午太守陳開虞拓而新之巒巒萬狀踞牛首之勝勒石爲記先是明有御製牛山菴記姚廣孝有佛窟佛殿記太史焦竑顧起元朱之蕃有華嚴閣彌勒閣禪堂義田記盛時泰有辟支方塔記按新志舊傳牛首山下有辟支佛窟宋大明中移郊壇于山之東峰執事者導從百餘人遊西峰石窟見一僧趺坐問之忽無所有但遺錫杖香爐瓶盂而已至徐度建寺因名佛窟舍利塔在文殊洞下影入

禪堂隙中倒掛佛几陰晴不改西峰又有方塔在文殊洞前寺據雙峰之間俯臨衆壑紺殿雲浮丹樓霞起巒容樹色高低隱見陰晴異狀四序皆宜圖畫莫能及也

明陳鐸宿牛嶺寺詩到寺萬緣絶蕭然宿峰頂蒼蒼野色新漠漠秋烟瞑相期話三生夜坐石根冷微凉入虛欄老鶴語桐井支郎翻經處松子落古鼎白露下高空濕雲壓幽境披衣問姮娥霓裳曲應聽望極顛崖前寒籟眇村逕待久明月來照我天地靜半生繫虛名江山負眞景自汲石泉水同僧瀹佳茗天風在林末空翠散復整一乘演微機開豁自慚省疎竹何蕭蕭雲房亂燈影

陳沂經牛頭山寺詩落日牛頭寺攀緣嶺七盤鳥聲林葉暗山影石溪寒清梵空中聽丹樓畫裏看到門僧不見松桂滿秋壇

許陞雨中至牛首詩羊腸路轉石梯危丈室門開傍翠微風定松頭花墜彩雲來洞户石生衣山僧留客烹茶坐野鳥驚人度閣飛我亦雨中曾到此詩成醉寫竹間扉

王韋詩香臺懸百磴飛觀俯

千峯徑遶雲巖橋門栽雲嶺松山光開霽景風氣濯秋容古塔留題處今看第幾重　周暉桃花磵詩牛首山邊磵桃花遶磵前石横流水折樹老古藤懸一鳥穿雲去孤猿對月眠客來幽徑迥疑是武陵川　施閏章宿牛首一燈樓詩日暮借登臨丹樓爛碧岑江城疎雨過石榻亂雲深羣岫分燈影秋河落樹林夜凉聞蟋蟀何事促歸心　道湛中秋宿牛首寺詩明月滿滄州相思淮水頭可憐十五夜獨坐萬峯秋樓閣天中直星河檻外浮栖栖蕭寺者悵望大江流

幽棲寺在牛首花巖之間劉宋孝武時建寺在幽棲山故名唐貞觀初法融禪師居此更名祖堂明屢經修建太史焦竑顧起元中丞余大成禮部沈匡濟各有記茲山自融祖開山代不乏人前明如海天天竺雪浪覺浪後先掩映今石谿住錫山中　明顧源詩步入招提境雲蘿隱

法堂蓮峰低寶座檀樹拂經林深壁燈烟細孤龕栢子香坐來毛骨冷空翠濕衣裳　湯顯祖幽栖寺詩百日齋初過三春綠已齊披雲眠佛窟殘展到幽栖　盛時泰詩落日深林逢遠公銅瓶錫杖得相從層欄遠接諸峰外丈室平臨萬壑中鍾阜斷雲連古戍秣陵殘葉下西風陶潛不爲鍾聲去月夜相邀溪水東

于徵詩策杖披榛秫稻香蒼黃天色傍重陽斜暉倒罩暮峰紫殘葉空塡夾道長投宿僧歸當皎月勤叅人起立嚴霜鐘聲梵唄寒燈下何日灰心舊祖堂

花巖寺在幽棲山陰卽古獻花巖唐高僧懶融居此有百鳥獻花因名自唐迄元爲僧舍明成化間始建寺賜今額寺中巖洞臺閣最盛寺在芙蓉峰之半上有芙蓉閣翠微房澄江臺大觀堂極佳　尚書喬宇遊獻花巖記從牛首南緣山徑紆曲經數峰約五里至西風嶺東行有石窟如屋題曰獻花巖云唐法融禪定於此有百鳥獻

花之異因名巖內復有䆉東出一亭曰歸雲亭崖之下有一徑至大觀堂堂制極弘敞前繚以短垣憑之則牛首山如障京城宮闕歷歷可見入華巖寺有芙蓉閣在石間懸出閣之右有亭六角曰大觀亭亭之右有修廊臨虛曰翠微房之後登山徑至拱北峰峰之上復有亭曰聳翠亭之上又數百級乃至頂頂極平曠東下有澄江臺亦法融禪定補衣處也　明陳沂宿花巖寺詩古臺秋晩客閒凭兀渺渺寒原思不勝巖日乍沉鳴遠磬野烟初暝出疎燈山分僻路惟聞鳥寺轉空廊不見僧入境已離人世界此身還宿翠微層　又宿達公房詩舊地人重宿勞生夢一醒亂峰明積雪虛殿納疎星僧髮老逾白佛燈寒更青翛然生道念對坐說金經　又登芙蓉閣詩丹閣懸青磴浮雲宿處低俯窺寒鴈度歌聽曉猿啼瀑水侵琱檻飛蘿護絳題香臺在深處即此是曹溪　王韋澄江臺詩混合開天塹蒼茫壯帝畿帆檣移夕景樓殿動朝暉落日波濤隱浮烟島嶼微登臺歌古詠長憶謝元暉　曾鐸遊獻花巖詩清塵曉雨乍霏微落絮遊絲總不飛絕巘路通行委曲大江帆遠見依稀雲中絳閣初疑畫洞口青苔欲上衣擬借巖房留信宿

隔林啼鳥謾催歸 湯顯祖芙蓉閣詩木末芙蓉出花岩草樹齊胥陵高諸象北江自數峰西

能仁寺在聚寶門外天竺山舊在古城西門劉宋元嘉中文帝建名能仁寺唐會昌中廢楊吴太和中改報先院南唐昇元中改興慈院開寶中又廢太平興國間更建改承天寺宋政和中改能仁禪寺建炎中兵燬慶元間重修明初寺災洪武戊辰改建今地嘉靖初復災萬曆間重修

國朝順治間復修 景定志能仁禪寺在南廂嘉瑞坊慶元間游九言佛殿記寺南接秦淮數百步其地古青溪之濆也自宋始建至南唐改興兹無鐫識可考

獨據圖經所載然五代唐愍帝應順甲午爲吳太和
逆數會昌乙丑蓋已九十年旣曰廢矣中間誰所繼
續院之老僧僅能記本朝之言院故在西門雙廟之
東至道中有圓覺律師德明者院遇太宗召見賜御
容及羅漢像以歸咸平閒重賜院基田產更律院爲
禪寺寵以詩章寺復顯至崇寧賜名承天政和七年
改能仁今之寺基咸平所賜而遷也存之以備考明皇甫汸詩殘雨鳴秋殿寒蕪翳夕廊老僧諸寂滅何處解荒凉

碧峯寺在聚寶門外晉瑞相院永嘉中爲寺唐貞觀中
勅褚遂良重建改翠靈寺宋淳化改妙果寺元至元

中改鐵索寺明洪武中勅建居異僧金碧峰因名
國朝順治十三年太史鄧旭重新之建華嚴寶閣廓然
改觀爲之碑記 明顧璘同諸君遊碧峰寺詩淨域秋如昔佳賓勝在兹壺觴臯野興歌詠發巖姿殿古高雲積林深落照遲莫留殘醒去他日怨睽離 吳兆宿碧峰寺詩人寺昏烟斂雙橋竹澗通僧歸殘磬裏客夢亂山中燈暗聰浩雨枝喧鳥墮風他鄉寥落夜笑語喜能同
高座寺在雨花臺梅岡晉永嘉中建名甘露寺西竺僧
尸梨蜜據高座說法因名高座舊志云有僧號高座
道人塟此故名或曰竺道生所居曰高座皆不可辨
明洪武中重修弘治間復加恢拓
國朝順治十五年更建大殿寺中觀音羅漢像最古宋

學士劉岑制置使馬光祖明鴻臚陳壽俱有記　舊志寺有誌公手植松有中孚塔永寧泉甘露井安隱院總秀堂今永寧分爲二並峙梅岡有然理菴木末亭看竹軒皆遊賞勝處中孚李供奉白之從子披緇止高座寺今中孚井在松風閣旁　宋學士劉岑記略云考圖志此山得名于晉永嘉中名甘露寺尸黎蜜多羅爲王茂弘所敬故留竺生法師繼號所居爲高座梁初寶公主之與五百大士俱有雲光法師坐山顛說法天花墜焉今號雨花臺則故唐盧給事中名襄字贊元者所命也寺易今名且百年矣故藏古今詩刻皆廢可考者唐李翰林本朝呂侍講王中父三篇而已唐溫庭筠遊高座寺詩晉朝名輩此離羣想對濃陰去住分題處尚尋王內史畫時應是顧將軍長廊夜靜聲疑雨古殿秋深影勝雲一下南臺到人世曉泉清籟更難聞　宋楊無爲詩空書來震旦康樂造淵微貝葉深

山澤髪花半夜飛香清雖透筆蕊散不沾衣舊社白蓮老遠公應望歸　明孟祥雨花臺詩初夏登臨花木稀一春多恨賞心違群峰細雨江流轉萬戸垂楊燕子歸謝傳風流今不忝秣陵雲物舊全非空臺草長譚經處風起游絲罥客衣　顧璘春日遊高座寺詩佳辰騁望給孤園白袷初成氣候暄春日漸添風物美空山眞隔市朝喧歌催酒盞當筵急坐愛花枝滿目繁眼底同君聊一醉吳臺梁苑底須論　何湛之詩爲問花期至春寒未見花花老偏貪佛事貧不厭僧家柳縷全縈霧松鍼半刺霞芳菲應有待羯鼓莫須撾　文徵明九日登雨花臺詩雨花臺上雨初乾野色江光落坐間豈謂旅遊逢九日共來把酒看三山老年節物偏生感到處雲林不負閒落木滿空秋萬里暝禽還帶夕陽還　邢昉高座寺詩黃葉落未盡招提猶是秋因耽清寂境更上西齋樓風榛薇逕阪寒景下荒丘惆悵故情歇難爲永日留　顧夢遊題高座僧房詩城南東晉寺細徑入烟鬟闢地全栽竹爲樓正對山定香消寂晝清磬出深關不遠遊人路遊人自不閒　王亦臨高座寺仝陳允嘉訪菊南岡詩道場連夕逍遥坐黃菊誰家的皪開遠寺不貪

精舍住逃禪端爲晚香來朝餐藥菜同僧盡半醉青燈帶雁囘我已亾妻翁斷肉相期風雪撥寒灰

永寧寺在梅岡古名刹按志高座亦名永寧今爲二僧古淵重建寺後有方正學祠景大夫祠其地高敞下瞰數仞羣峯環繞有木末亭亭後有嘯風亭南對雨花北眺鍾陵據南岡之勝永寧泉出于其間

明顧璘

同陳魯南雨飲永寧寺詩南山飛雨滴殘巵野寺鳴鐘客散遲醉眼酎薰紅杏色韶華催換綠楊絲衰年感舊重重恨故苑尋春步步宜擬上花臺觀淑景濕雲橫路正低垂　又永寧寺春遊和殷文濟二首勝侶皆靈運名僧有道林行歌穿竹徑醉舞占花陰寺好偏宜古山幽不厭深春城無限酒愛向野間斟有懷思痛飲無病愛春遊地主全雙美禪心破百憂鳥啼連樹響花落照溪流莫怪城闉隔山中醉可留　附道湛重登木末亭詩木末亭空記不留荒祠野草薦靈修白雲西下江山雨鴻鴈東來陵谷秋大力誅茅存典

禮孤忠隔代感梧楸他年再過長干里祠廟松花憶舊遊　又過景公祠詩正學門庭星日高中丞祠廟忍蓬蒿千年碧血心同若殿上緋衣氣自豪把臂有鄰呼帝子悲歌無計續離騷徘徊欲下千秋淚對此寒生六月濤

寶光寺在梅岡東南舊名天王寺劉宋大明中建梁廢爲昭明太子果園楊吳時又爲徐景通園南唐保大間更建奉先禪院後莖曇師起塔遂名寶光塔院元改爲寺曰普光明初賜今額　皇甫汸詩四山棲梵處一徑杳然深歲久惟看樹臺荒半宿禽遠江横落日寒殿下秋陰獨坐觀真理寧知靜者心

尼官寺在城西南隅建康實錄晉哀帝興寧二年詔移陶官於淮水北遂以南岸陶所施僧慧力建寺故名

瓦官內有晉義熙中獅子國所獻玉佛先有徵士戴安道手製佛像五軀及顧長康維摩圖世號三絕南唐昇元中改寺曰昇元寺閣曰昇元閣宋太平興國五年改爲院額曰崇勝戒壇明初寺廢嘉靖中杏花村建積慶菴掘地得昇元石像云此卽瓦官寺故地遂改爲古瓦官寺建閣曰青蓮王司寇世貞汪司馬道昆並有碑文唐李白遊瓦官寺詩晨登瓦官閣極眺金陵城鍾山對北戶淮水入南榮漫漫雨花落嘈嘈天樂鳴兩廊振法鼓四角吹風箏杳出霄漢上仰攀日月行山空霸氣滅地古寒陰生寥廓雲海晚蒼茫宮觀平門餘閶闔字樓識鳳凰名雷作百山動神扶萬拱傾靈光何足貴長此鎮吳京杜甫送許拾遺乞瓦官維摩圖詩詔許辭中禁茲顏赴北堂聖朝新孝理祖席倍輝光內帛擎偏重宮

衣着更香淮陰新夜鐔京口渡江航春隔雞人晝秋期燕子凉賜書誇父老壽酒樂城隍看晝曾饑渴追蹤恨淼茫虎頭金粟影神妙獨難忘　羅隱登瓦官寺閣詩下盤雲跡上雲浮偶逐僧行步步愁暫憩已知須用意漸來爭忍不回頭烟中樹老重江晚林鐔風輕四境秋懶指臺城更東望鶴飛龍闘盡荒丘　南唐李建勳登昇元閣詩登高始覺太虛寬白雪須知唱和難雲度鎻窗金榜濕月移珠箔水精寒九天星象簾前見六代城池直下觀唯有上層人未到金烏飛過拂闌干　明余孟麟遊瓦官寺詩經臺香梵幾登臨江左名山歲月深三界磬流花鳥合六朝松偃石總陰金函新賜袈裟地寶筏重開薝蔔林但得頭陀分罽席青門堪了白雲心　王世貞重創瓦官寺閣詩昔時瓦官閣高與天峙嶸業火一燒盡不能燒却萬古名蓮花比丘苦緣薄傾鉢訴茆覆薝角不見如來滅刼時丈六金身亦不惡

鳳遊寺在鳳凰臺之右初名叢桂菴嘉靖間因積慶菴改爲古瓦官寺菴與寺相對遂名上瓦官萬曆乙未

太史焦竑易今名立石爲記臺屬寺內大史顧啓元鑿池立放生碑于臺下後廢國朝康熙六年方伯周公亮工太守陳公開虞因紳士請復其舊爲金陵勝事云

明太史焦竑重建鳳遊寺碑記都城西南隅別開一境崇岡曲折林麓翳然爲杏花村其地逶迤相屬最幽曠傳以爲古瓦官寺遺址有臺特起憑高遠矚爲鳳凰臺宋元嘉間秣陵王覬數見三異鳥集此山狀如孔雀毛羽絢爛音聲諧和衆鳥附翼羣集時謂之鳳乃置鳳凰里築臺因以爲名唐李太白詩所謂鳳凰臺上鳳凰遊者是也國朝以來環臺地舊爲魏國徐公園亭館池沼備游觀之勝後歸其族子積漸荒蕪稍因其存者葺爲菴植桂于旁名曰叢桂然僅數椽殊湫隘菴四周地雖廣而鞠爲茂草之區爲日已久嘉隆間僧圓梓明澄遞爲菴主念此地爲古勝蹟圖撤而新之以供焚修謁於魏公許捐金還其故地而其門下陳源陳淳各經紀其事布施贊成爰大興

梵剎而向之廢者轉成壯麗金碧燦煥豁然改觀矣爲金剛殿爲天王殿爲大佛殿爲左右殿爲藏經閣暨夫庖湢筦庫客寮僧室莫不精飭臺之下池十餘畝爲放生池築墻數百堵以固其藩凡營建積數十年頃者更加募造爲左右禪堂爲鐘鼓樓爲水陸像一百五十軸以修無遮大會則明澄之徒眞與元眞明眞授及如瑄等相繼而有成者也前是魏公於臺之左里許建積慶菴掘地得昇元石像云此即瓦官故址因改菴名爲古瓦官寺丁未後叢桂菴增修與積慶菴對時祠部謂皆瓦官舊地易叢桂曰上瓦官寺余比者偶與祠部朱君言及兩寺一名且增一上字似屬無據玆實因臺爲寺言鳳集之遺蹤儼天竺之淨土局若以鳳遊名之則梵剎之莊嚴直與山川增麗而勝跡依然正可與古瓦官並遂擬以新額易之寺僧謂不可無記余按此一臺也去元嘉千餘年而爲魏公園從幽遐古丘之舊開嘯歌跳聽之塲然非久而湮矣今去數十年而爲鳳遊寺從頹垣野草之墟結禮佛參禪之所視昔日不啻有加焉望之而凄然感廢興之不常弔遐蹤之莫挽後有攬者將與臨風而一嘆也萬曆已未年秋日之吉大史朱之蕃書

周亮工募修瓦官寺鳳凰臺疏引鳳凰臺在瓦官寺之左寺自晉興寧閒以陶官地施爲之遂名瓦官勝事相傳未泯唐宋以來代有改易至前朝而廢其地半爲徐中山族姓所有廣爲園亭至星散遶他人取其值後以圓旁一菴改建瓦官實非寺址至萬曆時中山還其值盡有鳳凰臺右地大建剎宇爲上瓦官而瓦官之舊始復往志所載前瞰江面後據崇岡也比

新朝初建勢家以貲乘其急私爲授受屹然巒阜擅爲垣墉中物時黃門子星徐公百計募衆鳩貲償之始復爲遊觀地余曾爲題其疏今觀臺在寺左爲金陵勝蹟萬竹名園六朝松石皆環拱而絡繹三山二水太白之風流在焉遊人每當春花夜月聯袂邀讙登斯臺也則爲之憑弔欷歔嘯歌誌感與金陵之烏衣桃葉共傳盛事於當年余少客金陵至今猶可想而見也歲久斯湮漸近荒蕪近爲居人築堵取其壤土以給至破裂莫知所止刘覺岸鄧萬子吳周旌湯旌三孫阿滙沈維錫白孟新吳天一諸君以形家忌爲余言余因厲其禁屬太守陳君葺之寺僧以其工費不貲也募金左其事因持疏簿請余簿捐金爲倡而

述其槩於左夫地負勝遊代與代廢以臻此至爲簪纓所私據昔人每以之致憾中山不知中山得以有此猶有人焉拱護而崇飾之爲禪林金湯爲山靈環耀自中山既徃而荒頹傾圮遂至不可復訊倘及今不爲之所其後必有蕩爲瓦礫蔓爲荆榛將與衰草冷烟同黯淡於鐘殘照落之餘者使大白而生於此時其爲感嘆又當何如哉

有心者知必起而應之矣

承恩寺在三山街舊内旁明御用監王瑾故宅景泰間改宅爲寺學士晉陵王與爲之記賜僧錄司右覺義太虚和尚開山法嗣含璞戒律精嚴至今一席猶盛

鷲峰寺在鈔庫街南齊爲東府城梁爲江總宅唐刺史顔魯公置放生池明天順間即其地建寺焉　賜額曰鷲峰唐昇州刺史顔眞卿放生池碑略昔殷湯克仁垂一面之綱漢武垂惠致含珠之報流水

救涸實勝稱名蓋事止於當時尚名留於終古豈我今日動者植者水居涸居舉天下以爲池鑿域中而蒙福乘陀羅尼加持之力竭煩惱海生死之津援之前古曾何髣髴　宋景定建康志放生池記略按舊圖經唐乾元中詔於江寧秦淮太平橋臨江帶郭上下五里置放生地八十一所有碑昇州刺史顔眞卿文舊以府治東東接青溪比通運瀆者爲之舊志今秦園之側府學之東即古放生池也淳熙間史侍制正志移放生池於青溪建閣其上府學遂因舊放生池爲泮水其流亦通青溪池近行路水深而堤不固時有溺死者馬公光祖聞而憫之乃命能仁寺僧築堤甃街立大木爲欄檻自是無溺者矣又修闢青溪閣前爲飛梁繚以朱欄深迥汪洋塵迹莫能到也吳兆鷲峰寺寄友人詩水漫長橋深復深寺門花客柳陰陰尋余只在鶯聲裏下聽鶯聲何處尋　王亦臨鷲峰寺茶坐詩鳥語溪光自六朝山僧不踏舊藍橋落花一夜深千尺吹笛何人傍紫霄半日春閒得小村破塵無酒慰詩魂白雲湯火留人住只隔東山一寺門

廻光寺在城南隅梁天監間創蕭子雲飛白大書寺額名蕭帝寺唐保大中改法光寺宋大和中改鹿苑寺明永樂間有廻光大士自西域至重建改今額大常邢一鳳爲之記　按建康志寺有子隱堂即周處築臺讀書處也佛殿前有郗氏窟舊傳梁武帝郗后化蟒事

護國菴即關帝廟在驍騎營鳳遊寺北僧法俊重修

普惠寺在三山門外永樂間爲唱經樓天順年重修賜額　顧璘飯普惠寺詩緑樹邀行騎青山擁寺門不勞鐘磬嚮久厭市朝喧解帶榆烟午鈎簾竹日喧老僧鋤菜甲隨意且盤飧

封崇寺一名臥佛寺在三山門內

淨覺寺在府治三山門內洪武間勅賜宣德年司禮監太監鄭和題請重修弘治五年吳郡王鏊有記

安隱寺在雨花臺即古安隱院明永樂初重建奏賜今額北接高座南連寶光東對永寧岡隴之間林木森鬱南朝舊跡皇甫汸詩人天即此路花雨見空臺刹盡南朝建經多西土來碑荒殘蘚合僧定野棠開了悟身如幻何須訪劫灰王亦臨秋盡安隱寺訪友詩年年黃葉常尋寺又是虎谿朋好家閣有楊雄當晏歲厨無阮籍立疎花憂時客自女霜至下食烏同枯樹嗟我已免罝君飼犢秋風何必更懷沙

寂照寺在慧光寺東蹊路自樹杪而下極幽邃明陳沂詩藍輿

度危嶺俯視有香臺跡磬谷中出幽蹊樹杪迴烟光乘暮起山色逐秋來可惜登臨興長因落日催

靜明寺在寂照寺西有玉華泉出山下明沈越詩萬柿垂枝秋色蒼遶林騎馬度重岡客登山路穿松逕僧禮蓮臺閉竹房夜靜焱音林磬滿月明清夢石牀凉此心賴有皈依處回首諸天別思長盛時泰玉華泉銘巖巖石壁涓涓流水名以玉華昉自何氏松殿空開蘿扉不啓中有山僧日晏而起來禽滿樹汲泉自煮青天明月共爲賓主

西天寺在報恩寺後䝞國公墓右明洪武中西域僧班的達居此示寂勅建賜今額皇甫汸詩彌勒禪林雨將軍隴樹烟長安今罷笑留恨向西天

永福寺在天竺山前能仁寺東正統中建賜額有孔雀臺弘治辛酉重建陳沂永福寺後岡晚眺詩數日城南尋野寺支郎重與結幽期峰巒

樹色初晴後樓樹烟花欲暮時老眼登臺還騁望閒心臨水獨棲遲風塵回首都忘却夢裏前身更是誰

顧璘永福寺和曾南詩山人每爲看山出惟有山雲不待期草長作經春雨後江明偏近夕陽時前林犬吠僧歸遠古殿鐘鳴客散遲除却陶潛貪酒盞不知蓮社復容誰　又遊永福寺詩松竹山中寺秋還尚綠陰登臨他日感樽俎故人心臺逈生寒早溪虛射日深野情隨處好況是舊追尋

德恩寺在西天寺東晉普光寺基明正統間重建奏賜今額嘉靖間燬惟殿存今重修　陳寶鑰晚眺詩蕭寺盤餐腹果然招朋緩步陟山巔雉飛白石稜稜處鴈帶紅霓線線天不數陵園千古壘長籠禁苑六朝烟傷情盡是鬚眉老共憶繁華二百年

永興寺在梅岡西南明成化初年賜額林巒幽閒規制甚麗今重修　顧璘結夏詩濯髮蓮花水清風滿面吹松高迎日早僧老下林遲施食鳥頻至

翻經鶴靜窺物情渾不遠幽興自相宜　皇甫汸永興寺詩帝城西覓古叢林萬木寒垂六月陰庭下閒花齋後偈門前空水定時心

普照寺在永興寺旁元至大間僧無盡建明成化間僧定瑀重修賜額

普德寺在聚寶門外明正統間創建前後山蒼翠環遶松林深茂旁接雨花之勝太史焦竑有建華嚴樓記

華嚴樓在城南普德寺佛殿之右偏崇岡疊巘環繞掩映風林雲壑平曠邃密其中琅函寶笈夕梵晨鐘凡叢林所服用寺宇之亟需者十具七八矣於是諸檀越輩詣余曰普德爲金陵名藍頃禪講寂然僧之往來誦習者靡所栖止釋如果者始建樓五楹延名德講授其中飯緇流三年是時遠近聞之富者輸財貧者輸力藝者輸巧棟楹翔空雲煙蔽虧萬衆歡呼聲應山谷麋金錢千緡有奇八閱月而工竣更爲無

遮大會落之而屬余爲記竊嘆世人持左券取寓物未可必得其爭毛髮之利也如頭目腦髓涉湯火蹈白刃有所不辭師意之所到淨財雲涌不脛而至未一載間釋梵天宮談笑而就此無異繇凡一切法惟愛故壞惟捨故集以彼裨販如來者攬十方僧物以爲巳有不旋踵而禍敗隨之師衣取其麤者食取最下勞心苦形一以接衆飯僧爲佛事堂宇既成居之食之浩然如江河之無極至者必納嗟乎苟存是心鬼神歸之矣况于人乎師勤苦眞樸不立文字眡際綺語高談凌跨方等者誠有所不及至于人我相際利害在前蓋有不容僞者矣以此知言事易成事難成事易無欲難籍令士大夫之欲有爲者能幸是道其功用可勝言哉是不可以無記若施者姓名則具列于碑陰

明皇甫汸遊普德寺詩古寺城南訪六朝高臺一望幾蕭條門前黃葉催年暮林外青山覺路遥塔影常圓沙苑月鐘聲爭帶楚江潮老僧宴坐躭禪定送客何曾過虎橋

黃居中詩雨後銜泥古寺行桃花柳色映人明入門未識妙香氣隔竹光聞好鳥聲鍾阜東連宮樹遠長干南接雨花平相逢况是多同調一笑何辭宿化城

華嚴寺在安德門外寺本古蹟久廢明永樂間重建其寺僧以植花果爲事廖孔悦華嚴寺道中詩兩籬交灌木一逕決荒蓁低刺皆牽袂高枝亦罥巾竹深稀見日苔厚不逢人秋好誰來此惟應無事身

慧光寺在新亭鄉宋治平間建賜古光宅寺額創制極古佛宇後山石如掌雲光法師講經於此明洪武重建賜今額簡文帝詩陪遊入舊豐雲氣鬱青葱紫陌垂青柳輕槐拂慧風八泉光綺樹四桂暖臨空翠網隨烟碧丹花共日紅方欣大雲溥慈波流淨宮宋王安石遊光宅寺詩今知光宅寺牛首正當門臺殿金碧毁丘墟桑竹繁蕭蕭新犢卧冉冉暮鴉翻回首千歲夢雨花何足言

祝禧寺在安德門外正德間建賜額明顧璘祝禧寺望積雪詩巖谷素華積禪房朝倚闌爲憐珠樹麗宛坐雪山寒白以空爲色冰因凍作乾太陽何見恐生滅本同觀

大山寺在牛首山之西　顧起元詩峰影鬱岧嶤龍臺對寂寥法燈山罷滅僧舍野雲飄塵跡苔文滿蟲飛花片消空餘庭外栢清影日蕭蕭

江心護國烈山寺在烈山上　姚汝循詩扁舟破浪躡蓮臺不盡雲山四面開鳥道半空緣壁度鯨波萬里拍天來絕憐覽勝懷偏壯尤幸攀危力未衰取醉莫辭歸路赤輕帆好趁晚風回

天隆寺在鳳臺門內重岡邃嶺介於其間有古林律師塔在焉

三山寺在三山之麓明洪武十三年工部侍郎黃立菴建其地三峰相連中隱孤寺有磯頭懸江中登者豁目

崇因寺在城南十里石馬山之陰劉宋時名曠野寺齊

廢梁大同中復唐開元中以懶融嘗居改禪居院太和中改崇果院宋改寺額曰崇因明嘉靖間重修此地舊爲新亭有王謝遺跡劉誼詩云十里崇因寺臨江水氣中皆爲寺證據

蘇東坡頌并序曰金陵崇因寺長老宗襲自以衣鉢造觀世音像極相好之妙予南遷過而禱焉曰吾比歸當復過此而爲之頌建中靖國元年五月日自海南歸至金陵乃作頌曰慈近乎仁悲近乎義忍近乎勇辱近乎智四者似之而卒非是有大圓覺平等無二無冤故仁無親故義無人故勇無我故智彼四難近有作有比此四本無無有取無無匱有二長者皆樂檀施其一大富千金日費其一甚貧百錢而已我說二人等無有異呼觀世音淨聖大士徧滿空界挈攜天地大解脫力非我敢議若其四無我亦如是　明陳沂過崇因寺簡古曇上人詩仙丘何處覓梵刹此中藏卓地穿龍井開山起鳫堂曇華無伏臘祇樹有齊梁相對爐烟下前因未盡香　許穀遊崇因寺詩秀璧垂

蒼栢瑚臺映紫霞林虛含萬象室靜演三車寶地金爲粟祇園玉作花直須同結社應恨未辭家　姚汝循遊崇因寺詩複嶺藏金界幽探歷翠微屢迷黃葉境始到綠蘿扉谷靜松聲合秋高林影稀坐來塵世隔花雨滿空飛

永泰寺在吉山梁建南唐葬淨果禪師因名淨果院後復改寺　明陳沂永泰寺詩亂山迴絕澗荒殿掩空扉
當路草盈尺連垣松四圍定僧離世久驚犬見人稀午坐同齋
供山厨煑蕨薇

禮拜寺在聚寶門外明洪武元年勅建弘治五年重修

祇陀林在城南隅鳳凰臺之南崇禎間大中丞余大成建徑山雪嶠天童五峰住錫於此

鳳嶺寺在鳳臺門外

圓覺庵在馴象門街萬曆年建律僧白齋燃指臂備諸
苦行拓修殿宇蔚爲叢林

大慧庵在西天寺之南下臨赤石磯令爲放生善地

經厰庵在馴象門内明永樂仁孝皇后建賜碧玉石鎮
殿西洋榧二株刻藏經板貯於内明末俱廢

國朝順治六年僧默如重修

清修院在郭外南城皈善鄉宋治平間賜額俗呼爲青
山寺

佑國庵在淮清橋西即明初逍遥樓址永樂初建

以上江寧

興教寺在縣治東北晉咸寧間建明永樂中重建僧會司在焉

崇明寺在東北隅晉咸熙中建名義和梁昭明太子書額唐會昌中廢天祐二年重建宋太平興國年改今額寺有浮圖甚峻明隆慶四年大學士李春芳重修鐘樓有趙子昂題扁崇禎十六年再修

國朝順治四年告成殿後有毘盧閣輪奐莊嚴極稱雄偉

張以寧登僧伽塔詩嵯峨崇明塔拔地一千丈我攀青雲梯倏到飛鳥上微風韻金鐸初日麗銀榜維時十月交葉脫天宇曠羣山東南奔平川疊波浪雲間三茅峯團立儼相向碧瓦浮鱗鱗茲邑亦云壯雞鳴四關開攘攘異得喪塔中宴坐仙憐汝在塵坱右將登臨人今者亦何往俯觀世蜉蝣仰嘆彼龍象

乃知崑崙巔可以小穹壤同游皆雋英超遥寄心賞霜飈天際來毛髪颯森爽太白去千年吾何獨惆悵

金華寺在縣治東南隅晉咸康三年尚書令李邈捨宅造靈曜寺宋改今額

以上句容

報恩寺在縣東門外梁天監中建宋宣和中爲神霄宫後改爲寺李綱書額僧會司在焉

廣教寺在東門外長慶初金吾長史倪筠捨宅建賜額資聖禪院宋太平興國初改今額明宣德初重建

廣法寺在西門外唐名零陵寺楊吳號資福院宋改今額

淨土寺在東南五十里丁山側唐初建爲雲泉院宋治平中賜今額宣和中更爲更院後復爲寺

勝因寺在西五十里晉義熙初建唐改唐興宋改今額

孟郊唐興寺觀薔薇詩忽驚紅琉璃千艷萬艷開佛火不燒物靜香空徘徊

法慧寺在縣北六十里吴丞相萬彧捨宅建梁名安靜寺宋大中祥符初賜今額明洪武末歸併法興寺

法會寺在西南六十里社渚吴時建唐名資善院宋改今額

白龍寺在西七十里亦晉寺也舊有三塔一名三塔寺或云僧伽大聖化行之地故又名大聖院

雲泉寺在東南五十里唐名雲泉院許堅詩所云前朝恩賜雲泉額也宋治平初改爲淨土院慶元志曰一名雲泉精舍

以上溧陽

永壽寺在縣治城南萬曆三十六年知縣徐良彦建邑東南山皆環合獨西北當縣治水去處地坦平無山堪輿家病焉謂邑少科第咸由于是故徐公創塔寺塞之以補地缺初名永昌後勑改今名

國朝順治五年有釋永泰倡明宗教重修之縣令閔派魯以官田歸于寺

上方寺在西二十里即孫鍾種瓜處

開福寺在縣南門外唐開元中建明永樂中重建僧會司在焉

興化寺在東北三十里唐大中初建名延安寺明洪武中重修改今名

無想寺在南一十八里無想山一名寂院周亮工入無想寺詩陰森栝栢迷無路到聽鐘鳴有佛場欲踏高巘看石臼休捫古碣話齊梁敝廬響滴千山雨破被新縫九月霜莫指寒花留客宿暮雲哀壑易心傷

明覺寺縣治西四十里唐咸通十年僧德昭創名正覺寺宋嘉定十六年修元大順間改今額明正統間復

建崇禎時圯僧性蘭募重建西吳韓敬有詩

廣嚴寺縣治北四十里唐天復三年創初名儀戍宋治平三年賜今額後毀于李成之亂重建紹定間縣丞祖大武爲記明萬曆丁未重修白下焦竑有記

以上溧水

保聖寺在縣東五里舊名龍城唐貞元中建宋祥符中改今額

儒童寺在東南二十五里唐景福中建

禪林寺在東二十里唐咸通中建明永樂初復建

龍化寺在南五十里唐咸通初建

顯慈寺在西四十里唐中和間建宋紹興中改今額

飛來寺縣西南三里明天啓二年中秋夜忽有銅像彌勒一尊端坐太平圩之東角及旦黄沙蔽天知縣譚經濟邑紳陳萬善卽日往謁士民咸集譚見而異曰殆飛來佛耶命李自蕃建寺遂以飛來名

以上高淳

定山寺在縣東北三十里獅子峰下有泉出殿中亦名定山泉

石佛寺在東北十八里宋建炎中建明洪武中重建僧會司在焉

東濟寺在西三十里舊名湯泉院宋元祐中重建

接待寺在西二里明洪武初建

孤舟菴在江浦西門定山珠泉之間路通京省明萬曆丁酉行僧孤舟結茅濟衆故名太史焦竑朱之蕃爲之題額

國朝辛丑古林律學滋遠居之募衆善督修浦口至滁之關山路一百二十里建利洪橋

以上江浦

長蘆寺在縣南二十五里宋天聖中建明洪武初重修劉攽王安石梅聖俞黃庭堅蘇軾有遊長蘆寺詩僧

會司在焉

國朝順治十年天界禪師覺浪改禪院

靈巖寺在東十五里靈巖山上唐咸通中建明洪武初重建

卧佛寺在東北南唐保大中建明洪武中重建

寶聖寺在縣北四十里屏山之北元至和元年建燬于兵明洪武間僧重建今屢修有泉亦名寶聖泉

祇洹寺在縣北五十里冶山按嘉定志載唐開元二十三年建鄭滂懷古云寺有解脱禪師隋王問何以伐陳師云乘桃葉而渡必克晉王乃造桃葉舟及江有

童謡桃葉歌其時見岸邊有山遂造寺明正統間僧
明昕成化間僧如淸嘉靖三十七年僧紹富各修建
龍池菴在縣治之西池水深泓永禁網罟建菴於生起
大悲閣于池上
國朝康熙六年大中丞佟國器爲之碑記
以上六合

江寧府志　卷之二十三　四

觀

朝天宮在城西全節坊卽吳冶城晉西州城劉宋國學皆其地楊吳時建爲紫極宮宋改名祥符尋改天慶觀元名元妙觀天曆中陞爲永壽宮明洪武十七年重建賜今額按冶城山吳王夫差鑄劍處今山後鑄劍池猶存晉改西園建冶亭其上卞忠貞墓在焉郭文舉故臺亦此地今宮之制前爲大通明殿又前爲三清正殿疊拱層簷琉璃閃映備極雄觀山門徑道折而爲九以象河曲有飛霞閣景陽閣諸勝西偏有西山道院者明初建以館劉眞人雲林成化間大學

士商輅奉勅勒碑　國朝相承于三清殿供奉
龍牌行禮習儀于此緣具地廣而僻漸有厮養游手汚
穢狼藉知府事于成龍履任乃具詳督院將軍嚴行
禁止羣小屏跡于是尊崇整肅勝地復光　江寧知府于成龍詳
文朝天宮乃焚修勝地肇于先秦多歷年所罔敢褻
慢查該宮山門外左右空濶近被無知旗厮三五成
羣搬運不潔堆積曬揚清靜之地幾爲汚穢之場兼
之若輩彈雀踰垣作踐殿宇更有遊手好閑之徒厮
撲角賭酗酒非爲每每借事生端又聖殿之前擅曬
皮張甬道之上肆行演射種種不法非所以妥神靈
而崇祀典況于三清大殿上供
萬壽龍牌更當整肅仰希憲威給示嚴行禁飭俾旗厮
斂迹棍徒知儆則古剎香火得以振興不墜矣　宋
蘇軾天慶觀詩春風吹動北山薇歸雁亭邊送鴈歸
蜀客南遊家最遠吳山寒盡雪先稀扁舟去後花絮
亂五馬來時賓從非惟有道人應不忘抱琴無語立

斜暉　明姚廣孝朝天宮詩六代興王地千年上帝宮絳扉隨日起黃道與天通左掖龍威勝西垣虎勢雄瑶臺依碧落貝闕際元穹飛閣璇題迥回廊畫壁崇逕開羣竹裏亭起雜華中靈迹金廷異仙遊玉局同瑞雲春匼匝香露曉空濛森爽低瀛閬清虛鄙華崧纛翻空界黑旗曳下方紅樓響鍾初叩臺明鏡作礱丹光晨掩旭劍氣夜成虹寶籙吳紗閟陰符蜀綺籠爐氣烟飄緲簾影月玲瓏偃蓋松承露垂纓檜引風神龜時出沼儀鳳暮棲桐綠髮乘虬客青衣放鶴童辭凡修素默望聖達淵冲定錄思茅固全生慕葛洪尋眞須到此不用問崆峒　徐渭朝天宮詩長安道院一牽裳司馬筵中再舉觴柿葉學書才短杏花插鬢意何長藥沉綠醑家厨釀霜折紅蕉道觀房坐裏黃冠三兩輩醉來相與說先皇　金大章東麓亭詩何處元都逼大清空林面面白雲生攀來玉樹多春色聽徹棋花半雨聲六代風流悲往事百年心賞見交情酒酣不用頻看劍恐有寒光射冶城

神樂觀今改眞武行宮在洪武門天壇西明初舉郊廟之祀合用大樂乃就壇近地設觀選樂舞生習教其中名神樂觀賜勅後遷都北京觀所存樂舞止祀先師孔子歲大祭奉常先日集宗伯官寮至觀試樂朱干絳節白羽黃冠猶列兩階而陳九奏焉今觀廢祀孔子樂猶存有亭曰醴泉明文皇在觀結壇溢出庶子胡廣奉勅撰瑞應醴泉碑

明張羽觀禮神樂觀詩

維皇肅明祀卜郊時再陽指期戒先事習伏誦故章行宮儼清閟羽佩溢中堂蕤階羅舞鏚着位表官行升歌出膚藻妙奏發清商臚音肅遠響華鐘泛高張虛罍待寔醴薦璧願承筐想茲天步臨穆若垂景光駿奔貴有恪報說永無疆豈同交門享惚怳事神方揆予承人乏具寮慙奉常茲焉陪羣彥會此靈畤旁執禮素寡術敎躬何敢

志愧無安世歌裴徊望齋房　僧來復寄神樂觀鄧仲修羽士詩天上琳宫白玉梯别開方丈五雲西金花傳賜仙官誥上有乾清御墨題　醮罷星辰校籙章虛壇夜夜降祠光白鸞騎渇朝天去手把芙蓉侍

紫皇

天妃宫在獅子山下儀鳳門外明文帝遣使海外颶風黑浪中賴天妃顯護永樂十四年勅建宫枕城城半在山當時龍江經其下宫殿華峻廊廡繪海中靈異玉皇閣高可見江與遠近帆檣相映宫後有娑羅樹亭有御製碑　國朝以來積久傾頽　督院于公撫院余公徐公藩司丁公龔公粮道張公塩道黃公重加修葺知江寧府于成龍履任乃捐俸助工兼請之各

憲廣募樂輸身自督工刻期而竣廟貌爲之一新

明　湯

顯祖贈謝太常詩漢使河源虛織女君得天妃下神語海氣雲鶩璧葉山江關雪憶梅花嶼白澤賜衣金佩刀神鯨怪燕爭波濤精氣自交星氣遠功名早逐風雲高只言世上堪平步侯氣尋針非此路常依北闕玩芳華暫向南都瞻玉樹南北園陵佳氣重太常新入近天容況復青郊候祈穀立春春朔幾人逢又

天妃宮玉皇閣夕眺詩寶蓋珠幢青佩裙拂雲來謁斗中君因攀帝閣臨元氣却過雷門動紫氛諸天蒼莽開南牖下視塵衢思矯首繡嶺平分草樹前清淮半出人家後還緣梯級俯東軒睥睨飛翻儀鳳門表裏都城如玉砌高低道院似雲屯參差向北隨形勢雉堵獅峯兩迢遞可憐平圃不抽花未許招山徒植桂回飈拂袖倚西檑樹影潮音入梵聽山中氣接江流白江上山連浦口青青山西面迴靈澤二百年來深紫栢能棲寶露足風朝會徙陰烟宜月夕夕暉山色靄松門仙家日氣也黃昏若待少年婚宦畢徑須猿鶴怨王孫　黃姬水天妃宮看海棠詩仙觀荒臺蔓草中海棠一樹太憎紅可憐亦是星槎物不學葡

蜀入漢宮

盧龍觀在盧龍山與儀鳳門相接洪武初建景泰間重修明高帝敗偽漢陳友諒親樹旌麾督戰於此嘗欲建閱江樓不果山初名盧龍今改獅子山觀仍舊名兵部尚書何鑑爲之記記云京城儀鳳門之左有山突起而高且秀舊曰盧龍而麓有廟有觀歲久殿廡傾塌正德庚午春守備黃公偉成國朱公輔西寧宋公愷與予閱城修門因謁廟觀乃相謂曰是皆國朝所建也容可已乎乃命工修葺始於是春二月壬子訖于冬十一月庚申凡廟觀殿廡四十有一間傾者正塌者起塗以丹雘煥然一新請予記其始末予惟廟觀之興廢係于山川而山川之鎮重關於都邑若岍岐之於鎬京嵩邙之於洛都皆不于其山而于其都邑也今盧龍之重於京都而廟觀亦賴以修豈無謂哉昔晉元帝渡江首以茲山當龍蟠虎踞之中扼長江之隘口以比北地盧龍

因名焉歲丙申我太祖高皇帝駐蹕建康用以攘外安內乃始重之嘗諭侍臣曰壯哉斯山有警則登之察奸料敵無所不可戊戌命南安侯俞通海建舟師所奉巢湖水神徐將軍廟于山之麓庚子僞漢陳友諒入寇太祖親樹旗幟于山之左右指揮伏兵以禦之陳寇大敗而遁及登大寶乃置門于傍城其北面之半癸丑駕幸盧龍詔葺廟室樹名木復建觀于廟左併奉眞武之神甲寅勅建閱江樓于山之巔御製文以記之復以山形有類狻猊賜改名爲獅子山夫聖祖開創洪基乃重此山旣環之以城翼之以門而又附之以廟以觀以樓且賜名賜文以寵異之是豈爲遊觀逸豫計蓋以扼長江嚴郊圻而爲都邑之鎭重也然則是觀之修夫豈無謂哉　明王履吉盧龍觀詩秋林隨繫馬古洞看彈棋淮海青天瀉鍾山王殿拔鹿場雲影淨鶴逕石梯危處處飛仙接簫聲不斷吹　陳沂盧龍觀詩漫興乘陰出臨高日偶晴山形城上轉江影樹間明花竹開琳宇樓臺抱玉京自憐方外地多半是平生

北極閣本明觀象臺遺址自臺之廢城中數多火災形

家以爲水星失位之咎康熙二十年知府陳龍巖因紳衿劉思敬羅德御朱之翰白夢鼎王栻等公請郎其巔立閣名曰北極以祀眞武正水位也知府于成龍復爲鳩庀未竟之緒閣下祀文昌帝君里士杜琰王栻李況羅畢吳道明胥時霖白采葉冠公同廣募迎神塑像崇飾殿庭自麓至巔甃爲級路公延朝天宮羽士嚴宏業主之宏業受薩眞人術爲人縛邪魅以符水治疾屢著奇驗甲子冬

聖駕臨幸宏業獻茶奏對蒙 賜亭額曰曠觀

洞神宮在淮清橋西是宮舊在蔣山太平興國寺東宋

制使姚希得任內因創興蜀三大神廟于青溪側景定四年就于其旁創一道宮以爲祈報燎燔之所因以洞神舊額加之元李孝光有洞神宮記明正德間修相傳爲江總宅

靈應觀在靈應山與石城門近宋名隆恩祠明正統間住持俞用謙奏請今額山下有潭曰烏龍潭可百餘畝自明余中丞大成與諸紳士剏立護生巷爲都人放生之所垂百餘年乃爲羽流所據私植蓮藕潛網鱗介輿情爲之歎憤知府事于成龍聞之親勘其地立驅道士居仙極出境拔植護生復其故物兼捐俸倡

輸于潭上建立書院爲三學生徒課業之地爰以成昔賢之志而山水文物亦互發焉

明陳璉靈應觀碑畧

都城西南隅隆然而高者曰烏龍潭山在石城門內去虎踞關不二里而近山下有潭其水淵深潭西北岸巨石巋然卽古所謂石城洞眞誥云小有天之南門是也宣德七年春守備羅公於山之東建王靈官祠入夏有狐狀似小犬昏夜爲怪莫能袪除公請於神其夜雷電大作風雨繼至妖遂殄滅八年春夏之交連月旱暵上下憂惶公立壇禱神芇雨隨至乃大有秋復于祠後建閣上奉玉皇下奉雷祖祠前建門廡庖庫黝堊丹碧炫耀林麓既落成令朝天宮道士俞用謙等主祠事用謙以未有名額乃赴行在奏請賜爲靈應觀寔正統三年五月八日予惟都城宮觀僅二三所皆廛市中惟斯觀據乎山上引紫金之形勢俯城郭之佳麗城外江山舉在眉睫林木葱蒨市囂不聞誠棲神妥靈之所殆神靈秘之以有待者也

金大車靈應觀詩

鷄犬空壇靜雲蘿白晝長野羮分石髓山酎瀉瓊漿水煖魚龍化巢翻鸛鶴翔懸言殊未已嵐翠落

丹牀　王維楨烏龍潭詩故鄉此日杳啼鶯楚水秦
山萬里情旅食魂驚時屢改春潭客到思俱淸避人
孤鷺唯依渚競賞千花故傍楹酒罷空庭還獨立中
天滿月照人明　王亦臨讀書烏龍潭上詩碧山學
士草堂遥潭水桃花鬪沈寥鳥影過谿靑不了雪香
在樹酒難消懷因徙宅停鄉夢人爲攤書到紫霄福
地致身應自愛古
來生事滿漁樵

朝眞觀在長壽山淳化鎮東明正統年建道士葛可澄
請道藏賜勅

洞元觀在天印山之麓葛仙公白日飛昇處吳大帝赤
烏三年建唐貞觀併入巖棲觀宋改崇眞元因之明
重建仍洞元額羣峯廻合萬木蕭踈眞仙都福地仙
公洗藥池鍊丹井猶存　明盛時泰香茅宇記方山自吳大帝建屋以處葛仙公遂

有洞元觀至今丹井藥池猶存焉但歷世綿邈遺蹤雖在而殿宇之傾圮日甚萬曆丙子冬予與客來遊愛而留宿意欲搆一樓以祀仙翁而愧于力之不及乃約客先葺茅菴以嬉以四月來城山過湖熟至三岡始醵金成之客有謂予當記其事者予以仙公古之高士今去已久其所以惓惓者豈非奇蹤秘迹自能使人景慕然耶予與客生當熈朝今此之遊以地則邇以齒則若青鞋白袷每于月之夕雪之朝而時一至焉則優游太平不爲不幸而杖屨尊罍所至使內無饑寒之慮外無虎蛇之虞其所以暢冲襟而樂幽討者寧不于茲有賴耶況山古多隱士吾輩他時而來量其筋力身可出則仕迹可遠則遯雖不能上方仙翁其亦庶超近士矣乎客是其言因題爲香茅宇而列十詠詩以俟來遊者之詠　宋唐子西葛稚川贊江左日陋無復德輝翔而不集翩然南飛鄧嶽細兒處仲餘黨豈有識知亦復瞻仰吾緣內丹遂居羅浮豈以嶽故而議去留所就者大寧卹其小吾與嶽遊如狎鷗鳥　吳支道紀葛仙公頌身雖輪聖化魂神無暫滅宿福積重緣昔願非今日大羅眞人降仙聖合眞出天龍潄香花濯我鍊胎質微言將誰信

靈期元佑畢道心超不二混成表元一獨悟本無想
放浪大乘逸　晉葛洪洗藥池詩洞陰冷冷風佩清
清仙居永劫花木長榮　宋楊修方山洞元觀詩仙
公功行滿三千白日驂鸞上碧天留得舊時壇宇在
後人方信有神仙　明焦竑方山詩道者何年往瀛
林尚故廬冷烟翻翠壁古洞隱丹爐坐傍雲容斂行
看樹色扶前山西
逝水冉冉接蓬壺

仙鶴觀在仙鶴門外漢時建萬曆年重修

玉虛觀在上方門外吳時建茅屋唐保大間搆殿宇明
萬曆十三年重修

元眞觀在中和橋北明永樂十八年爲勅封妙慧仙姑
建名元眞堂正統八年賜觀額并道藏考金陵新志
亦有元眞觀疑或地改而名沿云

清源觀在雨花臺側宋名清源廟元至正重修成化十三年又修賜觀額按清源君蜀三神之一祠據層阜依山帶江廟貌靈爽明錢溥清源觀碑金陵聚寶門外一里許有高阜曰長干清源祠在焉其地亢爽曳曠風氣靚深鳳臺龍江映帶遠近層巒秀嶺聯絡左右而京師之人奔走祈禱而至者四時屬路不絕其神載在舊碑謂秦有蜀守李冰嘗闢涸崖之險成溉田之利至誅罔象以安民沒則民祠于灌口捜神記又謂隋有趙昱守嘉州州左有冷源二江蛟害民甚神乃設舟船率甲士鼓譟而往持刀入水斬蛟以出而江患遂息民感其德立廟灌江口祀焉然皆謂之灌口二郎神也神莫質其孰是而祠亦莫究其所始然民因其祠不曰長干而槩曰二郎崗則有年矣神唯有功于時者民乃祀之而不忘若二郎之神以有功于蜀也岷源導江入海而沿江之恐蛟龍罔象之為害者咸慕神功金陵蓋居江流都會而祀之尤宜也

五顯靈官廟在報恩寺之西自宋及今俱有靈應萬曆間重修里人朱之蕃爲之記

棲眞觀在安德鄉正統中建賜額

佑聖觀在江東門外明成化二年建

隱仙菴在清涼山虎踞關之麓相傳宋陶弘景隱居于此故名明初冷鐵脚尹蓬頭諸眞人多遊戲其間嘉靖年重修崇禎二年復廣其基魏國徐弘基工部王思任立有碑記

全眞堂在清涼山之陽原朝天宮鉢堂明萬曆戊午禮部尚書沈漼議改于此先是漢名開化堂晉名育眞

元改全眞明祀五仙于此

國朝康熙五年部院趙公廷臣捐俸重修爲之碑記

以上江寧

崇熙宮在茅山華陽洞南門之東郎古太平觀道士王知遠初入茅山師事陶洪景傳其道法唐高祖之潛龍也知遠嘗傳符命又知太宗爲太平天子太宗將重加祿位固請還山貞觀九年置太平觀以處之舊圖經云郎陶隱居嘉遁館也後爲盜所焚南唐昇元初重建宋祥符元年因禱致醮改崇禧觀建炎四年燬于火紹興中再剏元延祐中改爲宮　茅山記眞

宗祈嗣茲山既獲感應自此每歲遇聖節建金籙道場七晝夜由是總轄諸山此觀爲甲張商英撰碑銘

卧雪山人詩夜卧不閉戶忽聞風雨來繞牀飛白電當戶起青雷樹杪雲泉合巖陰天地開遥知氤氳裏聲動有龍胎

元符宮在茅山積金峰下宋嘉祐中蜀人王畧結廬煉丹於此後道士劉混康居之哲宗詔以爲元符觀徽宗賜額元符宮明重建置華陽洞靈官正副各一人

廖孔悅茅山元符宮詩考槃在昔重華陽卜築何期獲石房流水自經虎藥處白雲時起讀書傍休營安想希仙事且盡浮生住福鄉欲問延年無别術此中一日似年長

祠宇宮在中茅峰西唐天寶中勅於廟下立精舍度道

士焚修

青元觀在治西南隅葛洪故宅梁天監中建宋皇祐中重建有葛公井陶弘景爲記道會司在焉

五雲觀在華陽洞西五雲峰下宋天聖中王欽若建菴於此景祐初賜今名慶曆初晏殊有記

聖祐觀在大茅峰頂又有德祐觀在中茅峰仁祐觀在小茅峰俱元延祐中建

玉晨觀大茅峰下世人稱爲茅山第一福地高辛時展上公周時郭眞人巴陵侯漢時杜廣平東晉楊眞人許長史父子唐李元靜南唐王貞素並在此得道梁

時陶隱居于此精修爲朱陽館唐太宗時爲華陽觀元宗時爲紫陽觀宋大中祥符元年改爲玉晨觀內有古栢左鈕若虬龍異狀齊梁以後碑記甚多連毁于火　顧起元玉晨觀詩洞隱艮常紫翠蒙曲林東畔起珠宮聽松近憶陶弘景種李遥聞展上公庭際大書苔溢溢門前左紐栢童童玉晨真是神仙窟誰辨各登絳簡中　徐穎茅山玉晨觀詩王氣嘗爲霸者疑神圭靈壁宛然遺肉芝多壽土人見仙木能飛羽客知洗藥尚存西漢井築墻何論六朝碑蓬萊水尉令無跡蹔愧松風日日吹

崇福觀在中茅峰西白雲峰下初華陽宮道士王景溫退居結廬於此宋紹興間詔即所居建崇福觀

乾元觀在茅山大横山下山下有泉昔李明于下合丹

而升元洲陶隱居剏鬱罡齋室以追元洲之蹤天寶中元靜先生居之制旨建置殿堂臺榭甚多皆明皇賜額宋大中祥符二年國師朱觀妙于此結廬修行先賜集虛庵額天聖三年改賜乾元觀額有觀妙先生碑已中斷按之遂合萬曆間重葺閣希顔李徹度皆修煉於此　顧起元乾元觀詩桃花春水漲溪流雲木陰深鎖釣舟徑僻可知人不到山空惟聽鳥相求書成琳札仙才小吹罷瑶笙客夢幽仙馭飄飄何處問秪應猿鶴共淹留

紫陽觀在大茅峰下崇禧宮左方士王全交募修

太平觀在茅山側即陶隱居華陽館也宋元符中改額　臥雲山人華陽館詩晴霾覗雲捲明沙星渴桑乾不認家北斗忽移東海上水輪應共玉繩斜灌園誰種

三珠樹鑿井會栽十丈花再向初陽重麗眼葛洪竈下有丹芽

抱元觀在茅山栁谷泉上舊名栁谷菴政和八年因陳希微修行于此勅賜抱元爲額

清眞觀在茅山大羅源中宋政和中吳德清始建爲道人棲泊之所徽宗朝賜以觀額紹興間每歲三月十八日四方道人皆會于此齊時多有鶴至謂之鶴會

以上句容

清泰觀在治東南宋淳熈中移溧水廢額道會司在焉

幽棲觀在北三十里梁普通初有隱士號幽棲伯煉丹於此舉家昇仙後因以宅爲觀唐許堅詩仙翁上昇去丹竈連晴壑山色

接天台湖光照寥廓玉洞絕無人老檜猶棲鶴我欲泛靈槎佗時冲碧落

黃山觀在西四十里黃山下舊傳西晉時有黃鶴眞人修道成仙唐天寶中建爲觀元蔣時中詩黃鶴山中黃鶴觀黃鶴仙人此修煉功成羽化歸丹丘環珮珊珊度遥漢昔聞有鳥名令威去家十年今來歸仙人一去不復返長松落雪猶霏霏　黃鶴山樵詩黃鶴山頭萬綠封樹梢樹底覓江峯開門惟有通天竹去引山南山北鍾

泰虛觀在縣西南四十里晉盤白眞人成道之地簡文帝詔以眞人宅作觀賜額招仙宋大中祥符初改今額觀有九井云眞人藏丹處明萬曆間賜有道藏

以上溧陽

香山觀在縣治東北元延祐中建道會司在焉

壽仙觀在縣治東南仙壇鄉梁建於靈芝山鸞洞（臥雪山人詩紙帳蒼茫綠滿牀道人貪睡鳥啼忙開牖直到茅山頂滴露疑于映雪涼）

白石觀在縣治東南六十五里荊山中金陵志云舊傳卞和獲玉之地殿有卞和塑像觀有方池李白詩云白石分金井丹砂布玉田是也井僅三四尺投之以石則水上沸如珠（以上溧水）

祠山觀在治南元至元初建

壽眞觀在治北

萬壽觀在寶陽門外宋時建正殿祀眞武帝君乃本縣習儀之所明萬曆三十三年知縣項維聰重建邑進

士韓仲雍爲之記

國朝順治十三年知縣紀聖訓重修以上高淳

玉虛觀在浦子口道會司在焉白玉鉉詩王猷宅畔竹成蹊陶令門前柳不迷誰道南風官舍裏葛巾羽扇聽黃鸝以上江浦

元眞觀在治西高崗之上宋隆興初建

東嶽廟二一在縣東治浦橋西宋嘉定十年縣令劉昌詩建明崇禎戊寅年重修一在縣北四十里以上六合

金陵寺觀在昔居多雖存廢各半然勝蹟不可湮也凡舊志所未載者今悉考列于左

保寧禪寺在城內飲虹橋南保寧坊內吳大帝赤烏四

年爲西竺康僧會建寺名建初晋宋有鳳翔集此山因建鳳凰臺于寺側晋宋更寺名祇園齊更名曰白塔唐初復名曰建初開元更名曰長慶南唐更名曰奉先宋太平興國賜名曰保寧祥符六年增建政和七年改神霄宮建炎元年復舊額三年四月幸江寧權以寺爲行宮御坐猶在本寺留守馬光祖重建作新建鳳凰臺記

半山報寧禪寺在城東七里距鍾山亦七里王安石故宅也其地名白塘舊以地卑積水爲患自荊公卜居乃鑿渠決水以通城河元豐七年安石病既愈乃請

以宅爲寺因賜額報寧禪寺寺後有謝公墩其西有土山曰培塿乃安石決渠積土之地由城東門至鍾山此半道也故亦名半山寺

同泰寺在北掖門外路西南與臺城隔路梁武帝大通元年剏此寺寺在宮後别開一門名大通對寺南門造大佛閣七層大同十年震火所焚畧盡更造未就而侯景亂南唐改爲淨居寺尋又改圓寂寺其半爲

法寶寺

法寶寺亦曰臺城院乃同泰寺基之半也在行宮北精銳軍寨内　寺前墻外有井相傳爲陳時臙脂井叔

寶與麗華墜而復出之所也淳祐七年創置精鋭軍

同泰寺舊基皆爲寨屋及蔬圃井在寨内

湘宫寺舊在青溪橋北後徙置淸化市北本宋明帝故

宅改爲寺費極奢侈虞愿諫帝怒使人曳愿下殿

景德寺在城内嘉瑞坊舊崇孝寺也宋景德中改今額

建炎初其地爲太廟

壽寧禪院在江寧縣治南宋開寶七年徙入城中參政

張洎南唐賜第也捨宅爲寺併城北廣孝寺入焉

舊有瓊花一本内翰張瓌移自維揚手植于此

證聖寺在行宫後南唐保大中木平和尚居此寺故里

俗呼爲木平寺

寶戒寺在轉運衙西本迦毗羅寺南唐改眞際寺宋開寶二年改今額

法濟寺在上元縣治東北

封崇寺在斗門橋北

治平寺在江寧縣治西南

大悲寺在炳靈公廟昔崇勝寺子院也

秀峰院舊在城北北宋開寶八年廢太平興國五年重建尋又廢紹興中移于鳳臺山西

龍光寺在城北覆舟山下宋元嘉二年號青園寺寺是

恭惠皇后褚氏所立本種青處因以爲名其年雷震佛殿龍升于天光影西壁因改龍光

宋興寺一名興教院在南門外寺基郎劉裕故居

殊勝寺在城南門外本宋福興寺唐後主葬照禪師子此因名塔院

吉祥寺在城南二里餘宋治平二年賜額

百福院在城南五里本梁解脫院後爲樞密王綸功德寺

均慶院在城南門外舊在金陵坊晉天寶寺唐開元十年改爲天保宋開寶八年毀太平興國五年就修眞

觀基重置紹興初移其額于雨花臺後壞于火因遷于臺之下今止有古塔一座塔前鐫宋故三藏特賜寶覺圓通法齊禪師道公之塔一十八字後有宋故三藏法師道公塔銘

報恩光孝觀在府治西南係陳進奏院故址宋崇寧二年奉勅江寧府合置觀賜崇寧觀爲額政和改爲天寧萬壽觀紹興改爲報恩光孝觀專充追崇徽宗皇帝道場

崇壽觀在茅山九九錫碑云宋太始中廬陵太守魯國孔嗣之爲道士華文賢建舊記云晉任眞人舊宅宋元

嘉十一年路太后建未詳孰是齊建元二年立崇元館爲太子嘗臨之重廣基堂唐天寶重修宋改崇壽觀

下泊宮在中茅西茅君自秦漢間結庵修行于此漢宣地節二年賜額爲宮唐貞元十一年黄洞元作記

華陽宮在茅山積金嶺本貞白之上館唐天寶七年勅度道士焚修後燬于兵宋政和中重建宣德郎郭衙爲之記

記畧曰句曲山之華陽陶隱居之上館也陶以上館自居以中館處弟子以下館延四方高士累功修德上館居多是以引珠泉以煉大還修本草以和名餌設大慈于官而向道者心化置灵符于井而飲水者患愈功成事遂而館名遽立于天監之時眞積力久而華陽始建于天寶之際惜乎爾後

干戈鏖聚于中原烈熖熾延于深谷天后便闕嘯聚者屋之清虛東窓兵刃則藏之三峰鶴馭遠九轉丹爐燎垣圯神居跡屏上士暨至我朝海内清肅祥符天聖眞風振興皇祐以來迺有冲隱大師道正莊愼質者天才超穎德操邁逸心恬淵靜身樂淸虛侍從師資安養斯節爰及政和三年巳踰六十六載惘漏弗塡異傾弗支于是起役山嵓鳩工雲集征材蔽谷揮刃摩天昔唯茅茨今且華之昔唯土堦今且甃之

天聖觀在茅山積金峰上陶弘景開創池沼唐貞觀中建立道靖至德中賜名火浣宫唐末廢宋景德中張明眞結廬于此祥符中御製觀龍歌送龍歸三茅山所得之池郎此處三聖三年賜名延眞庵五年賜額爲觀

昇元觀在中茅峰西本名白鶴廟劉至孝三遇仙桃之

所宋元祐中桐川道士湯友成友直居之政和八年
守臣俞臬奏改今額
棲眞觀在崇禧觀東本名玉霄庵舊記云貞白之中館
宣和中賜今額
華陽觀在崇壽觀西舊名鴻禧院寶曆二年置即梁昭
明太子舊宅丘徵君亦隱于此李相德裕延太元周
先生于此建立院碑侍御史賈餗文宋宣和初改賜
今額
燕洞宮在茅山栁谷洴東宮之東南有燕口山三小山
相偶梁普通中有晉陵女子錢妙眞年十九辭家學

道師事陶隱居獨處幽巖誦黄庭經積三十年佩白練入洞自後奉祠不絶唐天寶七年與修爲宫賜額燕洞宫度女冠以紹香火梁邵陵王爲記宋嘉祐野火焚之遂移于句容縣紹興二十一年復于舊基上興建

永僊觀在茅山宋淳熙中劉先覺以高士召赴行在賜對重華宫講解南華眞經引疾還山携賜詩于抱朴峯誅茅棲泊始名王霄庵後改此額

寶華宫舊在方山南唐昇元中爲母后所建後廢宋淳熙七年道士吕志淳移其額于城南門外重建

永樂觀在城東北七十里漢劉謙光捨宅爲觀南唐昇元中重修宋改爲崇虛觀

修眞觀在天慶觀西舊在越王臺下南唐保大七年置爲女冠觀宋開寶八年焚毀太平興國二年移置于此

藏眞觀在茅山疊玉峯南臨大路劉靜一先生解眞瘞劍之地宋大觀中建賜額藏眞觀側有靜一先生墓

崇元觀齊建元中爲崇元館唐天寶七年重修宋大中祥符七年改今額

論曰志金陵者何以及寺觀曰志其盛也盛何以獨

在金陵曰二氏之來舊矣自漢明感夢尚屬渺茫厥後孫吳最先得舍利爲康會建塔則寺觀之興自茲土始也加以梁武好佛開大同門以通同泰又着戎服陞座講世子蓋二氏並重焉然當時道宇卒不如梵刹之繁即所謂二氏之徒好崇大其宮室以動人者亦在釋氏居多迨北宋之末乃崇道而抑釋是二氏亦互爲盛衰矣互爲盛衰而今列于江寧者猶巍巍焉矗矗焉數百里間鼓鐘相接杜牧所謂南朝四百八十寺非虛語也蓋其盛也然庖羲以及周孔諸聖人何以僅列之學宮帝廟乎曰彼徧祀此莫敢徧

祀也有徧祀者之盛而後知莫敢徧祀者之尊也知莫敢徧祀者之尊而因以論徧祀者則吾之志寺觀也其盛之也從同

江寧府志卷之二十四

古蹟

竊嘗考古心儀古人凡可傳可風可喜可愕之事類見於城郭丘壑泉石臺榭間而古人之精神風韻亦因端垂勒不朽江寧昔爲都會名勝之地先賢遺蹟所在都有間或零落榛莽消沉烽燹淪滅於風摧雨剝樵人牧豎之磨泐此中蓋亦有數存焉幸而傳不幸而湮沒無聞陟大蜀之巔尋謝幼度當日破符堅之所而故壘無復存者過臺城東南問永安宫而不知起廢之何年往往有之登孫楚酒樓慨然想見紫

綺烏紗太白豪致訪文舉昭明讀書臺蓋嘗低徊不能去云然則古人詎不以蹟傳哉志古蹟

冶城吳王夫差鑄劍之所一云孫吳即今朝天宮也

金陵邑城周顯王三十六年楚威王所置孫吳即其地築城曰石頭城即今石城門近清涼門處丹陽記石頭城吳時土塢後因山加甓爲城因江爲池地形最爲險固隋置蔣州城唐韓滉五城皆相去不遠詳見石頭城

吳都城大帝黃龍元年築在淮水北五里據覆舟山下東環平岡以爲安西城石頭以爲重後帶元武湖以爲險前擁秦淮以爲阻周迴二十里十九步正門曰宣陽又南五里至淮水爲大航門時都城皆設籬曰

古籬門晉元帝渡江復爲都改爲建康城仍吳之舊而增築焉凡十二門南曰宣陽開陽清明陵陽東曰建春東陽西明閶闔北曰廣莫元武延熹大夏宋齊梁陳皆因之

臺城在縣東北五里本吳後苑城卽宋建康宮城宋齊梁陳皆因爲宮侯景之亂梁武帝餓死於此此城唐宋尚存唐史張雄傳云使別將趙揮據上元揮負其才欲治臺城爲府者是也舊志云新宮卽臺城也在上元縣東北五里有墻兩重晉成帝時蘇峻亂盡焚臺城宮室溫嶠以下咸議遷都唯王導固爭不許咸和六年使卞彬營治孝武太元三年謝安以宮室朽壞啓作新宮王彪之曰中典卽東府誠爲儉陋元明二朝亦不改制蘇峻之亂

成帝止蘭臺不蔽寒暑是以更營修築殆合奢儉之中今自可隨宜增修彊寇未殄不可大興力役安曰宮室不壯後世謂人無能彪之曰任天下事當保固國家朝政惟允豈以修屋為能耶詔曰昔大賊縱暴宮室焚蕩元惡雖殄未暇營築有司屢陳朝會逼狹遂作新宮子來之歌不日而成新宮內外殿宇大小凡三千五百間

倉城吳積貯之所近古苑城市

白馬城不詳所在吳時舉烽火於此金陵故事云吳時沿江烽火臺二所一在石頭左一在白馬城

金城吳時所築今縣東北句容縣之瑯琊鄉即其地考證吳後主寶鼎二年於金城門外露宿迎神明陵蔡宗旦金陵賦云遊金陵以愴然問種柳之何在笑吳主之信巫乃露宿於門外晉大興中王氏舉兵反將軍劉隗軍於金城初中宗於金城置瑯琊郡咸康中桓

溫爲瑯琊內史出鎮金城後北伐行經金城見爲瑯琊時所種柳皆十圍因嘆曰木猶如此人何以堪攀枝執條泫然流涕金陵志謂上元縣金陵鄉地名金城戍卽其地戚氏辨以爲金城卽前句容之瑯琊城其說是

建鄴城在冶城東晉太康三年分淮水北爲建鄴治在宣陽門內

西州城卽古揚州城漢揚州治曲阿晉永嘉中遷於建康紏立州城卽此太元末會稽王道子領揚州東府故號此城爲西州城西接冶城東臨運瀆今朝天宮西州橋是考證晉以西州爲丹楊尹治所謝安鎮新城欲俟經畧粗定自海道東還後雅志未遂復入西州城慨然自失謝安爲時人所愛重及鎮新城以病輿入西州門薨後所知羊曇輟樂彌年行

不由西州路嘗遊石頭大醉扶路唱樂不覺至州門左右曰此西州門曇悲感以馬策叩門詠曹子建詩云生存華屋處零落歸山丘因慟哭而去宋時徐羨之仕西州高祖嘗思之即步出西掖門往見焉殷景仁既拜揚州羸疾遂篤上勅西州道上不得有車聲孝武時熒惑守南斗乃廢西州舊館使西陽王子尚移居東府城以厭之

瑯琊城在古江乘縣界晉元帝以瑯琊王過江國人隨而居之因城焉齊永明元年移瑯琊於白下此城遂廢　按晉書江乘南岸有瑯琊城立瑯琊內史以治之齊武帝移於白下大起樓觀講武於此又南徐州記云江乘南岸蒲洲津有瑯琊城與白下相近白下即齊武所徙者永明六年講武瑯琊城指白下瑯琊城也王融瑯琊講武應詔詩白日映丹羽頹霞文翠旃凌山炫組帶積水被戈船江孝嗣詩驅車去連翩日下情不息芳柳似佳人惆悵予何極薄暮苦羈愁終朝傷旅食丈夫許人世安得顧心臆按劍勿復言

誰能畔與織謝朓詩春城麗白日阿閣跨層樓蒼江忽渺渺烟波復悠悠京洛多塵霧淮濟未安流豈不思撫劍惜哉無輕舟夫君良自勉歲暮忽淹留徐敬業詩甘泉警烽堠上谷抵樓蘭此江稱豁險茲山復鬱盤表裏窮形勝襟帶盡巖巒修篁壯下屬危樓峻上干登陴起遐望回首見長安金溝朝灞滻甬道入鴛鸞鮮車騖華轂汗馬躍銀鞍少年負壯氣耿介立衝冠懷紀燕山石思封函谷丸豈如霸上戲羞取路傍觀寄言封侯者數奇良可歎

懷德城晉大興元年築（舊志云在建初寺前郎王謝宅處者非）

臨沂城在獨石山北臨大江今攝山之西白常村蓋其地距縣治三十八里

東府城晉安帝義熙十年冬城東府在清溪橋南臨淮水周三十里九十步簡文爲王時舊第後爲會稽王

道子宅道子錄尚書事以爲治所時人呼爲東府其子元顯亦錄尚書時謂道子爲東錄元顯爲西錄西府車騎塡湊東第門下可設雀羅東第卽後東府城也會稽王傳嬖人趙牙爲道子開東第築山開池列植竹木工用鉅萬帝嘗幸其宅謂道子曰府內乃有山因得游矚甚善然修飾太過道子無以對帝去道子謂牙曰上若知山是人力所爲爾必死矣牙曰公在牙何敢死其城東北角有土山卽牙所築也宋武帝領揚州日築東府城以居彭城王義康文帝元嘉中義康更開拓北墉浚西塹自後嘗爲宰相府第景和中嘗改爲未央宮明帝時建安王休仁鎭東府訛言東城出天子帝懼殺休仁而常閉東府不居桂陽王休範反車騎典籤茅恬開東府納賊齊高帝封齊王以東府爲齊宮梁太清三年侯景舉兵毀板墻以磚甓爲之紹泰末盡羅焚毀陳天嘉中徙治府城東三里臨淮水陳亡遂廢

湖熟城古縣名漢屬丹陽郡今在丹陽鄉去縣五十里

淮水北宋元嘉中遷越城流人於此

東宫城本吴永安宫在臺城東門外宋元嘉十五年修永安宫爲東宫城

檀城本謝元别墅謂之城子墅亦曰墅城至宋屬檀道濟故名檀城在今縣東清風鄉黄城橋之西

白下城本江乘之白石壘齊武帝以其地帶江負山移琅琊民居之唐武德九年罷金陵縣築城於此因其舊名曰白下貞觀九年復舊治城遂廢今靖安鎮北有白下城故基按南史齊武帝欲修白下城難於動役劉係宗啓謫役在東者上從之後

武帝講武白下履行其城曰係宗爲國家得此一城

同夏城梁武帝所生處大同元年置同夏縣因城焉

金陵府城宮苑記隋大業六年置在元風觀南按唐李孝恭再破巨賊欲以威重夸遠俗築第石頭城陳廬徼自衞此又唐府城也

韓滉五城在石頭唐德宗狩梁州韓滉觀察江東乃築石頭五城自京口至土山

南唐都城周二十五里四十四步楊吳順義中築初六朝舊城在北去秦淮五里故淮上皆立浮航緩急則撤航爲備孫吳沿淮立柵吳王溥時徐温改築稍遷近南夾淮帶江以盡地利西據石頭南接長干東以白下橋爲限北以元武橋爲限所跨水皆所鑿城濠

也有上下水門以通淮水出入宋元皆因之

即丘陽都二治俱東北

建康府治初在天津橋北後徙東錦繡坊

昇州治即今内橋北

太社太稷壇晉元帝建武元年立在古都城宣陽門外

郭璞卜遷之

北郊壇晉安帝咸通八年立在覆舟山南宋孝武大明

三年移於鍾山北原定林寺山巔有平基二所濶數

十丈即其地

雩壇梁天監九年有事雩壇遂移於東郊在籍田之域

內

籍田壇在東郊十五里梁普通三年移置有便殿齋省

望耕壇祈年殿沃野千畝

天地壇在洪武門外壇制闢四門而繚以朱垣內復爲垣圍列壇中居樂舞上爲大祀殿前爲齋宮大垣之左列神樂觀樂舞禮生設犧牲所養犧牲於內今廢

上元舊社壇在白下門外尉廨東

夢筆驛在冶亭江淹嘗宿此夢人自稱郭璞謂曰吾有筆在公處可見還淹探懷中五色筆一枚授之後爲詩絕無美句

舊金陵驛二一宋建於長樂鄉一名蛇盤驛元建於淸溪

坊有水馬二站宋文天祥詩草色離宮轉夕暉孤雲飄泊欲何依山川風景元無異城郭人民半已非滿地蘆花和我老舊家燕子傍誰飛從今別却江南去化作啼鵑帶血歸

烏榜村圖經初立西州城未有籬門立烏榜遂以名村

銅觿署在臺城本洛陽故物晉平姚秦遷於此

鷄鳴埭在潮溝上齊武帝早遊鍾山射雉至此始聞鷄鳴

藥園壘在覆舟山南晉劉裕築以拒盧循

賀若弼壘隋伐陳若弼過江於蔣山龍尾築壘在北二十里

韓擒虎壘在石頭城西

到公石慶元志云梁到溉第臨淮水齋前地有礓石長丈六尺武帝戲與賭之溉輸即迎置華林園宴殿前謂到公石云

華林園在臺城內本吳舊宮苑也宋元嘉中更修廣之鑿天淵池起景陽樓鳳光諸殿梁武造重閣陳永初中又造聽訟殿臨政殿隋平陳俱廢世說晉簡文帝在華林園謂左右曰會心處不必在遠翳然林木便有濠濮間趣覺鳥獸禽魚自來相親宋書何尚之見造華林園在盛暑時諫宜休息不許曰小人常自暴背此不足爲勞運曆圖齊高帝建元二年幸華林園褚彥回彈琵琶王僧虔彈琴沈文季爲子夜吟王敬則舞劍王儉獨跪誦封禪書帝曰此盛德事吾何以堪謝朓詩江南佳麗地金陵帝王州逶迤帶綠水迢遞起朱樓飛甍夾馳道垂楊蔭御溝鳴笳翼高蓋疊鼓送華輈獻納

雲臺表功
名良可收

西園一名別苑卽冶城地王導所築晉書成帝幸司徒府游觀西園卽此
太元十五年武帝爲江陵沙門法新於中立
寺以冶城爲名至桓元盡移僧出以寺爲苑

東籬門園在東府籬門內南史何點信佛居東籬園孔
德璋爲築室豫章王嶷命駕
造點點從後門逃去竟陵王子良聞之曰豫章王尚
望塵不及吾當望岫息心後點在法輪寺子良就見
之點角巾登席子良欣悅無已遺點嵇叔夜酒杯徐
景山酒鎗園有卞忠貞塚點植花塚側每飲必酹之

樸園在虎踞左側孝昌熊相國論學之所吳
郡韓菼有記見藝文志

沈約郊園在鍾山下沈約詩陳王鬬雞道安仁採樵路
東郊豈異昔聊可閒余步野徑盤
縈紆荒阡亦交互槿籬疏復密荊扉新且故樹頂鳴
風飈草根積霜露驚麕去不息征鳥時相顧茅棟嘯
愁鴟平岡走寒兎夕陰帶層阜長烟引輕素飛光忽
我遒豈止歲云暮若蒙西山藥頹齡尚能度又憩郊

園詩郭外三十畝欲以貿朝饘繁蔬旣綺布畬果亦星懸又寒瓜方臥壟秋菰亦滿陂紫茄紛爛熳綠芋鬱參差初菘向堪把時韭日離離高梨有繁實何減萬年枝荒藁集野宴安用昆明池謝朓詩淸淮左長薄荒徑隱高蓬回潮旦夕上寒渠左右通霜畦紛綺錯秋町鬱蒙茸環梨懸已紫珠榴折且紅君有棲心地伊我歡旣同何用甘泉側玉樹望青葱

半山園宋王安石營王荆公居半山園有詩示蔡天啓云今年鍾山南隨分作園圃又吳氏女子詩註云南朝九日臺在孫陵曲街傍去吾園數百步

椶園漆園桐園在鍾山之陽明初植之以供用者今廢

桂林苑在落星山之陽吳都賦曰數軍實于桂林之苑

樂遊苑卽晉藥園壘處宋元嘉中以其地爲北苑更造樓觀改曰樂遊苑孝武大明中造正陽林光殿於內

侯景亂焚毀畧盡 元嘉十一年三月禊飲於樂遊苑會者賦詩顏延之爲序范曄應詔詩崇盛歸朝闕虛寂在山岑山梁協孔性黄屋非堯心軒駕時未肅文圜降照臨流雲起行蓋晨風引鑾音原薄信平蔚臺沼備曾深蘭池清夏氣修帳含秋陰遵渚攀蒙密隨山上嶇嶔睇目有極覽游情無近尋聞道雖有蹟年力互頹侵探已謝丹黻盛事懷長林劉苞侍宴詩六郡良家子幽并游俠兒立乘爭飲羽倒騎競分馳鳴珂飾華眊金鞍映玉羈膳羞殫海陸和齊眎秋空雲飛雅琴奏風起洞簫吹曲終高宴罷景落樹陰移微薄承嘉惠飲德良不貲取效績無紀感恩心自知丘遲詩詰旦閶闔開馳道聞鳳吹輕荑承玉輦細草藉龍騎風遲山尚響雨息雲猶積巢空初鳥飛荇亂新魚戲實惟北門重匪親孰爲寄參差別念舉肅穆恩波被小臣信多幸投生豈酬義沈約詩丹浦非樂戰負重切君臨我皇秉至德忘已用堯心慇兹區宇內魚鳥失飛沉推轂二崤道揚旆九河陰超乘盡三屬選士皆百金戎車出細柳餞席樽上林命師誅後服授律綏前禽函轘方解帶嶢武稍披襟伐罪芒山曲弔民伊水潯將陪告成禮待此未

抽簪

上林苑在雞籠山東宋孝武大明三年築初名西苑梁改曰上林其地有古池俗呼爲飲馬塘亦曰飲馬池其西又有望宮臺

芳林苑一名桃花園齊高帝舊宅也帝卽位修舊宅爲靑溪宮一名芳林園後改爲苑永明五年禊飲於芳林苑王融曲水詩序云載懷平浦乃睠芳林謂此梁天監初賜南平元襄王爲第益加穿鑿蕭範爲記言藩邸之盛莫過於此

芳山苑齊武帝立見方山下

博望苑在東七里齊惠文太子所立輔公拓城是其地

沈約郊居賦云睇東巘以流目心悽愴而不怡昔儲皇之舊苑實博望之餘基謝朓詩戚戚苦無悰攜手共行樂尋雲陟累榭隨山望菌閣遠樹曖仟仟生烟分漠漠魚戲新荷動鳥散餘花落不對芳春酒還望

青山郭

芳樂苑齊東昏築在臺城齊東昏侯即臺城閱武堂爲芳樂苑山石皆塗以彩色跨池水立紫閣諸樓觀又於苑中立店肆以潘妃爲市令又作土山開渠立埭苑中時百姓歌云閱武堂種楊柳至尊屠肉潘妃沽酒王僧孺侍宴詩迴輿避暑宮下輦迎風館散漫輕烟轉霏微高雲散蔓草亘岩垂高枝起天半回風稍驚水落花漸斜岸妙舞駐行雲清歌入層漢睟顏暢有懷德音亘巳粲

北苑南唐築在城北不詳其所徐鉉徐鍇湯悅有北苑侍宴詩序云望蔣嶠之嶔崟祝爲聖壽泛潮溝之淸淺流作恩波

元圃齊惠文太子築在臺城北惠文太子性奢麗宮中多雕飾精綺過於王宮開拓元圃與臺城北塹等其樓觀塔宇多聚奇石妙極山水慮帝望見傍列修竹內施高障造游墻數百間輿地志云圃有明月觀婉轉廊徘徊橋內作淨明精舍梁書昭明太子於元圃立館以延朝士番禺侯

軌稱此中宜奏女樂太子不荅誦左思招隱詩何必絲與竹山水有清音軌大慚王儉詩秋日在房鴻雁來翔寥寥清景靄靄微霜草木摇落幽蘭獨芳眷言梁苑尚想豪梁既暢旨酒亦飽嶽猷有來斯悅無遠不柔

王騫墅在鍾山南史騫歷黃門郎司徒右長史有舊墅在鍾山八十餘頃與諸宅及故舊共佃之嘗謂人曰我不如鄭公業有田四百頃而食常不周以此爲愧梁武帝於鍾山西造大愛敬寺騫墅在寺側者即王導賜田也帝宣旨取之騫曰此田不賣若敕取亦不敢言帝怒評價取之

郭文舉書臺宋志天慶太乙殿即文舉讀書處金陵故事文舉爲王導所重築臺於治城以處之

望耕臺在白上村宋文帝嘗登此以觀公卿相推詳見越城下

日觀臺一名司天臺在臺城內宮苑記臺城西有日觀臺祥符圖經云宋司天臺也

九日臺在商飈館岡上齊武帝每九月九日宴羣臣於此

昭明讀書臺一在蔣山定林寺後北高峯上一在湖熟鎮皆昭明讀書處今遺址尚存

獨足臺在舊宮城陳將亡有一鳥獨足上臺以喙畫地書云獨足上高臺茂草化爲灰欲知我家處朱門傍水開後遷洛陽果賜第洛水傍

南唐月臺胡宿高齋記在子城東南唐李氏因城作臺

望月人呼爲月臺下臨深濠北面覆舟南對長干西望冶城立齋其上高倂麗譙廣容晏息用謝宣城宴坐之意曰高齋

觀象臺在雞鳴山之巔明改名欽天山欽天監觀天象於此重門週垣官廳圜房欽天監儀正等官司之上有璇璣玉衡量天尺渾天球銅壺滴漏日晷風竿星宿海元至正元年所製有銘記年月日時精工典麗觀者欽爲法物又有乾坎艮震巽離坤兌銅山八座八龍盤繫中一龍斷二爪相傳此龍乘雲霧飛入後湖中故斷其爪而鎁鐺璅之今臺廢法物俱解北

太初宮卽長沙王孫策故府吳赤烏十年改作周五百丈晉元帝渡江以爲府舍及卽位稱爲建康宮江表傳載權詔曰建康宮乃朕從京來所作將軍府寺耳材柱率細小今未復西可徙武昌材瓦更繕治之有司奏

武昌宮已二十八歲恐不堪用宜令所在更伐木治權曰大禹以卑宮爲美今軍事未已所在多賦損農武昌材自可用也左太沖吳都賦曰作離宮於建業闡闔閭之所營采夫差之遺法抗神龍之華殿施榮楯而捷獵崇臨海之崔巍飾赤烏之韡曄東西膠葛南北崢嶸房櫳對㯯連閣相經閽闥譎詭異出奇名左稱彎碕右號臨硎彫欒鏤楶青瑣丹楹圖以雲氣畫以仙靈雖兹宅之夸麗曾未足以少寧註云神龍臨海赤烏宮名彎碕臨硎殿名晉史石冰之亂太初宮盡焚陳敏平石冰因太初故基創府舍元帝所居即敏所造帝領江左十年始即位常在舊府至戊帝始繕苑城

昭明宮甘露中造周五百丈與太初宮相望榜曰昭明

晉避諱改曰顯明

南宮吳太子所居在臺城南

永安宮晉孝武建即吳東宮在臺城東南輿地志吳東宮在城之南

晉初東宮在城之西南其後改於宮城之東北宮苑記孝武太元二十一年新作東宮本東海王第安帝立以何皇后居之桓元折其材木入西宮以其地爲射宮至宋元嘉十五年築爲東宮陳太建九年移皇太子居之

南唐宮今內橋北以昇州治所爲之

宋行宮在清溪南卽舊建康府治高宗紹興二年修爲行宮

建炎元年尚書右僕射兼中書侍郎李綱言於高宗曰天下形勝關中爲上建康次之請以長安爲西都建康爲東都各命守臣葺城池治宮室積糗糧以備臨幸則天下之勢安矣上出其章付中書衛膚敏劉珏皆主幸東南三年五月上駐蹕神霄宮詔改江寧府爲建康閏七月如浙西紹興二年上命江南東路安撫大使李光卽府舊治爲行宮光乞增創後殿許之以圖進呈上曰但令如州治足矣若止一殿雖用數萬緡亦未爲過必事事相稱則土木之侈傷財害民何所不至象箸之漸不可不戒由是制

度簡儉十六年六月右僕射張浚謂建業爲中興根本奏請秋冬臨幸七年三月辛未上至建康十一月上謂浚曰朕來建康行宫皆因張浚所修之舊不免葺數間小屋爲寢處地不施丹雘蓋不欲勞人費財也八年正月上將還臨安參知政事張守言曰陛下至建康席未及煖願少安於此以係中原之心趙鼎持不可壬戌召張浚至宫中諭之曰朕來日東去卿在此無與民爭利勿興土木之工俊見地無磚嘆息上曰艱難之際一切從儉少紓民力朕爲人主雖以金玉爲飾亦無不可但如此後世以朕爲何如主也三十二年正月上復至建康二月還臨安初上謂輔臣曰將來幸浙西建康宫宇令有司照管他時復幸免更營造以傷民力中書門下省言建康府已係行宫留守詔應合行事件並依西京留守司例自是江南東路安撫司常兼留守

歲四季令入宫點視

元御史臺公署在大中街北明太祖克金陵即署建中書省後即吳王位爲宫焉東沿青溪西接古御街後

阻內橋東虹舊瀆榜曰舊內之門今廢獨周垣存

太極殿建康宮之正殿也晉初造以十二間象以歲之月至梁武帝改製十三間以象閏高八丈長二十七丈廣十丈並以錦石爲砌兩傍有太極東西堂更有二上閣在堂殿之間方庭濶六十畝山謙之丹陽記云太極殿周制路寢也秦漢曰前殿今稱太極東西堂亦魏制於周小寢也徐廣晉記曰謝安作新宮造太極殿缺一梁忽有梅木流至石頭城下因取爲梁殿成畫梅花於其上以表嘉瑞實錄云太元中起太極殿謝安欲使王獻之題榜因說魏韋仲將懸虛櫈書凌雲臺額獻之正色曰仲將魏之大臣寧有此事使其若此有以知魏德之不長安遂不之逼晉中興書云孝武造太極殿郭璞卜筮云二百一十年此殿爲隸所壞後梁武帝毀之捨身爲隸也文昌雜錄云東晉太極殿東西閣天子間以聽政閤之名起於此宮苑記云太極

殿前東西有二大鐘宋武帝平洛所獲並漢魏舊物

淸暑殿在臺城內晉孝武帝造重樓複道通華林園爽塏奇麗無與爲比宋孝武大明五年鴟尾中生嘉禾一枝五莖遂改爲嘉禾殿

含章殿宋孝武帝造在宮中帝女壽陽公主人日臥於殿簷下梅花落額上號梅花粧

玉燭殿宋孝武帝造考證孝武壞武帝居室起玉燭殿與從臣觀之牀頭有土障壁上掛葛燈籠麻蠅拂侍中袁顗稱武帝儉德帝不答獨言曰田舍翁得此已過矣按南史晉諸帝多處內房朝所臨東西二堂而孝武末年淸暑方建宋初受命無所改作所居惟稱西殿不制嘉名文帝因之亦有合殿之稱孝武承統追陋前規更造正光玉燭諸殿奇麗無比

靈和殿在臺城內益州刺史劉悛獻蜀柳武帝命植於靈和殿三年柳成枝條柔弱狀如絲縷帝與公卿晏賞嘆曰楊柳風流可愛猶如張緒當年

紫極殿宋明帝所作珠簾綺柱江左所未有考證齊高帝欲以其材起宣陽門王儉褚淵王僧虔連名表諫手詔酬納

披香殿在臺城內庚子山詩宜春苑中春已歸披香殿裏作春衣指此

顯陽殿昭陽殿齊太后皇后所居考證永明中無太后皇后羊貴嬪居昭陽殿

鳳華殿壽昌殿靈曜殿皆齊內殿武帝時建

芳樂殿玉壽殿齊東昏建在臺城內齊史東昏大起芳樂玉壽諸殿以麝香塗壁刻畫粧飾窮極綺麗役者自夜達曉猶不副速後宮服御極選珍奇府庫舊物不復用民間金寶

價皆數倍建康酒租皆使輸金尚不能足鑿金爲蓮花以帖地令潘妃行其上曰步步生蓮花

重雲殿梁武造在華林園隋志云殿前置銅渾儀是劉曜光初六年孔挺所造何承天以爲張衡所造

五明殿在臺城內考證梁武帝謙恭待士時忽有四人來貌可七十鶉衣躡履入丹陽郡建康里行已經年無人知者帝名入儀賢堂給湯沐解御服衣之惟昭明太子識之一見如故舊目爲四公子帝移四公子入五明殿更重之大同末魏使崔敏來聘敏博贍儒釋知天文醫術帝選十人於此殿推論三教百家六籍五運九十餘日敏喪神嘔血歸未及境而卒事類記四人姓名蜀闖䫻杰䟊䲭仉胥難敏者仉胥也

光華殿在臺城梁武帝大通中施與草堂寺取珠貝直百萬以其地起重閣

楚

求賢殿在臺城內陳建後主皇后沈氏居之后端靜好學後主薨自作哀冊文辭甚酸

儀賢堂吳建初名聽訟堂在宣陽門內每歲策孝秀考學士學業歲暮習元會儀於此梁改曰儀賢

樂賢堂在臺城內晉肅宗爲太子時建宮城西南角外有清游池通中引水帶堂左右咸和七年彭城王紘上言樂賢堂有先帝手畫佛像屢經寇難而此堂猶存宜勑作頌下其議蔡謨曰佛者西方之俗非經世之制先帝量同天地多才多藝聊因臨時而畫此像至於雅好佛道此未聞也乃寢

宣猷堂晉置後在梁東宮內梁紀修飾國學增廣生員立五館置五經博士皇太子宣城王亦於是堂講論釋老

武帳堂宋元嘉中建武帳岡上

澄心堂南唐後主建爲藏書撰述之所金陵舊有澄心堂紙相傳爲玩

芙蓉堂在宋安撫司王安石詩投老歸來一幅巾尚私榮祿備藩臣芙蓉堂下疏私水且與龜魚作主人

戲綵堂在轉運司正堂後嘉定八年眞德秀將母出使葺而名之馬光祖王埜皆公門下士寶祐中同持節於此新其堂刻石識之

忠宣堂在轉運司西廳本雙槐堂眞德秀改建

清如堂在清溪淥波橋北馬光祖建取御翰中一清如水之語梁椅爲記

大本堂明洪武初建以爲太子諸王授經之所延四方耆儒於其中公侯子弟皆就學焉今廢魏觀鄭國公常茂等授經

大本堂詩鄭國靳侯弟子羣儲闈時得奉慇懃宮花細挹研朱露禁柳微濺灑墨雲御氣日從雙闕望書聲時徹九重聞楚王可是推仁愛臨帖常容半席分

又大本堂詩玉署儲書紫禁東宛然麟鳳穆清風雲開奎璧天光合日射蓬萊御氣通炬炳蓮花歸學士燈然藜杖致仙翁詹吳宋樂皆時彥謨述承恩晝夜同

烽火樓在石頭城西南最高處吳時舉烽火之所考證宋元嘉中魏太武至瓜步聲欲渡江文帝登烽火樓極望不悅謂江湛曰北伐之計同議者少今日貽大夫之憂在予過矣蘇峻之亂陶侃温嶠入討舟直指石頭峻登烽火樓望見士衆之盛有懼色謂左右曰吾本知温嶠能得衆也簡文帝詩聳樓排樹出却堞帶江清涉峯試遠望鬱鬱盡郊京萬邑王畿廣三條綺陌

平亘原横地險孤嶼派流生悠悠歸棹入渺渺去帆鶩水烟浮岸起遥禽逐霧征謝朓登樓詩徘徊戀京邑躑躅沓層阿陵高墀闕近眺迥風霜多荆吳阻山岫江海瀾瀾波歸飛無羽翼其如離别何

冶城樓晉建在吳冶城舊基卽謝安石王羲之同登處宋嘉定中重建接忠孝堂

入漢樓在石頭城晉義熙八年建加累入於雲霄連堞帶於積水

青漆樓在臺城內齊書云世祖興光樓上施青漆時人謂之青漆樓

景陽樓在法寶寺西南宋精鋭中軍寨內遺址尚存呼爲景陽臺明旗手衛營內地宋元嘉二十二年修廣華林園築景陽山始造景陽樓孝武大明元年紫雲

出樓中狀如烟收爲慶雲樓宮苑記云齊武帝置鍾景陽樓上令宮人聞鍾聲並起粧飾劉義公詩丹墀設金屏瑶樹陳玉床温宮冬開燠清殿夏含霜弱蔓布遐馥輕葉振遠芳彌望錯無際肆睇周華疆象闕對馳道飛廉屬方塘邸寺送暉曜槐柳自成行通川溢輕艫長街盈方箱顧此爵火微何顏側天光王僧孺侍宴景陽樓詩金爍鋪可鏡桂棟儼臨雲沾觴均飲德服道驗朝聞詎論禹聞善非恥堯爲君小臣亦何者短翮屢追羣柳惲詩太液滄波起長楊高樹秋翠華承漢遠雕輦逐風流

百尺樓在南唐宮中類說云唐主於宮中作高樓召羣臣觀之衆皆歎美蕭儼曰恨樓下無井耳唐主問其故對曰以此不及景陽樓唐主怒貶儼舒州

忠勤樓在建康府治中宋淳祐十年吳淵建汪廣洋詩西掖延秋爽高樓倚太清玉繩當座轉銀漢近人明上相思經濟諸公任老成不知前席夜曾話及蒼生

元武觀宋建在元武湖上南朝嘗臨此閲武蔡景歷拜度支尚書

日駕幸元武觀宴百官恐景歷援舊式午後拜官不預特令早拜重之也江總詩詰曉三春暮新雨百花朝星宫疑度漢天駟動行鑣旆轉蒼龍闕塵飛飲馬橋翠觀迎斜照丹樓望落潮鳥聲雲裏出樹影浪中摇歌吟奉天詠未必待聞韶

通天觀在華林園宫苑記云梁武帝於景陽山東嶺起通天觀觀前起重閣閣上曰重雲殿下曰光嚴殿殿當街起二樓左曰朝日右曰夕月堦道繞樓九轉極其巧麗金陵故事晉孝武講孝經於通天觀則晉時已有之矣

齊雲觀在臺城内陳建後主令採木湘洲擬造正寢至牛渚磯盡沒既而漁人見栰於海上復起齊雲觀國

人歌日齊雲觀寇來無際畔

延祚閣在冶城後岡上宋太始中建延祚寺閣因名許渾

登閣詩極目皆陳迹披圖問遠公戈鋋三國後冠蓋
六朝中葛蔓交殘壘苔花没廢宮水流簫鼓絶山在
綺羅空極浦千艘聚高臺一徑通雲移吳岫雨帆轉
楚江風登閣慚飄梗停舟憶斷蓬歸期與歸路松桂
海門
東

臨春結綺望僊三閣陳至德二年建在華林園光昭殿
前高數十丈並數十間窓牖戶壁欄檻之類皆以沉
檀爲之飾金玉珠翠珠簾寶帳服玩瑰麗近古未有
積石爲山引水爲池植以奇樹雜以花藥後主自居
臨春張麗華居結綺龔孔二貴嬪居望僊並複道往

來使女學士與狎客賦詩采其尤艷麗者被以新聲有玉樹後庭花臨春樂等曲君臣酣歌自晝達夜有女學士袁大捨獻春樂詞以諷之劉禹錫詩臺城六代競豪華結綺臨春事最奢萬戶千門成野草只緣一曲後庭花

商飈館齊武帝建在蔣祠西南去城十五里九月九日登此以宴羣臣

士林館臺城西梁武帝建以延集學者

武學在大市街北巷內明洪武中設以教武官幼者及兵家子弟領於兵部今廢

化龍亭在幕府山側晉元帝與彭城王元西陽王羕南

頓王宗汝南王宏渡江之所讖云五馬渡江一馬化龍故名

東冶亭續志云在東二里汝南灣西臨淮水晉太元中送別之所謝安爲楊州袁宏爲東陽郡祖道于冶亭羣賢畢集南史王裕之元嘉六年遷尚書令固辭表求東還改授侍中及東歸帝幸東冶餞送乾道五年留守史正志於半山寺前重建劉珙以四面皆田作亭于旁以知稼名景定辛酉馬光祖新之又增一亭扁曰瑞麥與知稼對峙是年上元惟政鄉麥秀兩岐知縣鍾蜚英因以名亭兩山墨談建康舊志冶亭當在鍾山佳處元文宗在金陵亭去行邸近常遊幸見虞集題詩命侍臣模寫藏諸篋

冶亭在冶城

征虜亭在石頭塢晉太元中創丹陽記曰太元中征虜

將軍謝安止此亭因以爲名南史何尚之遷吏部郎告休定省送別於野渚及至郡父叔度謂曰聞汝此來傾朝相送此是送吏部郎非關何彥德昔殷浩亦嘗作豫章送別者甚衆及廢徙東陽船泊征虜亭積日乃至親舊無復相窺者徐陵送新安王詩鳳吹臨南渚駕餞東平亭輿廻漳水乘旆轉洛濱笙池凍斑輪響風嚴羽蓋輕燒田雲色暗古樹雪花明岐路一回首流襟動眷情

甘露亭陳大建七年秋甘露降樂遊苑詔於苑內覆舟山立亭按輿地志宋元嘉中移晉北郊壇出外以其地爲北苑更造樓觀於覆舟山上大設亭館侯景之亂焚燬至陳天嘉中更加修葺於山上立甘露亭陳亡並廢

白下亭驛亭也在舊東門外考證李白獻從叔當塗宰陽氷詩云小子別金陵來時白下亭又云驛亭三楊樹正當白下門亭似在府西王安石詩有門前秋水可揚舲有意西尋白下門又有東門白下亭摧甓蔓寒葩之句亭又在府東意者新舊亭各在一處不然李白所謂金陵指鍾山耳

李白别金陵諸公詩海水昔飛動三龍紛戰爭鍾山危波瀾傾側駿奔鯨黄旗一掃蕩割壞開吴京六代更伯王遺跡見都城至今秦淮間禮樂秀羣英地擅鄒魯學詩騰顔謝名五月金陵西祖余白下亭欲尋廬峯頂先繞漢水行香爐紫烟滅瀑布落太清若攀星辰去揮手緬含情

翠微亭在清涼寺山巔南唐時建宋乾道間毁紹熙中復建隸淮西總領所淳祐己酉總領陳綺新而大之爲登臨勝處今山頂如砥殆其遺址林逋詩亭在江干寺清涼更翠微秋階響松子雨壁上苔衣絶境常難得浮生不擬歸旅情何計足西崦又斜暉又渺渺江天白鴈歸石城秋色送僧歸長干古寺經行少爲到清涼看翠微

紅羅亭南唐時建古今詩話南唐後主作紅羅亭四面栽紅梅作豔曲歌之韓熙載和云桃李不須誇爛熳已輸了春風一半時淮南已歸宋景定志作羅江亭

忠孝亭在冶城卞壼墓側南唐時建名忠貞宋慶曆中改曰忠孝天冶周淯詩晉鼎虓虓姦人窺覦孰謀國者摧羣公奔潰不敢誰卞公力疾起督師謂事廹矣奚如兒戲蹈穽弗設延虎貔虓鬬搏噬嬰者生爲以肉餧虎吁可悲公則死矣二子隨偉哉忠孝萃一時維公忠義天所資向來謀國如蓍龜不用吾言至於斯

半山亭在鍾山卽宋王安石故宅安石集中有詩

郡圃諸亭在建康府治内東北鎮青堂之左右金陵志鎮青堂在府廨東北其上爲鍾山樓其後爲青溪道院木犀亭曰小山菊亭曰晚香牡丹亭曰錦堆芍藥亭曰駐春皆在堂左壘石成山上爲亭曰一丘一壑下爲金魚池曰眞愛其南爲曲水池亭曰觴詠又其西爲杏花村桃杏蹊亭曰種春竹亭曰深淨梅亭曰雪香海棠亭曰嫁梅皆在堂右大抵皆馬光祖所建

青溪園亭舊志溪西自百花洲入臨水小亭曰放船入門有四望亭榜曰天開圖畫環以四亭曰玲

瓏池曰玻瓈頂曰金碧堆曰錦繡段其東有橋曰鏡中橋東爲青溪庄南有萬柳堤榭曰溪光山色北有亭臨水曰撑綠其徑前曰添竹後曰香遠尚友堂西扁曰香世界先賢祠之東有亭曰花神仙淸如堂南綠波橋西有亭曰衆芳曰愛青其東又曰割青青溪閣之南淸風關之北有橋曰望花隨柳其中有亭曰心樂其前曰一川風月自淸風關東折而北亭出溪東二曰看竹曰蒼雪其後則爲靜菴菴後有石亭曰最高山後跨梁陟徑爲堂二前曰閒暇後曰近民諸亭惟割青爲舊餘皆馬光祖所建宋名青溪園爲小西湖今廢　以上上元

越城一名范蠡城周元王四年范蠡築在古秣陵長干里今聚寶門外報恩寺西遺址猶存俗呼爲越臺金陵故事云范蠡佐越滅吳欲圖伯中國立城於金陵漢吳王濞敗保此城晉王含以水陸兵五萬逼淮溫嶠潛師渡水大破含軍於越城南盧循犯建康劉裕修治越城按越絕書其城越范蠡所築城東南角近故

城望國門橋西北即吳牙門將軍陸機宅故機入晉作懷舊賦望東城之紆餘即此唐竇鞏詩傷心欲問前朝事惟見江流去不回日暮東風春草綠鷓鴣飛上越王臺明顧起元詩長江水湛湛搖風吹暮林平蕪際高臺浮雲鬱以陰孤雌繞樹飛哀猨中夜吟顧言駕行游涕淚霑衣襟越王安在哉荒臺留至今東望長楸館秋風正蕭森無爲采葛曲此曲悲人心

丹陽郡城漢元封二年置丹陽郡孫吳移治建康淮水南晉太康中始築城在長樂橋東一里南臨大路城周一頃開東南北三門長樂橋即今武定橋東南有長樂巷蓋自城東角之内外皆是

王舍五城在丹陽郡城之東考證晉王舍錢鳳戰敗乃率餘黨自柵塘西置五城唐景雲中縣令陸彥恭於城側造橋渡淮水今五城渡是

秣陵城在宮城南八里小長干巷內梁宋北齊皆於秣陵故城跨淮立橋柵當是隋併入江寧

古江寧縣城今縣治西南七十里南臨江寧浦周六里餘

古國門梁天監七年作國門於越城南在今高座寺東南澗橋北越城東

古望國門南史侯景令羊侃率千騎頓望國門其地在越城東南

南郊壇吳太元元年始祭南郊晉元帝建武二年定郊兆於建鄴之南太興二年立於城南十餘里在長樂

橋東籬門外宋孝武大明三年遷於牛頭山西在宮之午地梁武帝卽位南郊爲壇在國之陽今城東與婁湖相近

雩壇晉穆帝永和中立在南郊傍

方盟壇陳宣帝大建十年立婁湖側臨壇誓衆分遣大使頒盟誓警四方以備周人

建康府社壇在城西南慶元元年留守張杓移置下水門內秦淮南元時遷於城南門外越城之後

明堂在國學南宋大明五年立其墻宇規制一如太廟十有二間以應期數無古三十六戶七十二牖之制

梁天監中修築陳亡毀

太廟晉中宗置在秦淮西孝武太元十六年改築宋以後仍之至陳廢通典江東太廟門北有竹葉文石元嘉中得之陸澄云晉武帝郊禖石也

臨江驛臨江舊縣名因以名驛岑參詩古戍依重險高樓見五涼山根盤驛道河水浸城墻庭樹巢鸚鵡園花隱麝香忽如江浦上意作捕魚郎

新亭壘宋孝武入討元凶劭柳元景至新亭依山築壘東西據險察賊衰竭乃開壘鼓譟以奔之賊衆大潰

金陵志云亭在城西南十二里壘不存考證元嶽二年桂陽王休範舉兵潯陽蕭道成頓兵新亭以當其鋒築新亭城壘未畢賊前軍已至道成登西垣使陳顯達等與賊水戰大破之

侯景故壘在梧桐灣古大航城在其南梁紹泰元年北齊兵至建康陳霸先問計於韋載載曰齊人若分兵據三吳之路畧地東境則大事去矣今可於淮南因侯景故壘築城以通轉輸乃遣載於大航築侯景故壘使杜稜守之

烏衣園在烏衣巷東馬光祖立城南有王謝故居一堂扁曰來燕歲久傾圮馬光祖撤而新之堂後建亭館羅元詩烏衣池館一時新晉宋齊梁舊主人無處可尋王謝宅落花啼鳥杜陵春

繡春園宋時重建在府社壇東隸運司端平二年高定子記云昔得繡春園名及來將漕訪其遺址無知者有造船場餘地益以廢圃乃築之

南苑在瓦官寺東北宋明帝末年張永乞借南苑帝云且給三百年期滿更請後帝葬於此梁改名建興苑侯景攻臺城裴之高營於南苑即此

婁湖苑齊武帝永明元年望氣者言婁湖有天子氣乃築青溪舊宮作婁湖苑以厭之陳更加弘壯後其地爲光宅寺江總侍宴詩翠渚還鑾輅瑤池命羽觴于門響雲蹕四澤動容光玉軸昆池浪金丹太液張虹旗照島嶼鳳蓋繞林塘野靜重陰潤淮秋水氣涼霧開樓闕近日遠浪烟長洛宴誼斯在鎬飲詎能方朽劣叨榮遇簪笏奉同行

江潭苑在新林路西梁大同初立輿地志武帝從新亭鑿渠通新林浦又爲池通大道立殿宇一名王遊未成而侯景亂事寢蔡宗旦金陵賦云訪江潭之大苑惟蕭清之名存

孫楚酒樓在城西李白翫月於此達曉歌吹日晚乘醉著紫綺裘烏紗巾與酒客數人棹歌秦淮往石頭訪

崔四侍御李白詩昨翫西城月青天垂玉鈎朝沽金陵酒歌吹孫楚樓忽憶繡衣人乘船往石頭草裏烏紗巾倒披紫綺裘兩岸拍手笑疑是王子猷酒客十數公崩騰醉中流謔浪棹歌客喧呼傲王侯半道逢吳姬卷簾出揶揄我憶君到此不知狂與羞一日一相見三杯便迴橈舍舟共連袂行上南渡橋興發歌綠水秦客為之謳雞鳴復相招清宴逸雲霄贈我數百字字字凌風飆係之衣帶上相憶每長謠又金陵夜寂涼風發獨上高樓望吳越白雲映水搖清光白露如珠滴秋月月下長吟久不歸古今相接眼中稀解道澄江淨如練令人却憶謝元暉

芙蓉樓舊名北樓在丹陽城北王昌齡送客詩寒雨連江夜入吳平明送客楚江孤洛陽親友如相問一片冰心在玉壺又丹陽城南秋水陰丹陽城北楚雲深高樓送客不能醉寂寞寒江明月心

東南佳麗樓建康志在銀行街舊為賞心樓久廢景定

元年馬光祖建改曰東南佳麗樓即今縣治基

南礀樓舊志在府城西南近何尚之宅南礀即今躍馬澗

來賓樓在聚寶門外西南馴象街北洪武間建即宋豐裕樓舊基蔣主忠詩層樓迢遞俯遥岑此日登臨喜盍簪鍾阜雲霞雙闕迥石城烟樹萬家陰鐘聲隱隱來官寺秋色蒼蒼帶遠林自是聖朝恩澤廣越裳臣妾盡傾心

重譯樓在馴象街南與來賓樓相對

鶴鳴樓在三山門外西關中街北

醉仙樓在三山門中街南

集賢樓在瓦屑壩西

樂民樓在集賢樓北

輕烟樓在江東門內江關南街

淡粉樓與輕烟樓相對

翠柳樓在江東門內西關北街

梅妍樓與翠柳樓相對自來賓以下十樓皆洪武初建樓每座皆六楹高基重簷棟宇宏敞各顏以大書名扁各在市廛交易地以爲客旅遊樂憇息之所柔遠之道其備至無遺焉今皆廢

昇元閣一名瓦官一名吳興按京師寺記瓦官寺有瓦官閣梁時建高一百四十尺吳順義中改寺爲吳興寺閣因名吳興南唐昇元初改寺爲昇元閣遂名昇元南唐書云閣因山爲基高可十丈平旦閣影半江

開宋崇勝戒壇院近昇元閣故基院中建盧舍那佛閣亦高七丈里俗猶呼爲昇元閣龔穎運曆圖云開元九年江寧縣瓦官寺閣西南久傾因風自正江南野史唐狄仁傑爲溧陽主簿羣公休沐宴昇元閣仁傑郎席和詩有雲散便凝千里望日斜常占半城陰句坐客皆驚南唐書云昇元閣因山爲基高可十丈開寶中王師收復人避難於其上越兵舉火焚之閣基舊有遺碣云抱雞陛寶位走馬出金陵子建居南極安仁秉夜燈東陵驕小女騎虎渡河氷其讖皆應李白横江詞人言横江好我道横江惡一風三日吹倒山白浪高於瓦官閣又登閣詩晨登瓦官閣極眺金陵城鍾山對北戶淮水入南楹漫漫雨花落嘈嘈天樂鳴兩廊振法鼓四角迎風箏杳出霄漢上仰攀日月行山空霜氣滅地古寒陰生寥廓雲海晚蒼茫宮觀平門餘閶闔字樓識鳳凰名雷作百川動神扶萬象傾靈光何足貴長此鎮吳京英華作李賓詩未知孰是觀南唐書因山爲基似今鳳遊寺是所以有下瓦官之名也

勞勞亭在舊縣治西南八里勞勞山上古送別之所輿地志云新亭壟上有望遠樓宋元嘉中改曰臨滄觀即勞勞亭故基李白詩天下傷心處勞勞送客亭春風知別苦不遣柳條青又金陵勞勞送客堂蔓草離離生道傍古情不盡東流水此地悲風愁白楊我乘青舸同康樂朗詠晴川飛夜霜昔聞牛渚吟五章今來何謝袁家郎苦竹寒聲動秋月獨宿空簾歸夢長

新亭一名中興亭去城南十五里近江渚丹陽記京師舊有三亭俱廢隆安中丹陽尹司馬恢之徙創今地宋孝武入討至新亭修建營壘即位後王僧達始改爲中興亭趙宋乾道五年留守史正志即故基重建爲記世說過江諸人每暇日輒相邀出新亭籍卉飲宴周顗中坐嘆曰風景不殊舉目有江河之異皆相視流涕惟丞相導愀然變色曰當共戮力王室尅復神州何至作楚囚相對泣邪孝武寧康元年桓

溫來朝王坦之謝安迎於新亭笑語移日梁簡文詩神襟愍行邁岐路愴徘徊遥瞻十里陌傍望九城臺鳳管流虛谷龍騎籍春荄曉光逢野映昕烟承日回沙文浪中積春陰江上來栁葉帶風轉桃花含雨開望情蘊朱綺禮命表英才顧憐硃砆質何以麗瓊瓌陰鏗詩大江一浩蕩離悲足幾重潮落獨如蓋雲昏不作峯遠戍惟聞鼓寒山但見松九十方成半歸途詎有蹤張拭詩風景自今古新亭誰是非絕憐江水去還有故山圖得失同千慮成虧共一機所思惟謝傅不但勝淮淝

臺城寺水亭幽菁開敞騷人墨客多游詠其中昔傳在鳳臺山南傍秦淮者非彼即陸機故宅王處士水亭也杜荀鶴詩江亭當故國和景倍蕭騷夕照明殘壘寒潮漲古濠

賞心亭在下水門城上下臨秦淮盡觀覽之勝丁謂建景定元年亭燬馬光祖復立爲金陵第一景僧文瑩湘山野

錄于晉公鎮金陵以周昉所畫袁安卧雪圖張于亭屏郡守十四人雖極愛不敢輒取後爲一守以凡畫蘆雁竟易去又續志丁謂始典金陵陛辭眞宗出八幅袁安卧雪圖付謂曰卿到金陵可選一絕景處張此謂張于賞心亭二說不同恐後爲優也

折柳亭在賞心亭下忠定公張詠建爲祖餞之所久廢景定元年馬光祖重建

練光亭在宋保寧寺蘇魏公頌有遊保寧寺練光亭詩寺本梁瓦官地臨吳建業何人結虛亭勝築壓危樓

風亭在折柳亭東葉清臣建蘇州從事張伯玉爲記咸淳乙丑馬光祖守郡有以故基告者乃累石爲岸創堂三間前後軒如之廚舍諸屋挾翼其旁繚以花竹

亦艤舟勝處云

王處士水亭在齊南苑中即陸機故宅基李白詩王子耽元言賢豪多在門好鵞尋道士愛竹嘯名園樹色秀荒苑池光蕩華軒北堂見明月更憶陸平原閒拭靑玉簟爲余置金鐏醉後欲歸去花枝宿鳥喧何時復來此更乃洗囂煩

白鷺亭有賞心亭西下瞰白鷺洲景定元年馬光祖重建蘇文忠公軾嘗題其柱王勝之龍圖守金陵一日而移南郡東坡居士作長短句以贈之千古龍蟠并虎踞從公一吊興亡處渺渺斜風吹細雨芳草渡江南父老留公住公駕飛車凌綵霧紅鸞驂乘靑鸞馭却訝此洲名白鷺非吾侶翩然欲下還飛去王安石詩柱上題名客姓蘇江山淸絕冠吳都六花飛舞憑欄處一本天生臥雪圖任希夷詩江水悠悠淮水流臺城寂寂石城留凄凉白鷺洲頭月曾照前朝玉樹秋

二水亭在下水門城上下臨秦淮西面大江北與賞心亭相對乾道五年留守史正志因修築城壁重建李白詩云二水中分白鷺洲亭名取於此

木牛亭舊志在移忠禪院路西去城七十里在江寧鎮舊傳有香木浮至土人迎之爲亭又號木龍亭徐石麒木牛亭詩攜酒出南郭登臨殊豁然桃夭深竹裏石繡古亭邊江暮弄殘日山春移少年醉歸過小苑老眼得花憐

覽輝亭在宋保寧寺後鳳凰臺舊基側寺有覽輝亭碑刓缺不可讀莫詳其人唯歲月可考蓋熙寧三年夏四月也觀此則保寧寺在今驍騎右衞倉無疑且古井可據縣志以保寧爲建初謂南軒讀書保

寧者非按宋陸游金陵記云亭牓本朱希眞隸書法堂後片石瑩潤如黑玉乃宋子嵩詩題云鳳凰山亭子昇元三年奉教刻石也

淸水亭去城南三十里建炎四年岳飛敗敵人於此

三山亭在石城西對三山宋劉無黨陪諸友登三山亭詩半濠清淺芰荷彫落日登臨未寂寥山色逼秋渾在市海聲迎暮欲吞潮沙頭白鳥疑相熟木末青旗若見招不似常時對官府可無聞話及漁樵

木末亭在雨花臺北梅岡之東永寧寺後山上其北爲方正學先生祠亭中圮張莊節重修後漸廢正學祠亦傾工部洪公若皐重建祠前引眺不滅雨花

東園在武定橋東城下西與舊院隣昔時壯麗竹樹楡柳峭蒨盈門委折

轉迤右爲心遠堂爲月臺爲小蓬山有峯巒洞壑亭榭之屬今無存者僅有高樓數楹而已然斷橋流水茆簷古寺一望儵然

西園在城南新橋西有古松高可三丈徑十之一相傳宋仁宗手植以賜陶道士者下覆二石一曰紫烟一曰雞冠至今松石無恙但仁宗未至金陵手植之說當在存疑

同春園故齊王孫所創在城西隅後歸歐陽長林

息園在淮清橋東北顧華玉所築

逸園在馴象門街南王襄敏公之别圃也

鳳凰臺舊在建初寺後蹤跡依稀不復可識錦衣徐君天賜爲園以其地之近崇其土曰鳳凰臺疏井而甘曰鳳凰井爲堂以冠之後軒臨渟碧池臺之後阜最高者叢石爲基餙以佛宇曰叢桂菴其地有古榆修竹之類 以上江寧

竹里城在東陽鎮東齊永元二年崔慧景叛向建康遣驍騎將軍張佛護直閣將軍徐元稱等六將據竹里爲數城以拒之今廢

仁威壘在白羊門內按南史周弘讓梁承聖初爲仁威將軍城句容以居命曰仁威壘又故老相傳達奚將軍屯兵於此又名甲城

義臺在縣西南隅唐孝子張常洧旌表之所令李哲有記

易幷堂在縣治中堂後淳祐間令張桀改建氷玉軒趙時侃爲令嘗請於朝均民賦稅桀其壻也因記曰晉人語云婦公氷淸女壻玉潤非敢自謂玉潤繼氷淸也

將以遠挹前言近瞻往行耳前

望江樓即縣之北門景泰元年令浦洪建成化十二年令濮壽修葺題扁因路遠望大江王信建築如

集仙樓在坊郭東南隅集仙橋去縣治二里許景泰三年縣丞劉義建成化十二年令濮壽修葺題扁因茅山仙侶往來會集於此故名舊呼爲白羊門

占星樓在縣後圖宋景祐中知縣丘濬明天文登此臺觀象故名後改爲先春臺今愛山亭後高墩是也

王荆公釣臺在縣治西北六十里瑯琊縣東陽鎮側

平陵城在縣西三十五里在平陵山下周二里高一丈城有四門門外有濠濶六七尺勝公廟記云固城吳時瀨渚縣楚靈王與

吳戰吳軍不利遂陷此城吳乃移瀨渚於溧陽南十里改爲陵平縣平王立使蘇適爲將戰敗吳軍以吳陵平縣改平陵縣按史記伍子胥橐載而出昭關夜行晝伏至於陵水膝行蒲伏稽首肉袒鼓腹吹篪乞食於吳市陵水卽平陵也孟東野貞元中爲溧陽尉縣南五里有投金瀨瀨南八里有故平陵城周十餘步基址才高三四尺而草木甚盛率多大櫟叢篠蒙翳如塢如洞其地窪下積水沮洳深處可活魚鱉幽邃可喜東野得之忘歸趙子昂題孟東野平陵圖詩騎驢聊聊入荒城積水空林坐自清政使不容投劾去也勝塵土負平生

永世城在縣南十五里周三百步遺址高一二尺

趙城在縣治東五里周一百步漢趙王禹屯軍之所

舊縣城在縣西北四十五里今名舊村縣戚氏云城已圯毀惟巡檢寨後小坡上有城隍廟廟前有村蔣日用記云自唐初武德三年於此置縣及是已踰百年至唐末天復

三年移治今所後三年唐亡則此城爲溧陽治與唐終始首尾蓋三百年云

義城縣西南五十里有義城山下有村

梁城在縣西五十里周二百步

黨城在縣東十五里周一百五十步

射鴨堂在平陵城去縣治三十五里元和初縣尉孟郊建郊嘗遊咏於此詩云短簑不怕雨白鷺相爭飛短檝畫菰蒲鬭作豪横歸笑伊水健兒浪戰無光輝不如竹枝弓射鴨無是非

晚香堂在縣南趙丞相之別館也堂前植菊故名晚香理宗御書額賜之

風月堂在縣治北乾道初知縣王季羔建張孝祥有記

清閒堂在縣治後六子遹建取李白碑琴心清閒百里大化之語

小山池亭在平陵城小山側去縣西北三十里孟東野嘗宿此亭賦詩塊嶺尖羣岫即小山也

寒光亭在縣西七十里三塔寺下瞰梁湖宋乾道中張孝祥於此賦詩亭侭三塔占淸幽松竹環除翠欲流曉色晴開千丈月波光冷浸一天秋瓊瑤影裏詩僧屋雲錦香中釣客舟風送不知何處笛鴈聲驚起荻花洲

廣生亭在縣東南負城面溪知縣鄧埏建陸子遹修亭後有放生池亭廢池尚存

月梅古石在天竺院佛龕前拜石也風雨之際宛若梅枝掩映傳有好事者將購之去人

力所施不能動異之令石質古紋如故

唐興寺碑在舊縣卽勝因寺嘉靖閒倭叛至僧俗俱逃匿距寺數百武恍見一士桀立倭羣射之中二矢乃仆就視乃碑也矢入石寸許折鏃不能拔神異之遂去今鐵鏃尚存雷雨之候失創液出如血嗚呼李廣之虎蕭王之人不可謂盡奇怪也

北湖亭在舊縣李白登此望亳屋山感愴貞女之事以寄懷草堂詩注云贈孟浩然故有與君拂衣去萬里同翱翔之句則此時孟亦同爲寓公也

文廟二古栢歲月失記大都唐宋以來物也

泰虛觀古鐘唐大曆六年鑄建康志云昔鐘樓嘗欹側爲吳順義中一夕大風其樓自正云

以上溧陽

杜城在杜城山下卽杜伏威屯軍處

溧水古城在縣西南一里

舊縣治在秦淮河北

舊社壇在縣西南二里以上溧水

古固城春秋時吳築在縣南十五里高一丈五尺周七里餘今廢伍員奔吳闔閭用爲將舉兵破楚固城其城遂廢見勝公廟記及考宋紹興中溧水縣尉喻居中在固城湖湄得東漢溧陽長潘乾校官碑以爲其地即漢之溧陽也今按前漢地理志并溧陽縣志則固城在秦漢時爲溧陽地至唐初析溧陽溧水爲二縣而溧陽徙于永陽江北固城之地遂屬溧水今又析屬高淳云

開化城南五十里今廢寰宇記云開化城在固城東即溧水舊地

竹城東南六十里今廢周美成詩竹城何檀欒層層分雉堞王封盡四塹同有固窮節

似以竹名

皇姥城在大山南今廢以上高淳

東葛城在西三十五里梁臨淮郡治東葛城即此

西葛城在西北四十里

黃龍城在西南六十里和陽舊志云在烏江山如伏龍

因城此以斷其脉

飲馬池在西華山北相傳項羽飲馬處以上江浦

吳王城在姜家渡西吳王權嘗屯此宋宣和中闢四門

今址存

瓜步城在瓜步山側齊建元初太守劉懷慰築梁失江

北高齊武平四年幷胡墅降陳後稱瓜步浲

胡墅城臨楊子江梁襲齊運輸陳與隋請平俱此

瓦梁城在瓦梁堰上陳太建中伐齊取之元有壘

晉王城在宣化鎮隋晉王廣伐陳築對石頭城宋紹興

中城宣化不果

盤城近盤城山下臨圩田宋有步軍司莊及兵寨

吐將臺在西高岡上即今城隍廟基

將臺在東北三里兩臺相連舊傳古將王陶王鉞築

魏行宮在瓜步山上太平眞君十一年建

隋行宮大業元年帝幸江都置六宮于上沛在方橫二一

山間

大軍忠勇軍土軍諸寨俱宋建在北城竹鎮陳李港

如歸館在東門街北唐建學于其故址

士林館在竹鎮唐郟𣶏有懷古詩陳覇先敗郭元建處

六峯驛在北門內上沛武德初梁湯村盤城宣化六驛

俱在郭外宋廢

郭墅在東五里近沈湖上有巨礎宋嘉熙中土人立寨

於此

讀書堂在横山前世傳梁昭明讀書其中唐僧神堅以

堂爲太子院

六峯亭在縣南臨滁和遠對定山六峯宋廢

遠略亭在西高岡上宋郭振展四隅城孝宗嘉其功有遠略扞城語乃名亭

龍王廟井天長志曰龍王廟井在治山上父老相傳雲氣出則立雨常候之以占歲及祈旱必造此

吳王鑄錢冶在治山漢吳王濞鑄錢之所

慧琳佛像慧林南宋沙門注治山祇洹寺慧琳有所供佛像一日忽生鬚三十六莖

紙務維揚志曰南唐於揚州置紙務嘗求紙工於蜀中唐主好蜀紙既得蜀工使行境内惟六合之水與蜀同遂于揚州置務守臣歲貢時六合正屬揚州也今浮橋之南大道西偏一帶尚呼爲紙房

張果井在爪步山　以上六合

舊志未載者今考核補入

晉親蠶宮舊志在上元縣鍾山鄉閣婆寺前紗市中南史宋大明立三年立皇后蠶宮於西郊四年三月庚申皇后親蠶西郊

齊世子宮舊志在石頭城南史齊武帝爲世子日以石頭城爲宮

梁金華宮舊志在青溪東去臺三里輿地志梁大同中所築昭明太子蔡妃所居

陳安德宮案宮苑記在宣陽門外直西郎都城西南角外陳宣帝爲文皇后所築隋平陳移江寧縣於此明年罷之有古池存人呼爲安德宮池

未央宮長樂宮建章宮長楊宮南史宋前廢帝景和元年以東府城爲未央宮以石頭城爲長樂宮以北邸爲建章宮南第爲長楊宮東府城在古青溪橋東

吳赤烏殿舊志在縣東北五里吳昭明宮内吳時赤烏見遂起殿

名赤烏

吳神龍殿舊志太初宮有神龍去縣三里吳都賦云抗神龍之華殿註云神龍乃太初宮中殿名

宋嘉禾殿宋孝武大明五年清暑殿西甍鴟尾中生嘉禾一株五莖改清暑爲嘉禾殿

梁光嚴殿在縣東北六里景陽山東嶺南梁於臺城中立層城觀歷伐修理更起重閣上名重雲殿下名光嚴殿

惠輪殿供養佛寺宋于臺城立正福清曜等殿又臺城溫德門內有永正溫文文思壽安等殿又陳永定中於臺城起昭德嘉德壽安乾明有覺等殿又臺城溫德門內起三善長春勝辯等殿又有嘉禾承香栢梁延昌神僊永壽七賢璿明延務龍光至敬璇璣光昭大政栢香諸殿皆建康宮闕簿所載

朝日夕月二樓在華林園內梁武帝所起階道遶樓九轉○宮苑記云景陽山大

東嶺起通天觀觀前又起重閣當階起二樓左曰朝日右曰夕月巧麗無比

觀稼樓在城東二十五里梁武帝造

落星樓在上元縣東北臨沂縣前吳大帝時山置三層樓樓高故爲此名○吳都賦云饗戎旅乎落星之樓是也石步相去一里半有落星墩里俗相傳即當時建樓處

鍾山樓舊志在府治東北鎮青堂吳大資淵重建樓北正對鍾山故名

伏龜樓舊志在府城上東南隅景定元年馬光祖增創硬樓八十八間楊萬里詩周遭故國是山圍對景方知此句奇偶上伏龜樓上望一環碧玉缺城西

層樓在府城右南廂中界花行街樓跨街東西樂府有

獨自上層樓之句即此是也

南樓在府城右南廂中界寛征坊與舊佳麗樓相對

安遠樓在府城右北廂太平橋西南

有年樓在権貨務巷口總領吳潛建並書扁

嘉瑞樓在鎮淮橋北本名鎮淮樓寶祐六年燬重建改

名嘉瑞樓

青溪閣在府治東北青溪上本梁江總故宅至宋爲段

約之宅有亭曰割青取荆公詩割我鍾山一半青之

句乾道五年秋因移放生池於青溪之曲即割青故

基建閣焉

涵虛閣南唐後湖東宮園内見徐鉉集

金山亭舊志在府志宋在行宫内蘇魏公頌集中有金陵府舍重建金山亭詩又王荆公懷府園詩亦云常憶小金山下路緑荷深處見游鯈此亦府園有金山之證

佳麗亭與風亭相近馬公亮建

此君亭在華藏寺王荆公常題華藏寺此君亭詩誰憐直節生來瘦自許高才老更剛

五馬亭地屬金陵鄉去城西二十五里幕府山之側晉元帝與彭城王元西陽王羕南頓王宗汝南王宏南渡之所當時讖云五馬浮渡江一馬化龍謂此亭

客亭在龍灣五里臨大江迎送之所也

二李亭在溧水縣尉解舍後李常師字公擇同兄野夫侍其父東作尉于此嘗讀書是亭

朝陽亭在通判東廳張維建張維書留守舍人聞維築亭爲題其牓曰朝陽既去而亭成復爲賦詩

望湖亭在雞籠山上或云南唐立宋遺址尚存

不受暑亭在清凉寺後景定二年馬光祖重建清凉廣惠禪寺南唐爲避暑宮有亭名不受暑

四城門接官亭舊有亭卑陋弗稱咸淳改元之春馬光祖撤而大之名其東曰迎暉西曰致爽南曰來薰北曰拱極丹雘爛然過者矚目各有文以記始末

南軒張宣公讀書處祝穆編方輿勝覽謂張魏公開督府時其子讀書于保寧寺方丈小室號南軒

川泳軒舊在江東撫幹廨舍丞相益國周文忠公有記

籜龍軒在城内西北鐵塔寺王荆公嘗讀書處

偃秀軒在蔣山道中松間

蔡伯喈讀書臺在溧陽縣太虛觀東北抱朴子云伯喈到江東得論衡中國諸儒覺其論更進嫌得異書求其帳中果得之則伯喈讀書於此理或有是

董永讀書臺在溧陽縣西四十里林木茂翳永嘗自鬻以養其親事見孝子傳

烽火臺在城西石頭城覽古詩註石頭城山最高處吳時舉烽火於此自建康至西陵五千七百里有警急半日而達

通天臺宋書孝武大明七年鍾山通天臺新成飛劍散落山澗建康宮闕簿云通天臺在縣北一百步舊臺城內

臨滄觀輿地志丹陽郡秣陵新亭隴上有望遠樓又名勞勞亭宋改爲臨滄觀行人送別之所

層城觀亦名穿針樓舊在華林園景雲樓東宋元嘉中造後廢　輿地志云齊武帝七月七日使宮人集層城觀穿針乞巧因號穿針樓

古建興苑梁天監四年立建興苑於秣陵里侯景之亂裴之高迎致鄱仲禮韋粲等俱會青塘立營據建興苑其地在府治西南秦淮南岸

古東園在城東東治亭側面東有堂曰鍾山以其盡得鍾山之勝名之近東有兩亭相對南曰見𣪍取其見謝安舊𣪍之意北曰草移取北山移文之意乾道五年與東治亭並創

清心堂在府治設廳後即經武堂舊基紹興十二年葉夢得建

玉麟堂在府治紹興十五年晁謙之建錢塘吳說書扁

錦繡堂在府治忠勤樓下淳祐十年吳淵建御書堂名

淵自爲記

忠實不欺之堂即府治中堂寶祐五年馬光祖建御書堂名陸景思爲記

靜得堂在府宅後寶祐五年馬光祖建自書扁

鎮清堂在府治東北隅鍾山樓下淳祐十年吳淵建弟潛書扁

君子堂在籌勝堂東南臨水景定元年馬光祖建

思政堂在通判西廳乾道六年潘恕建好谿章謙爲記

籌思堂在轉運司圃内本籌思亭之舊王荆公范忠宣公有詩

使華堂在總領所圃内紹定三年戴公楠建自爲記

仁本堂馬光祖建自題其柱云斯堂經始于寶祐甲寅仲秋朔旦落成于良月既望扁曰仁本取君子治財以仁爲本之義在總領所東廳

有美堂舊在府治宋堂基在行宫内梅堯臣宛陵集載金陵有美堂詩

鄭介公讀書堂在清凉寺鄭俠讀書至夜艾呼楊驥共飲酒酣登寺之瑞像閣題詩

韓熙載讀書堂在溧水無想寺中熙載集有贈寺僧詩

蚕堂舊在縣北七里耆闍寺前沙市中六朝皇后親蠶之所

尚友堂在青溪先賢祠後馬光祖建

飛泳堂在江東運管廳紹定四年建陸德輿書扁嘉定

九年重建楊蓬爲記

來燕堂在烏衣園王公埜書扁

存心堂在上元縣廨西景定三年知縣事臨邛楊應𤦺刱建取程純公語爲扁帥坦姚希得爲記漕使陸景思書丹翔齋劉震孫斛峯李伯玉皆爲銘之

德星館在西門外七里倪總領垕建

通江館在賞心亭東即月亭舊基後爲回易庫馬光祖改立通江館以待四方之賓客

橫江館亦馬光祖建以待四方之賓客在水西門內名取山谷詩出門一唉大江橫之意

高齋舊在江寧府治宋在行宮內康定中葉清臣建胡

宿作記

昭文齋在鍾山定林庵王安石嘗讀書于此米芾榜曰昭文李伯時畫安石像于壁

紬書齋在府治東北鍾山樓下紹興初葉夢得嘗于府治建書閣榜曰紬書後燬于火閣不復建景定二年馬光祖命周應合纂修建康圖志乃置書局于鍾山樓下聚書萬卷以備討證故取葉公書閣之舊名以名此齋

吳別館在句容縣述異記云吳王夫差立春宵宮爲長夜之飲造千石酒鍾又作天池池中造青龍舟日與西施爲水嬉又有別館在句容楸梧成林古樂府云梧宮秋吳王愁是也

吳客館在城南十三里丹陽記曰吳時客館在蔡洲上以舍遠使晉陶侃嘗屯兵于此

宋儒學館在覆舟山北鍾山鄉去城五里南史宋文帝元嘉十五年立儒學館于北郊命雷次宗居之

宋招隱館草堂隆報寺是其舊址宋雷次宗傳召詣京邑爲築室于鍾山西巖謂之招隱館

陳別館亦名婚第陳書云六門之外有別館以爲諸王冠婚之所名爲婚第

論曰人以蹟傳乎蹟以人傳乎則必謂蹟以人傳也雖然景行鑒戒于是乎寓白馬金城足動設險之思觀象北郊每深法物之感尚矣范蠡圖霸于越臺道成頓卒于新亭興亡係之馬公置紬書以名齋段約割青溪以立閣軼事存焉望古遥集寧有既哉至若臨春結綺華林玉樹堪嗟百尺通天宫苑重雲可嘆不幾幾乎與林甫之偃月元載之芸輝同一鄙穢也

歟嗚呼傳其蹟正所以傳其人亦顧其人之賢否何如耳苟使後人寓目流連生其景行斯善矣若徒令滋夫鑒戒又不如金隕玉銷與寒雲衰草相爲淪湮已也

宅第 附

越范蠡宅乾道志云在長干里丹陽記蠡城金陵居長干古越城中古注云蠡與師隨使者至姑蘇之宮不傷越民遂滅吳勾踐既平還金陵居長干築城今越城故址猶存在長干橋西南

宋明帝舊宅在青溪中橋北即位後改爲湘宮寺

齊武帝舊宅宋舊志今城東一里青溪上齊書帝諱頤太祖長子生於建康青溪宅永明三年幸青溪宅

吳張昭宅在秦淮南今聚寶門外

張悌宅在城南板橋

陸機宅在越城西北近秦淮舊志臨淮有二陸讀書堂帶淮屏鍾山後機入洛不忘作懷舊居賦云望東城之紆餘邈吾廬之延佇至齊作南苑堂在苑中久廢

是儀宅在臺城吳志儀性儉門甚陋帝幸其宅麥飯蔬食無所增加孫權見大屋人謂儀宅權曰必非

駱監軍宅在上元縣東二十五里崇禮鄉土山之下吳志駱統字公緒封新陽亭侯嘗爲濡須督此宅疑所居也

諸葛恪宅在元鳳觀前

陶璜宅在石頭塢其地名陶家渚

王導宅在烏衣巷南臨驃騎航今當在武定橋東晉記江左初立瑯琊諸王居烏衣巷導嘗使郭璞筮之卦成璞云吉無不利淮水竭王氏滅劉禹錫詩朱雀橋邊野草花烏衣巷口夕陽斜舊時王謝堂前燕飛入尋常百姓家

謝安宅在烏衣巷驃騎航側桓靈寶之亂欲以安宅爲營謝鯤曰名伯之仁猶惠及甘棠文靖之德更不保五畝宅耶靈寶慙而止蔡宗旦金陵賦前亍立乎淮渚思驃騎之古航慕文靖其既遠宅五畝其已荒念甘棠猶勿剪歌詩人之甘棠李白詩青山日將暝寂寞謝公宅竹裡無人聲池中有虛白荒庭衰草遍廢井蒼苔積惟有清風閒時時起泉石

謝尚宅在竹溪渡今下水門内永和四年尚捨宅造莊嚴寺宋改名謝鎮西寺

謝萬宅在長樂橋東

紀瞻宅在烏衣巷瞻爲鎮東長史乞歸進驃騎將軍宅側浮航遂爲驃騎航

謝元宅在土山其地名康樂坊旁有謝元走馬路

郗鑒宅在青溪上

杜姥宅在治城側地理志在端門外直蘭臺路東晉成帝后杜氏母裴乃杜弘治之妻

吳隱之宅在古都城南五里今雙橋門内所居内外茅堂六間籬垣仄陋妻子不免寒露女嫁謝安發廚助之使人至日高蕭然乃令婢牽一犬入市賣之其清操如此

劉勔宅在蔣廟東北名東山園

汝南世子宅近瓦官寺

宋何尚之宅舊志在南澗寺側 尚之廬江灊人爲丹陽尹立私宅於南澗置社學聚生徒東海徐秀廬江何曇並慕道來學

顧愷之宅在瓦官寺東北 愷於宅內建層樓爲畫所風雨寒暑不下筆必天氣明朗時乃登樓染毫郎去梯妻子罕見

沈慶之宅在古城東南十里今上方橋左右 南史傳云慶之居清明門外有宅四區室宇甚麗又有園在婁湖慶之一夕携子孫徙居之以宅還官柳元景造之鳴笳列卒滿道慶之挿杖而耘嘗賦詩云老朽筋力盡徒步還南岡

宋世祖宅在青溪 初年十三夢鳳凰飛青溪宅齋前翼下有紫雲氣元嘉三年太祖在青溪宅齋前池中忽揚波起浪湧如山作金石響須臾有青龍從池中出人皆見之泰始中世祖于宅內得錢

一枚文有北斗七星節又有人形帶劍後世祖起青溪宅曰舊宮

宋明帝宅在青溪中橋北後改爲湘宮寺

齊武帝宅在青溪東齊武帝生於青溪宅陳劉二后同夢龍據屋上因小字曰龍兒永明二年幸青溪故宅

謝幾卿宅在城東南十八里幾卿免官居白楊之石井朝中交好者載酒常滿座

建平王劉宏宅在鷄籠山宏年少篤好文籍太祖愛之立第盡山水之美

齊竟陵王子良宅在蔣山子良行宅詩茆宅北山阿卜居西野外幼嘗悦禽魚畢性美蓬薈

蕭垣之宅在秦淮上

劉瓛宅在青龍山陽南史瓛居檀橋瓦屋數間上皆穿漏學徒敬慕不敢指斥呼爲青溪

竟陵王子良表武帝爲立館以檀橋地給之

蕭子良宅在鍾山之西 竟陵王子良

周顒草堂在鍾山北顒隱居之所後出爲海鹽令捨宅爲草堂寺孔稚圭作北山移文以譏之 宋王安石詩周顒宅作阿蘭若婁約身歸窣堵坡今日隱矦身亦老偶尋陳迹到煙蘿

梁武帝宅在城東南七里光宅寺基是 宋大明八年帝生于秣陵縣同夏里三橋宅後即位置同夏縣

沈約宅在鍾山麓名東田 南史約遷尚書令名譽雖隆重而居處儉素立宅東田矚望郊阜嘗爲郊居賦以敘其事又嘗賦東園詩有槿籬疎復密荆扉新且故之句鷄跖集云約宅成劉杳贊之約報云惠以二贊詞采研富便覺此地倠勝十倍

謝朏宅 高祖踐祚屢徵不起敦廹詣闕乃角巾肩輿見于華林園明旦輿駕出幸其宅燕語盡懽朏陳本志請東迎母高祖復幸賦餞送朏母至勅材官更起府于舊宅

范雲宅在城東南七里臨秦淮 何遜經范僕射宅詩旅葵應蔓井荒藤已上扉寂寂空郊野無復車馬歸歔欷故池水蒼莎落日暉遺愛終何極行路獨沾衣

伏曼容宅在府治西南三里

伏挺宅在古潮溝西北 挺於宅中講論語時士大夫往聽者爲之傾倒生徒常數百人

朱异宅在府城東北 异及諸子自潮溝列宅至青溪臺池玩好歲時與賓客遊讌

到溉宅在縣東臨秦淮

謝靈運宅即康樂坊故居 靈運還故園詩浮舟千仞壑總轡萬尋顛流沫不足險石林豈爲閒夫子昭情素探懷授往編李白遊謝氏山亭詩淪老卧江海再歡天地清病閒久寂寞歲物徙

芬榮借君西池遊聊以散我情掃雪松下去捫蘿石道行謝公池上草春光颯已生花枝拂人來山鳥向我鳴田家有美酒落日與之傾醉罷弄歸月遙欣稚子迎

王僧綽宅在縣治南古大社西 周顗司馬秀蘇峻皆居此禍敗目爲凶地僧綽日大丈夫當以正道自居何宅之有凶吉

檀道濟宅在清溪

江總宅在清溪 金陵故事南朝鼎族多夾青溪江令宅尤占勝地至宋段約居之總歲暮還宅詩悒肰想泉石驅駕出城臺玩竹春前笋驚花雪後梅青山殊可對黃卷復時開長繩豈繫日濁酒傾一杯唐許渾詩身没南朝宅已荒邑人猶賞舊風光芹根生葉石池淺桐樹落花丹井香帶暖山蜂巢畫閣欲陰溪燕入書堂閒愁此地更南望湖滿臺城春草長宋徐照清溪閣本梁江總故宅詩葉脫林稍處處秋壯懷易感更登樓日斜鍾阜煙凝碧霜落秦淮水漫流人似仲宣思故國詩如杜老到夔州十年前作

金陵夢重撫闌干說舊遊

孫瑒宅即對江總宅

陳葦載宅在北山下江乘縣之北屏絕人事不入籬門者幾十載事見陳史

唐王昌齡宅近青溪常建詩青溪深不測隱處唯孤雲松際露微月清光猶爲君茅屋宿花影藥院滋苔文余亦謝時去西山鸞鶴羣

郗郎中故居在茅山權德輿作郗郎中茅山故居詩云下馬荒堦日欲曛潺湲石溜靜中聞鳥啼花落人聲絕寂寞山窗掩白雲

冷朝陽宅在白下門外韓翃送朝陽還宅詩落日澄江烏榜外秋風疎柳白門前橋通小市家林近山帶平湖野寺連

南唐李建勳宅在青溪上李建勳青溪草堂閒興詩窗外階連水松杉欲作林自憐

趨競地獨有愛閒心素壁堪題遍危冠醉不簪江僧慕相訪簾捲見秋岑

徐鉉宅在亭子橋園池甚盛鉉宅有來賢亭宋裴廸詩結亭意在來賢者誰慕清風爲駐留

陳己宅在秦淮北岸竹街

張洎宅在秦淮北岸洎爲南唐參政時賜第

韓熙載宅在城南戚家山

孫晟宅在鳳臺山西岡韓熙載見門巷卑陋謂曰湫隘若此豈稱爲相第耶明年果拜相

李琮宅在江寧鎮橋西琮嘗手植槐數株至元末猶存

宋王安石宅在半山王安石後捨爲寺賜額報寧後過故居詩沂泚開新屋扶輿繞故園

事遺心獨寄路翳目空存 案洑字
字書并無或爲滅字之悞滅流貌

楊德逢宅在蔣山近後湖自號湖陰先生 王直方詩話丹陽陳輔每
清明上冢至蔣山過德逢居清談終日歲歲爲常後頻
歲訪不遇題一絕於門云北山松粉未飄花白下風
輕麥腳斜身似舊時王謝燕一年一度到君家
王安石詩一水護田將綠遶兩山排闥送青來

蔡寛夫宅在青溪南宋貢院基是其地 南窗紀談云蔡寛夫侍郎治第
青溪南穴地爲池數尺見有瓦礫驚異又深尺餘有
釜鑊瓦錫器多破碎交錯仆壓於下灶下葦灰猶存
又窮其傍大抵皆人居也然後知其下前代爲平地
經六朝喪亂瓦礫積而至此高岸爲谷深谷爲陵信
哉

王鑑宅在東山

汪膠宅在江寧鎮南

趙士玗宅在江郭門外士玗字白石本宋宗室所居咫尺城闉士大夫慕其高絜車轍闐門無虚日

明陳遇宅高帝嘗三幸焉今莫知所在

成國公宅在上浮橋西南臨秦淮潭潭深邃京師諸勳賜第皆莫能及云

臨安宮主府在碧峯寺側公主太祖女駙馬李祺韓國公之子

西寧侯在成國公宅西

英國公宅在剪子巷南

文僖張益宅在南門内正統初賜第

倪文僖謙宅在鐵作坊巷不甚廣夾街皆鐵工列肆公輿從出入肆工皆爲起列公語之曰汝吾鄉人也毋爲我出入妨汝正業苐坐爲之後復起再語之始坐公稱長者類如此

倪宮保岳宅在崇禮街舊有宅在古鷺洲坊今宅有世翰堂以公父子相繼爲學士故云

金都憲澤宅在儀鳳門四望山宅後近山有翠雲亭公讀書處

李叅議昊宅在新橋臨秦淮

王襄敏以旂宅在馴象門內有樂壽堂構以終養者（公爲南都御史每還宅值春秋遊人勝時恒迂道避之）

論曰自孫郎創業于石城晉帝纘服于江乘宋齊而下代有締造載在史冊由今追昔豈獨搜名勝紀故實而已哉往迹未湮皆有關于民生治術焉葢城名

范蠡霸業可尋敦號謝公遺勳爲烈秦淮不竭乃著烏衣烽火彌天猶傳白馬當其治也雖徙武昌之材尾不礙甲宮及其亂也暫開東第之山澨終非樂土故茅茨可剪何須入漢之樓濠濮會心無事横江之館臨春結綺君臣相謔昔之所以亡也大本延賢遠邇來歸昔之所以興也至若誦北山而謝逋客過西州而慟哲人徘徊南磵還吊尚之指點東籬未忘何點跰邀遂之步如聆遺音訪麈扇之津有懷芳躅豈徒渡江弄楫桃葉擅其風流澄湖遡波莫愁誇其艷治已哉

江寧府志卷之二十五

陵墓

帝王代起禮樂雖不相襲而道必相承況其陵寢衣冠忍付之荒烟蔓草乎千百年來輿圖屢改而坏土無虞非必皆其功德之克永也實後聖之忠厚存焉

志陵墓

吳大帝陵在鍾山陽今孫陵岡上吳志赤烏元年追拜夫人步氏爲皇后合葬蔣陵有步夫人墩墩側即塚地梁何遜詩昔在零陵厭神器若無依逐兎爭先健犄鹿競因機呼噏開霸道叱咤掩江畿豹變分奇畧虎視肅戎威長蛇衂巴漢驥馬絶淮徐交戰無內禦重門豈外扉成功舉已棄功德復而違水龍忽東騖青蓋乃西歸朅來已永久年代暧霏微苔石疑文字荆墳失是非山鶯空曙響隴月自

秋輝銀海終無浪金鳧會不
飛閒寂今如此望望沾人衣

晉元帝建平明帝武平成帝興平哀帝安平四陵在鷄籠山皆不起墳　穆帝永平陵在幕府山西俗傳穆天子墳即其地　康帝崇平簡文帝高平孝武帝隆平安帝休平恭帝冲平五陵並在鍾山

宋武帝初寧陵在鍾山政和間有人於蔣廟側得一石題柱云初寧陵西北隅　文帝長寧陵與初寧近　明帝高寧陵在幕府山陽

陳高祖萬安陵在城東三十五里舊名陵里又曰天子林石獸尚存今呼石馬衝　文帝永慶陵在陵山南鴈門山北

明太祖孝陵在鍾山之陽與馬皇后合葬懿文太子附葬於左寶城明樓御橋孝陵殿廊臺墀道戟門文武方門大殿門左右方門御河橋欞星門華表多同大內制有成祖御製碑沿山周圍繚垣四十五里王門西紅門後紅門東西黑門神宫監孝陵衛環之嘉靖十年更名鍾山爲神烈山

國朝定鼎順治三年十一月初七日接戶部固山額眞公英清字筆帖式多羅得愛習喇喇額勒吉親王分付洪武墳塋着兩箇太監四十箇漢子與他地一百畝教他燒香供養此外剩的地剩的漢子俱入官

又鳳陽泗州的墳塋俱不用着了郎中哈方高射斗
原日交與他　豫王回京今查前地并漢子若與
豫王分付的一樣就罷若有差錯就照今擋子行
順治五年正月内分守江寧道布政使司右叅議張
天機憲牌奉總督部堂馬㕑憲行前事委太監二員施
文政許進赴陵到任焚修布政使司撥給原陵司香
田地五百畝徵收米麥以供焚修江安督糧道撥給
漢子四十名專供陵役
順治八年七月内布政使司備祭品　弘文院侍讀
學士白應謙主祭祭文維順治八年歲次辛卯四月

丁未朔越七日癸丑

皇帝謹遣內翰林弘文院侍讀學士白應謙致祭於

明太祖曰自古帝王受天明命繼道統而新治統聖

賢代起先後一揆功德載籍炳如日星朕誕膺

天眷繼纘丕基景慕前徽圖近芳躅明禋大典亟宜肇

隆敬遣專官代將牲帛爰修禋薦之誠用展儀型之

志伏惟格歆尚其　鑒享

順治十八年二月二十日布政使司奉撫按憲行准禮

部咨開順治十七年九月二十五日恭接

上諭諭禮部歷代帝王陵寢原有祀典禮宜虔肅舉行

以照追崇之意聞明朝陵向所給守護内員人戶地畝數少以致各陵祭品備辦不敷止於大紅門總祭殊于朕懷未愜嗣後除萬曆陵不行致祭外每年應春秋二次太常寺差官致祭金朝陵亦每年春秋二次太常寺差官致祭其元朝陵未知定所應行望祭遠者着該地方官春秋二次致祭爾部俱詳察議奏特諭欽此欽遵恭接到部查會典明太祖在江南江寧府等因每年春秋二次上元縣詣陵致祭

順治十八年歲次辛丑　月庚戌朔越二十六日乙亥

皇帝遣江南江寧府知府徐恭上元縣知縣張希聲敢
昭告於
明太祖高皇帝之神位前曰大哉　高帝淮甸發祥
統一寰宇富有四方天縱堅明如日中天德並堯舜
功配武湯化行海内澤沛遐荒統天啓運建都江南
歸葬孝陵神聚鍾山
大清定鼎
聖主當陽聿修祀典遣祭　前王崇德報功永奉蒸嘗
仰祈　昭格鑒此禋將謹告
康熙七年四月内布政司備祭品　鴻臚寺正卿加

一級周　主祭祭文云維康熙七年歲次戊申四月

丁巳朔越一十一日巳丑

皇帝謹遣鴻臚寺正卿加一級周之柱致祭于

明太祖曰自古立代帝王繼天立極功德並隆治統

道統昭垂奕世朕受

天眷命紹纘丕基庶政方親前嶽是景明禋大典亟宜

肇修敬遣耑官代將牲帛爰昭殷薦之忱聿備欽崇

之禮伏惟　格歆尚其鑒享康熙十五年二月内布

政司備祭品　通政使司右通政加二級李　主祭

祭文云維康熙十五年歲次丙辰二月癸丑朔越七

日巳未

皇帝謹遣通政使司右通政加二級李廷松致祭于

明太祖曰自古歷代帝王繼

天立極功德並隆治統道統昭垂宇宙朕受

天眷命撫御鴻圖懋建元儲前嶶是景明禋大典亟宜

舉行敬遣耑官代將牲帛爰昭殷薦之忱聿備欽崇

之禮伏惟　格歆尚其鑒享　康熙二十一年三月

內布政司備祭品　大理寺寺丞仍支正四品俸徐

主祭祭文云維康熙二十一年歲次壬戌三月甲

辰朔越二十六日甲戌

皇帝謹遣大理寺寺丞仍支正四品俸徐諧武致祭于

明太祖皇帝曰自古帝王受

天顯命繼道統而新治統聖賢代起先後一揆成功成

德炳如日星朕誕膺

眷祐臨制萬方掃滅兇殘廓清區宇告功　古后殷禮

肇稱敬遣耑官代將牲帛爰修禋祀之誠用展景行

之志仰企　明靈尚其鑒享

明太祖陵祭品

降香一炷　神帛一端　牛一隻　鹿一隻

猪一口　羊一羫　太羹　和羹　鹿醢　兎醢

魚醢　醋醢　鹿脯　脾折　芹菹　笋菹　菁菹

韮菹　鯉鹽　膏魚　白餅　黑餅　棗　栗

榛　芡　菱　黍　稷　稻　粱　酒　燭

順治九年奉

總督部院馬批委太監張以誠頂補施文正員缺

康熙四年奉

總督部院郎批委太監阮祥頂補許進員缺在殿供

奉香火併督漢子四十名巡緝陵内地方諸務

康熙十三年奉

總督部院阿批委太監劉進忠頂補阮祥員缺

康熙十九年奉

江蘇布政使司丁批委太監張問禮頂補張以成員

缺在奉祀

李東陽孝陵詩龍虎諸山會車書萬國同星躔環斗

極王氣繞江東日月無私照乾坤仰聖功十年瞻望

地雲樹鬱葱葱徐渭詩二百年來一老生白頭落魄

到西京瘦驢狹路愁官長破帽青衫拜孝陵亭長一

坏終馬上橋山萬歲始龍迎當時事業難身遇憑仗
中官說與聽張如蘭詩山色連雲暗松風半夜寒虛
墀人語細巍巍殿斗文蟠香篆浮仙掌燈
光影翠巒千官瞻拜後花露濕峩冠

齊明宣陵明帝尊生母沈氏爲太后葬幕府山俗呼國婆墳

齊明欽皇后陵在淳化鎮北南史明欽劉皇后葬江乘縣張山

齊文惠太子陵葬夾石

齊海陵王墓沈括筆談云慶曆中在金陵有農人以方石鎮內視之若有鐫刻取石洗濯乃海陵王墓謝朓撰并書字畫如鍾繇

齊巴東公墓在棲霞寺側有丞相巴東獻武公碑

梁昭明太子安寧陵在東北四十五里賈山前

梁安成王墓在清風鄉南史夏侯亶王僧孺劉孝標各撰碑可辨者一乃劉孝標也

梁始興王墓南史梁始興王蕭憺墓在清風鄉黄城村有神道碑

梁臨川王墓在北城鄉碑題梁故假黄鉞侍中大將軍楊州牧臨川靖王碑王名蕭宏

梁南康簡王墓在神泉鄉二石獸高三丈地名石獅子石柱一題開府儀同三司南康簡王碑王名蕭績

梁吳平忠侯墓在清風鄉花林村柱題梁故侍中中撫軍將軍開府儀同三司吳平忠侯蕭公碑名景

梁建安侯墓在淳化鎮西柱題梁故侍中左衛將軍建安敏侯墓名正

宋元懿太子殰宮在鐵塔寺法堂

西漢甄邯墓在後湖側南史宋張永嘗開元武湖遇古冢得銅斗一有柄文帝詢之著作郎何承天曰此亡新威斗王莽時三公亡皆賜之一在冢外一在冢内斗爲天之喉舌皆取象焉時三台居江右者惟甄邯爲大司徒必邯之墓又啓冢内更得一斗復有一石銘云大司徒甄邯墓

吳甘寧墓在直瀆山下舊傳墓有王氣孫皓惡之鑿其處爲直瀆

晉山簡墓在樂遊苑内覆舟山之陰

温嶠墓初葬豫章朝廷追思之乃爲造大墓還葬幕府山陽

郭璞墓在元武湖中湖中有天語亭韓國藩詠郭璞墓結句云墓因葬法知龍角天語而今在上頭世傳郭墓在金山下未知孰是

卞壼墓在今朝天宫西晉蘇峻之亂右將軍壼戰死二子眕盱同死難並葬冶城義熙

間盜發塚壺面如生兩手悉拳爪甲穿背詔修治洪武中明太祖微行至朝天宮西見一婦人素服行哭已而大笑太祖問曰夫人何笑哭之頻對曰吾夫子皆死是以哭然吾夫爲忠臣子爲孝子是以笑大祖問墓所在指之曰去此數十步明日使人視之乃卞壺墓也乃爲立廟曾拯詩握手顏公拳透爪歸元先

軫面如生晉陵伐掘今

無主獨有忠魂占冶城

王導墓在幕府山西與宋明帝陵相近

顏含墓在靖安里曾孫延之銘十四代孫眞卿重書立石

謝濤墓在上元縣土山

陸玩墓在鷄籠山玩爲太尉卒給兵千人守塚者七十家子尚書令納亦葬此山

冥漠君墓彭城王義康修東府城得古塚改葬東岡命謝惠連爲文祭之不知其名假爲此號

謝惠連墓在宣義鄉與本業寺相近

謝靈運墓在上元縣本業寺張晉孫詩幾年夢草句難成一日春風草自生來謁荒墳空展轉小塘幸有謝公名

柳世隆墓在倪塘世隆曉術數于倪塘創墓與賓客踐履每往常坐一處及卒墓正其坐處

劉瓛墓在青龍山虞炎詩下帷聞昔儒窺園信且逸聚學叢烟郊棲遯事環華戢景謝歸年稅駕空悠日庭露巳沾衣松門向蕭瑟惆悵神念周依依惠言宓謝朓詩嘉樹因枝條琢玉良可寶若爲陵曲臺垂帷茂淵道善誘宗學原鳴鍾霽幽抱仁人徂宛洛清巖夜何早歲晚松陰結平原亂秋草不有至言楊終滯西山老竟陵王蕭子良詩漢陵淹館蕪晉殄洙風鈇五都聲論空三河文義絕典禮邁前英談元踰往哲明情日夜深徽音歲時滅垣井總已平烟雲從容裔爾欲半山悲我悼驚川逝蕭子隆詩升堂子不謬問道予未窮如何舜白日千載隔音通山門一已絕長夜緬難終初松切暮鳥新楊摧曉風榛

關向蕪㴱泉途轉銷空柳惲詩西河寂高業北海望清塵曾巖誰與寄尚德在伊人遺文重昭晰絕緒復紛淪露華向朝日蘭生無久春芳猷動淵思撫軾履高辰山風起寒木野雀亂秋榛壟草時易宿素軌邈難遵沈約詩表閭欽逸軌式墓禮貞魂化途終渺默神理曖猶存塵駕未輟幌高衡已委門日蕪子雲舍徒望董生園華陰無遺市楚廉有靈樽幽泉倘能慰長夜且勿論

裴邃墓 子之禮梁黃門侍郎邃有廟在光宅寺西松柏鬱茂范雲廟在三橋蓬蒿不剪武帝南郊道經二廟顧而歎曰范爲已死裴爲更生大同初都下旱蝗四籬門外桐柏凋盡唯邃墓蒨葱自若當時異之

司馬子產墓 司馬暠梁正員郎丁父子產艱哀毀甚廬墓側日進薄麥粥一升墓在上元縣新林連接山阜舊多猛獸暠結廬數載豺狼絕跡常有兩鳩栖宿廬所馴狎異常承聖中除太子庶子

王僧辯墓在方山僧辯爲陳霸先所害父子七人同瘞一穴宣帝天嘉中故吏衛卿許亨抗表請以家財造

墓葬之

唐顔尚書墓在縣東蘇鄉後顔郵舊謂魯公非也考之魯公上世多葬金陵延之子峻等皆歷尚書

張懿公墓在金陵鄉石頭城東北有墓碑南唐張居詠也

宋王安石墓在半山寺范成大詩百歲誰人巧拙一丘底處虧成半世青苗法意當年雪竹詩情

李邈墓在青龍山邈臨江人知眞定府金兵破城不屈而死贈昭化軍節度使

楊宗閔墓在鐘山鄉宗閔代州崞縣人建炎初金兵犯永康衆勸遯去閔曰吾結髮受國恩今老矣惟有死耳城陷血戰而死贈太師魏國公謚忠介子存中收葬鍾山

節度王瑋墓在鍾山鄉

葉祖洽墓在上元縣鴈門山

張孝祥墓在上元縣清果寺

明中山王墓在鍾山之陰王姓徐名達鳳陽人年二十二從明高帝起兵滁陽授鎮撫時諸將崛起無適主王首先翼戴衆心乃服丙申從定建康下京口毘陵寧國宜興諸郡丁未克蘇州縛張士誠以歸洪武元年加中書右丞相信國公兼太子太傅克樂安遡河入汴洛崤函郡縣望風降附遂入元都二年征臨洮李思齊不戰降西征平凉獲張良臣斬之陝西悉平拓境極於西北始還進魏國公食禄五千石十七年鎮燕名還明年二月卒年五十四贈中山王謚武寧賜葬高帝親爲神道碑文

開平王墓在鍾山之陰王姓常名遇春懷遠人初歸明高帝從攻采石舟距三丈許莫敢先登帝麾王前即挺戈大呼一躍而登敵披靡潰去遂拔采石取太平丙申敗蠻子海牙江中攻建康先登從徐達克鎮江再攻常州戰牛塘擒僞吳健將張德援南昌遇彭蠡湖射中敵梟將張定邊友諒喪

魄退保鞋山旬五日友諒食乏求戰帝及遇春舟皆豚沙力戰得脫竟殲友諒又敗張士信于舊館明年擒士誠封鄂國公副大將軍北伐破元都定中原皆先登所過輒下師還次柳河川卒年四十上震悼親爲文以祭賜葬詔宋濂撰神道碑

岐陽王墓在鍾山之陰王姓李名文忠盱眙人明高帝甥初賜姓朱統兵援池州攻下太平取嚴州授帳前總制親兵都指揮使守嚴州出奇破苗獠仍置鹹筏上順流下以礱賊苗將蔣英劉鎮降遂拔紹興諸暨馳擊李明道謝再興等皆破擒之遂築新城五指巖下李伯昇寇新城兵勢甚銳文忠馳衆犯其鋒敵披靡奮擊大破之丙午總水軍下江浙復姓李洪武元年平閩賊詔爲大將西援慶陽三年復總兵北伐出野狐嶺遂克應昌班師封曹國公十六年兼領國子監事明年卒年四十六追封岐陽王謚武靖詔董倫撰碑文

東甌王墓在鍾山之陰王姓湯名和鳳陽人高帝居滁陽王麾下時諸將驕蹇不用命

獨和恭謹受約束帝委任焉授管軍總管陳也先冠太平矢中左臂益奮擊卒擒也先方谷珍據溫台諭降之乘勝下福州獲陳有定平大同宣府封中山侯四年破蜀十年加封信國公討平五閩山獠賜第鳳陽尋諭築海上城起登萊抵江浙凡五十九處二十一年歸鳳陽明年卒年七十贈東甌王謚襄武賜葬

蘄國公墓在幕府山公姓康名茂才蘄人元末結義兵爲都元帥明太祖渡江茂才以麾下降拜水軍翼元帥陳友諒將犯建康高祖密諭茂才曰汝素善友諒可誘之速至茂才家有老閽者嘗事諒乃爲書諭納欵意友諒得書喜問康公何在曰守江東橋問何橋對曰木遣閽者歸余某日至江東橋呼老康必余應也茂才以書上太祖命易橋以石友諒至見橋驚知茂才紿已復連呼老康亡應者兵遂潰又從征下齊魯關隴鎭河中節制太原諸城再征漢中卒追封蘄國公謚武毅賜葬

東丘郡侯墓在縣南五十里水橋侯姓花名雲懷遠人明初守太平陳友諒入寇城陷不屈死妻郜氏赴水死侍兒孫氏瘞郜氏抱子煒匿水中七日不死遇老父與之偕行達金陵

明太祖賓兒于滕曰此將種也授水軍左衛指揮僉事洪武七年偕孫氏至太平奉母郜夫人骸歸乃束草像父加以衣冠合葬於此宋太史濂爲墓碑

江國公墓在鍾山之陰 公姓吳名良定遠人與弟禎俱以勇畧稱取滁和常爲先驅及渡江取太平定建康克鎮江常州功居多張士誠據姑蘇跨有淮東浙西江陰當其衝士誠又多變詐以金帛啗將士良繕城池嚴步伍敵不敢犯洪武三年封江陰侯卒贈江國公謚襄烈賜葬

海國公墓在鍾山之陰 公姓吳名禎良之弟郭子興駐和陽孫德崖來就食與子興有違言兵鬬城中太祖急呼禎整兵以入得不亂克采石破方山寨爲總管洪武三年封靖海侯大軍所在禎由登州轉餉兵食充足海上有警領兵至琉球大洋俘倭賊以歸卒贈海國公謚襄毅賜葬

滕國公墓在鍾山之陰 公姓顧名時濠人從渡江屢立戰功授同知天策衛事從大將軍北定燕薊洪武三年封濟寧侯擒蜀明昇後鎮北平十二年卒贈滕國公謚襄靖賜葬

安陸侯墓在鍾山之陰侯姓吳名復合肥人甲午從克滁州授千戶累立功陞僉大都督府事封安陸侯十六年卒謚威毅賜葬

許國公墓在鍾山之陰公姓王名志濠人從克和州定金陵團常州先登陞右副元帥從征高郵下黃梅蹙友諒於彭蠡征武昌廬州安豐有功授親軍指揮使守六安北伐中原從馮將軍取懷慶澤潞留守平陽移漢中洪武三年封六安侯卒贈許國公謚襄簡賜葬

靜誠先生陳遇墓在鍾山之陰賜葬有傳

太常寺卿呂本墓在鍾山之陰本壽州人來歸丙午爲中書椽史歷吏部尚書除太常卿十四年卒賜葬

知府高復墓在縣境復字再興山東臨邑人洪武初知常州府事爲政有惠愛旱禱於城隍夜夢神告曰雨至矣天明果大洽歲登民頌其德改吉安同如復知常州以老疾辭賜半祿贍之卒勅

葬

都御史丁璿墓在崇禮鄉有傳

尚書王敞墓在土山賜葬有傳

右都御史金澤墓在惠化鄉鍾山岡有傳

太子太保梁材墓在白山賜葬有傳

刑部尚書顧璘墓在彭城山賜葬有傳顧璘卜得彭城樂丘漫賦買山初費賣文錢預卜新丘古澗前舊日高人招隱地此生逆旅待終年烟霞寄傲深成癖去住忘情澹入禪白髮光陰知幾許紫泉丹竈足夤緣

少司馬李喬墓在太平門外黃練岡恭人舒氏葬其右

太子少傅莊節公張可大墓在麒麟門外侯家塘賜葬有傳

坦然先生周文煒墓在麒麟門鎖石邨

太僕卿方大美墓併元配王淑人合葬於上元縣秣陵關之郃邨公于方拱乾戊辰進士館選第一廬墓三年草衣木食翰墨爲一時推重

南京國子監監丞黃居中墓在揷花廟官山有傳

以上上元

宋孝武帝景寧陵在巖山見六朝事跡

宋少帝陵在南郊壇

前後廢帝陵皆在郊壇西太宗踐祚遷前廢帝何皇后合葬龍山北龍山即巖山也

梁孝元帝陵在縣未詳所在陳天嘉元年詔梁孝元遭罹多難靈櫬播越朕昔經

北面有異常倫遣使迎接已次近路江寧既是舊塋宜即安卜車旗禮章悉用梁典依魏葬漢獻帝故事

宋孝武路太后陵在孝武陵東南

殷淑妃墓在龍山

齊豫章王嶷墓在金牛山南

竟陵王子良墓在金牛山

梁文宣阮太后陵在通望山

陳張麗華墓在賞心亭天井中曾景建詩伴侶聲沉王氣銷香魂血浣有誰招蓬科三尺光塵在猶作臺城花柳妖蔣主忠詩城外甲兵已合庭中玉樹猶歌三尺孤墳何處斷雲殘雨蓬科

南唐昭惠后懿陵未詳所在後主詩又見桐花發舊枝一樓烟雨暮淒淒凭欄烟

障人難會不覺潛然淚眼低

明張賢妃墓在牛首東高帝妃謚恭靖順妃荆憲王之母

李順妃墓在吉山東北亦高帝妃謚悼熙麗妃

安王妃墓在石子岡南

韓憲王墓在安德鄉與灣塘相近里俗呼爲韓府山

駙馬都尉梅殷墓在牛首殷汝南侯思祖從子尚寧國公主恭謹有謀勤學問能騎射常命提督山東學校帝稱殷精通經史堪爲儒宗後成祖兵起公主移書阻之王不答兵至淮北與公主書言典兵不得已故令遷居太平門外勿罹兵禍公主亦不答殷既爲譚深等所害有尼刺輝者ロ外人久屬殷幕下憤深等害殷請於上割二人手足剖其心祭殷畢即自經死葬殷墓側

臨安公主墓在祝禧寺西南明太祖長女駙馬李祺合葬祺永樂初不朝賜死於江浦

福清公主駙馬張麟墓在七里鋪東

南康公主駙馬胡觀靖難戰死事見表忠記葬牛首山下將軍山公主葬馴象門外賽工橋裔孫承廕官粤死之

含山公主駙馬尹清墓在雨花臺南

汝陽公主駙馬謝達墓在安德鄉

常寧公主駙馬沐昕墓在泰北鄉

伍婆墓在丹陽西溪上郎古江寧境相傳伍子胥祖母墓至元溪上猶突然一墩上圓

徑丈高倍之林木陰翳爲居人遊觀之所

吳諸葛恪墓在石子岡恪爲孫峻所殺投之石子岡今不知葬處

張悌墓在板橋西

晉王祥墓在縣西南八十里何湖側有斷碑戚氏註云近姑孰

衞玠墓去城十里在新亭東玠以天下亂扶母留建康姿容之盛觀者如堵卒年二十七人謂被人看殺

阮籍墓在鳳臺下周亮工賸鳳凰臺募疏有曰萬曆壬辰李公昭于鳳凰臺傍掘地得石碑半段曰籍之墓已又得半段曰晉賢阮始知此地爲籍墓後有人窮之多得殉物莆田姚旅曰楊朗陵鳳臺晚眺詩云秋檄朋儕杖具遊鳳凰無跡剩雲流臺縫古佛遲于月酒狎高賢臥一丘正指籍墓也近秋浦劉廷鑾金陵間墓詩阮籍墓有幾時到金陵倘怳存一丘之句皆明驗也又云亮幼時聞之家大人云

今任氏文園卜士阜者籍墓也

謝安墓在城南梅岡墓前有無字碑漢晉紀事云安墓前無字碑爲其功德難述按南史郡吏南陽樂藹與沈約書請爲碑文荅曰安石素族之白輔時無麗藻迄乃有碑無文蓋謂此也南唐書云梅賾岡相接處即謝安墓

河內陸玩墓在瓦官寺

王濛墓在高亭湖側

宋劉穆之墓元嘉二十五年車駕幸江寧經穆之墓詔致祭

梁吉翰墓在吉山

朱异墓在巖山前

南唐韓熙載墓在梅岡有碑

宋楊忠襄公邦乂墓在聚寶門外游九言墓道碑畧云所貴乎大丈夫者爲其有恥心也孰不好生而惡死寧死弗顧者爲其無以自立于天地間有重于生故也如其不恥則大丈夫不足爲難而名義不重矣宋楊萬里三月三日上忠襄墳詩草籍輪蹄翠織成花圍巷陌錦幃屏早來指點遊人處今在遊人行處行淮山腳下大江横御柳梢頭絳闕明覽盡山川更城郭雨花臺上大奇生遊人不是上墳回便是淸明禊事來最苦相逢無處避天禧寺及雨花臺女唱兒歌去踏青阿婆笑語伴渠行只麟郎罷優輕殺榲子雙擔挈酒瓶粉搜孩兒活逼眞象生果子更時新輪贏一擲渾閑事空手入城羞殺人

李琮墓在板橋西龍口山

李耕墓在江寧鎮王家莊

李回墓在江寧鎮西官山

贈少師平海軍節度使王福墓在新亭鄉

戚方墓在城南高座寺後高宗時武將

秦鉅墓在處眞鄉移忠寺側

尹起莘墓在新亭鄉印塘村

秦檜墓在江寧鎮南至今翁仲尚存行道過者無不唾詈某年曾被掘發去石數重有水池浮巨段木其中少動輒橫撞有巨聲竟被盜發夫賊檜垂死爲計深遠如此其與妾冢在墓側亦爲盜發就中得金寶甚多宋楊萬里宿牧牛亭詩函關只有一穰侯瀛館寧無再帝丘天極八重心未死台星三點折方休只看壁後新亭策恐作移中屬國羞今日牛羊上丘隴不知丞相更嗔否

劉叔亮墓在雨花臺側趙孟頫登雨花臺弔故人劉叔亮墓雨花臺上看晴空萬里風

烟入望中人物車書南北混江山襟帶古今同魚龍未蟄霜先殞鳳鳥不鳴江自東緑髪劉伶曾醉死往尋荒冢酹西風

明寧河王墓在城南西山之原王姓鄧名愈虹人年十六率衆來歸充管軍總管從定金陵陞元帥巳亥畧浙西臨安移鎮饒州僞漢數遣舟師攻城王輒殲之辛丑率衆襲浮梁取樂平饒境悉定攻鄧克明撫州平鎮襄陽時郡縣新附綏輯得宜洪武元年以御史大夫充征戎將寧封衛國公五年爲征南將軍討土番烏思藏窮追至崑崙山名還至壽春卒年四十一贈寧河王謚武順賜葬

黔寧王墓在長泰北鄉王姓沐名英定遠人八歲喪母明高祖憐之撫爲子賜姓朱年十八授帳前都督守京口元年取鉛山崇安遂從大將軍克延平擒陳友定復姓沐伐蕃部川藏抵崑崙山俘獲還封西平侯討雲南平之十五年烏撒東川叛率兵往下之是年諸將班師留鎮雲南撫綏南服二十一年平緬冦定遠縱兵大戰敗之在鎮近十年卒年四十八追封黔寧王謚昭靖賜葬

虢國公墓在城南聚寶山　公姓俞名通海巢人父廷玉弟通源通淵結寨巢湖自守及聞明太祖駐和陽走歸款時方規取金陵得水軍甚喜率師至巢湖拔出寨蠻子海牙陳兆先之戰皆火攻敗其衆攻鎮江常州宣城敗呂珍與吳戰中流矢右目失明從征友諒大戰鄱陽湖以七舟深入敵寨鏖戰飄飄遶出敵舟傍軍中歡呼氣益奮遂殪友諒班師守廬州繕城池興農田從征西至滅渡橋中流矢卒贈虢國公謚忠烈賜葬

越國公墓在城南十五里　公姓胡名大海虹人甲午謁明太祖爲前鋒從入和州攻采石定金陵皆先登取徽嚴攻下蘭溪收諸暨衢滅廣信皆全軍獨克授江南行省守婺州壬寅苗軍元師蔣英叛刺殺大海降士誠後杭州下縛英至京師命懸像刺英血以祭贈越國公謚武莊賜葬

梁國公墓在烏石岡　公姓趙名德勝鳳陽人馬上運槊如飛人呼爲趙黑賜今名爲帳前先鋒從下和州渡江下金陵取廣德常州陳友諒犯龍江虎口城龍江第一關德勝守之從朱文正取南

昌守宫步三門敵攻門禦之生門樓指麾士卒中流矢卒追封梁國公謚武恒賜葬

郢國公墓在鳳西鄉公姓馮名國用兵亂里人推爲義長甲午謁明太祖於妙山言先拔金陵合上意從克和州渡江下采石典親兵擒陳兆先選其驍勇五百人置之麾下令入宿衛屏舊卒于外獨留國用侍卧榻及攻建康國用率五百人先登遂平之遷大元帥帳前都指揮使己亥攻紹興卒追封郢國公賜葬

陜國公墓在聚寶山公姓郭名子典濠人從明太祖渡金陵授管軍總管陞統軍元帥留常州晝夜力戰衣甲生蟣蝨彭蠡之戰賈勇先登斬獲數多陞僉事督府佐大將軍守潼關潼關三秦門户也厲兵秣馬慎阨險要洪武三年封侯伐蜀巡北邊還十六年卒贈陜國公謚宣武

營國公墓在聚寶山公姓郭名英濠人年十八從渡江克采石定金陵下鎮江廣德寧國江陰皆有功大戰鄱陽英裹瘡奮擊射友諒中目陳同僉者敵之梟將也善運槊馳入中軍明太祖方坐

胡床呼曰郭四爲吾殺賊持鎗躍馬應手而斃解赤戰袍衣之日尉遲敬德不汝過也洪武十九年封武定侯充靖海將軍靖難後罷歸第永樂元年卒贈營國公謚武襄

沂國公墓在太平門外公姓金名朝興巢人洪武十一年封宣德侯征雲南卒賜葬

芮國公墓在鍾山之陰公姓楊名璟合肥人洪武三年封侯從大將軍鎮北平卒賜葬

當塗縣男王愷墓在雨花臺側愷同越國死金華之難

汝南侯墓在鍾山之陰侯姓梅名思祖夏邑人徐達攻淮安時以張士誠中書省右丞降從平浙西復從取山東北平河陜破王保保洪武三年封汝南侯平雲南署布政司事民皆安之十五年卒賜葬

夏國公墓在安德門外普化寺北公姓顧名成湘潭人從江都丙申來歸充帳前親兵常執蓋侍出入從平蜀征雲南皆有功進征五開十六洞苗除進右都督靖難兵起從盛庸戰眞

定被執明成祖解其縛遣至北平後
以功封鎮遠侯卒贈夏國公謚武毅

蔡國公墓在城南十五里公姓徐名忠永樂中賜葬大學士楊士奇撰神道碑

鄖國公墓在聚寶門外公姓宋名晟永樂中賜葬

平江侯墓在大山之原侯姓陳名瑄合肥人父聞謫戍遼陽侯請代原戍從征累功陞督府僉事靖難兵至以舟降封平江伯永樂初督舟師海運歲米百萬石置倉直沽尹兒灣城天津衛籍兵戍守又起高丘嘉定爲運表識名寶山旣開會通河罷海運建議造淺艖二千艘歲運二百萬石後增至五百萬石疏清江浦引水由管家湖入鴨陳口達淮就湖傍築堤十里以便引舟浚儀眞瓜洲通潮鑿呂梁百步二洪石平水勢開泰州白河通大江築高郵湖堤堤內鑿渠亘四十里濱淮作常盈倉五十區貯江南輸稅徐臨清德州皆置倉以便轉輸又濱河置舍五百六十八所舍置淺夫膠處俾導舟緣河堤鑿井樹木以便行人明代言漕運者皆莫及卒贈侯謚恭襄

安遠侯墓在安德鄉侯姓柳名斗

隆平侯墓在朱門山侯姓張名信

忻城伯墓在鳳臺門東伯姓趙名彝

懷遠侯墓在板橋侯開平王孫嘉靖中續封

瑞安侯墓在聚寶門外鳳臺街侯姓王名源

豐城侯墓在吉山東南侯姓李名彬

武靖伯墓在雨花臺伯姓趙名

南寧伯墓在安德門外伯姓毛名

太子少保唐鐸墓在南十五里鐸鳳陽人賜葬

丹陽男孫炎墓在聚寶山不詳其處有傳

太常卿杜安道墓安德街東

韓成墓在吉山成死鄱陽之戰康郎山祠功臣以成爲首

文學博士方孝孺墓在聚寶山側公寧海人受知明高帝建文時爲文學博士靖難後文皇命草詔不屈磔死夷其族門人王稌輩收遺骸葬聚寶山或曰士人以甕竊葬萬曆十九年祠部汪應蛟湯顯祖爲文立石表其墓宗伯王弘誨趙用賢監坊祠祀之而經營其費者徐鯨也按吾學編收孝孺骸者都督廖鏞葉向高方正學先生祠墓詩燕歌一夜滿都城大內冥冥火徹明無復看書延侍講仍傳天語勞先生兩朝事往君恩在十族烟銷詔草成爲問精靈何處是雨花臺畔子規聲徐頡正學先生墓赤鳳焚巢尚覆雛一壞翻荷主恩殊冶城無鐵鑄肝胆石甃何人藏髮膚信史直須求草野鴟夷幸不殉江湖空憐粉壁多生氣難繪當年負扆圖

浡泥國王墓在石子岡永樂中來朝卒賜葬於此

太常卿康爵墓在新亭南

學士張益墓在鳳西鄉西庫村公正統十四年卒于土木之變成化乙巳季子太僕寺丞翔始具公衣冠葬此震澤紀聞翔以官之土木設祭夢其父索紅沙馬已天明廐內紅沙馬暴死歸詢之父老父老云此即其父死地死時所乘乃紅沙馬也

太子少保周瑄墓在安德鄉賜葬有傳子布政紘墓在烏府山

太醫院院使蔣用文墓在鳳西鄉塘下山有傳

太子少保童軒墓在鳳臺岡賜葬有傳

禮部尚書倪謙墓在新亭鄉賜葬有傳

少保倪岳墓在新亭鄉堽墓村賜葬有傳

南京刑部尚書張瑄墓在唐家山賜葬有傳

南京右都御史張琮墓在鳳西鄉賜葬有傳

太保王以旂墓在白山賜葬有傳今縣東南與幽棲山近非上元白山也

友菊處士賀確墓在鳳西鄉有傳

兵部侍郎俞綱墓在聚寶門外禾山南

南安知府金潤墓在長泰鄉子刑部侍郎金紳祔葬墓側有傳

刑部尚書翟瑄墓在新亭鄉有傳

太常卿翟瑛墓在新亭鄉有傳

參議王嶽墓在長泰鄉祖堂原有傳

戶部尚書吳文度墓在石子岡有傳

叅議朱貞墓在鷄子山有傳

右布政倪阜墓在小郃村有傳

叅議淩文墓在安德鄉子知州雲翰祔葬有傳

叅議李昊墓在鳳西鄉李家庫有傳

叅議羅麟墓在鳳西鄉磨店村

都御史陳鎬墓在鳳西鄉弟廣東提學副使欽並葬有傳

太僕卿陳沂墓在安德門外岔山口有傳

給事中魯昻墓在夾岡門耿澗村

知府姚昺墓在安德鄉

金冕墓在安德門外冕字彥端有學行孫琮字元玉爲南畿名士

贈監察御史羅富墓在賈家山富少負才氣累舉不否遂絶意仕進以子鳳貴贈官孝友尚義羅圯謂其爲陳郭之儔云

副使顧璵墓在石子岡有傳

僉事陳鳳墓在安德鄉有傳

吏部郎中王鑾墓在石子岡有傳

太僕少卿王韋墓在吉山有傳

僉事徐完墓在小留山有傳

僉事李旻墓在新亭鄉鵓子山

布政使吳彥華墓在新亭鄉

贈監察御史郤信墓在鳳臺門外西庫村

中都副留守梅純墓在安德鄉有傳

監察御史蔣達墓在夾岡門

工部主事何遵墓在安德鄉有傳

龐孝子景華墓在鳳西鄉有傳

學憲姚履素墓在安德鄉有傳

禮部侍郎殷邁墓在湖堰村白家湖之陰賜葬有傳

監察御史沈越墓在石子岡祔葬贈監察御史琪墓側琪世爲江寧人有隱德著有瞻雲樓詩集

刑部侍郎吳自新墓在江寧鎮之銅山鄉賜葬有傳

副使顧國輔墓在女山有傳

太常卿許穀墓在安德門外有傳

文端公焦竑墓在仙鶴門外皮家庫有傳

會元顧起元墓在雲臺山有傳

狀元朱之蕃墓在牛首山前大山有傳

贈太子少傳張如蘭夫人李氏墓在城南太白鄉賜葬

相國程國祥墓在安德門外北山

大學士文端何如寵同夫人方氏墓在江寧之歸善鄉

大中丞余大成墓在白巖山有傳

文烈公汪偉墓在射烏山石佛菴王潢華山會葬汪文烈公暨耿夫人詩仗節人臣事同心婦烈彰幽宮蹲虎豹高塚臥鴛鴦皦日沉青鏡悲風起白楊夜深環珮響攜手共翺翔松

櫝鬱蒼蒼泉臺影梵堂雪翻層石淚華滿泉山香𦧇
紼荒阡外懸碑古道旁墓門三尺土千載濕椒漿

學憲王芝瑞墓在仙鶴觀側　王潢詩門人王馮徒跣走嶺南扶其尊人學憲公旅
櫬因載潘澹子侍御柩同歸賦贈素旐單縹嶺表來
驚聞狂喜不勝哀丹心臣自留生氣白骨人誰問死
灰十一年間孤子淚八千里外兩棺回因親及友尤
難事見爾悲哉實壯哉煢煢誰恤彥升兒行路人偏
感孝思殫厲直驅山海氣精誠全仗鬼神知空譚大
節終何濟力挽頹綱定不移北面爾嘗稱弟子東還
今日是
吾師

郎中李逢暘墓在安德門內城闉　有傳

楊希淳墓在牛首山之陰　有傳

白雲先生陳昂

大清太子少保總督浙江部院趙公廷臣母高太夫人

墓在豐山口公性至孝事太夫人有曾閔之行宦楚時太夫人卒于金陵痛不及視含殮康熙五年特疏請解任歸葬蒙

俞旨權厝此地

萬曆丙辰科進士山東登萊道佟公卜年元配陳氏以子大中丞國器貴 誥贈太淑人墓在鳳臺門象山

贈朝議大夫劉應詔恭人鄒氏墓在鳳臺岡子思敬整飭左江參議丁亥進士思問瑞州府同知壬午舉人

吳曾肅墓相傳在上新河南岸圩田中今去江不遠土人耕田戒不敢犯云

梁棟墓在鳳臺門見金陵新志中

宋程偃孫墓在清涼寺後山偃孫伊川先生後裔也嘉靖初地陷視其墓知為程

墓云

以上江寧

周越王墓在大横山下王名翳安王時葬

晉葛洪墓在縣西一里有傳

紀瞻墓在東南二十五里有傳

梁陶弘景墓在雷平山有傳顧璘隱居墓詩薄俗無上善高賢葆清眞圖牛憚爲犧古墓今猶珍松風有餘聽草露無長春徒使輕舉士依稀慕芳塵

唐顔眞卿墓在縣東後顔村

明吏部尚書曹義墓在箭塘山賜葬有傳

太僕寺卿張諫墓在福祚鄉賜葬有傳

以上句容

漢史崇墓在埭頭里有晉永和唐貞觀二碑

陶謙墓在縣西南陶岕有傳

萬彧墓在銀方山下

宋錢時敏墓在上墟村

以上溧陽

周左伯桃羊角哀墓在南儀鳳鄉孔家鎮伯桃哀戰國時燕人二人爲友聞楚王好士乃同去燕入楚値雨雪糧少伯桃并糧與哀令往事楚自入空樹中餓死哀至楚爲上大夫言於王備禮葬之伯桃一日見夢曰吾爲荆將軍所苦汝特兵冢上以助我哀泣曰吾持兵冢上安知汝之勝負乃開塚死從伯桃遂並葬焉

荆將軍墓在縣南四十五里

宋俞臯墓在縣西琛山有傳

明兵部尚書齊泰墓在縣南青絲洞有傳

以上溧水

南唐慶王墓在縣南十里王名弘茂元宗第二子幼穎異不喜戎事每晏遊以詩賦爲樂

宋魏良臣墓縣南十里地名南塘有傳

卞文宣公壼墓在相國圩西埂

以上高淳

楚項羽墓在烏江

宋張孝祥墓在黃悅嶺東七峴山有傳

明南京吏部郎中文節公莊杲墓在定山有傳

以上江浦

唐陳融墓在棠邑鄉貞元中呂温表其墓謚曰貞晦先生

唐汾陽王郭子儀墓在盤城

宋文士徐彥伯墓在馬鞍山

彰武伯楊洪墓在竹鎮有傳

贈太常少卿忠節黃宏墓在靈巖山之陽有傳嘉靖間禮部請勅南京工部動銀六十兩修墓

兵部副使王弘墓在巴山有傳

贈刑部左侍郎李雲鵠墓在竹墩之北崇祀鄉賢

刑部左侍郎李敬墓在龍山懷賜葬

以上六合

江寧府志卷之二十六

人物一

維山有玉維澤有珠山澤增麗焉夫人物亦地產之珠玉也地名矣人不足傳是童山也是石田也是不毛之土也奚足云鈷鉧一小潭耳子厚有記遂不脛而名天壤楚赤壁有五子瞻所遊屬今黃州前賦稱孟德事巳訛而今五赤壁皆自謂坡老遊處文人一經歷山川生色爭為附會而况地著名賢歌於斯哭於斯聚國族於斯者是安可以無傳志人物

漢張磐字子石丹陽人也為交阯刺史以清白稱時荆州賊朝蘭餘黨南走蒼梧刺史度尚懼為巳責

乃僞上言蒼梧賊入荊州界遂徵磐下廷尉辭狀未正會赦見原磐不肯出獄因自列乞傳尚詣廷尉面對曲直足明眞僞尚不受徵磐埋骨牢檻終不虛出望塵受枉廷尉以其狀上詔書徵尚到廷尉辭窮受罪以先有功得原

磐後爲廬州太守

杭徐字伯徐丹陽人以膽智稱初試守宣城長悉移深林遠藪椎髻鳥語之人置於縣下由是境內無復盜賊後爲中郎將宗資別部司馬擊太山賊公孫舉等破平之斬首三千餘級封烏城東鄉侯遷太山都尉寇賊望風奔亡及遷長沙太守宿賊皆平卒於官桓帝下詔增封千戶

陶謙字恭祖丹陽人少學爲諸生性剛直有大節舉茂才察孝廉拜尚書郎除舒令在官清白遷幽州刺史參車騎將軍張溫軍事西討韓遂邊章軍還會徐州黃巾起以謙爲刺史討黃巾大破走之境內晏然時董卓雖誅而李郭作亂四方斷絕謙每遣使間行奉貢西京詔遷爲徐州牧封溧陽侯流民多歸之會曹操父嵩辟難瑯琊謙別將襲殺之操欲伐謙而畏其强乃表請州郡罷兵謙上書言克難平亂非

兵不濟輒勤部曲申令警備冀效微勞以贖罪負擒得書遂擊謙破彭城傅陽謙退保郯操攻之不克還拔取慮睢陵夏丘皆屠之三輔百姓依謙者殲焉其後操復擊謙畧定瑯琊東海諸縣謙懼不免欲走歸丹陽會呂布據兗州操還擊布是歲謙病卒

芮祉字宣嗣丹陽人從孫堅征伐有功堅薦爲九江太守轉吳郡所在有聲

陶璜字世英秣陵人也父基吳交州刺史璜少歷顯位會交州亂晉遣將軍毛炅九眞太守董元等自蜀出交阯璜爲蒼梧太守拒戰敗於分水亾二將大都督薛珝怒欲引軍還璜夜以數百兵襲董元獲其寶物船載而歸珝乃以璜領交州爲前部督璜從海道出徑至交阯元距之諸將將戰璜疑斷墻外有伏兵列長戟於其後兵纔接元僞退璜追之伏兵果出長戟逆之大破元等遂克交阯因用璜爲交州刺史炅等糧盡乞降吳主以璜持節都督交州諸軍事武平九德新昌土地阻險峒獠勁悍歷世不賓璜征討開置三郡及九眞屬國三十餘縣徵璜爲武昌郡督吳既滅璜流涕數日遣使送印綬詣洛陽詔復其

本職封宛陵侯在南三十年威恩著於殊俗及卒舉州號哭

晉紀瞻字思遠秣陵人也少以方直知名舉秀才尚書郎陸機策之瞻詞旨通敏文義燦然機濬加歎賞永康初詔人舉寒素大司馬辟東閤祭酒太安中棄官歸家與顧榮等共誅陳敏拜尚書郎元帝爲安東將軍引爲軍諮祭酒轉鎮東長史帝親幸瞻宅與之同乘而歸以討周馥華軼功封都鄉侯石勒入寇加揚威將軍都督諸軍事勒退除會稽內史尋遷丞相軍諮祭酒論討陳敏功封臨湘縣侯及長安不守與王導俱入勸進元帝不許瞻云二帝失御宗廟虛廢陛下膺籙受圖特天所授而猶欲守匹夫之謙非所以闡七廟隆中興也且今五都燔爇宗廟無主劉淵竊弄神器於西北而陛下方欲高讓於東南此所謂揖讓而救火也帝猶不許使殿中將軍韓績徹去御座瞻叱績曰帝座上應星宿敢動者斬帝爲改容及踐位拜侍中轉尚書上疏諫諍多所匡益瞻才兼文武忠亮雅正俄轉領軍將軍當時服其嚴毅以久病請去官不聽復加散騎常侍及王敦之逆帝使謂瞻曰卿雖病但爲朕臥護六軍所益多矣乃賜布千

足瞻不以歸家分賞將士賊平復自表還家不許就拜驃騎將軍止家爲府尋卒贈開府儀同三司謚曰穆

薛兼字令長丹陽人也父瑩有名于吳吳平爲散騎常侍兼清素有器宇少與同郡紀瞻廣陵閔鴻吳郡顧榮會稽賀循齊名號爲五儁初入洛司空張華見而奇之曰皆南金也察河南孝廉辟公府除比陽相蒞任有能聲歷轉司空東海王越祭酒賜爵安陽亭侯元帝爲安東將軍以爲軍諮祭酒稍遷丞相長史甚勤王事以上佐祿優每自約損取周而已進爵安陽鄉侯拜丹陽太守中興間轉尹領太子少傅自綜至兼三世傳東宮談者美之明帝即位猶申師傅之敬是歲卒贈左光祿大夫開府儀同三司

張闓字敬緒丹陽人昭之曾孫少孤有志操太常薛兼進之于元帝言闓才幹貞固當今之良器即引爲安東參軍甚加禮遇轉丞相從事中郎以佐翼勳賜爵丹陽縣侯遷侍中元帝踐阼出補晉陵内史在郡甚有威惠所部四縣並以旱失田闓乃立曲阿新豐塘溉田八百餘頃歲豐稔以擅興造免官後公

卿並爲之言曰張闓與陂瀆田可謂益國而反被黜使臣下難復爲善元帝感悟乃下詔曰丹陽侯闓昔以勞役部人免官雖從吏議猶未掩其忠節之志也倉廩國之大本宜得其才今以闓爲大司農闓陳黜免始再不宜便居九列疏奏不許元帝崩以闓爲大匠卿營建平陵事畢遷尚書蘇峻之役闓與王導俱入宮侍衛峻使闓持節權督東軍王導潛與闓謀宣太后詔於三吳令速起義軍陶侃等至假闓四征將軍與陶回共督丹陽義軍又與蔡謨虞潭王舒等招集義兵以討峻峻平賜爵宜陽伯遷廷尉以疾解職拜金紫光祿大夫尋卒

陶回　璜從子司徒王導引爲從事中郎遷司馬蘇峻之役回與孔坦言於導請早出兵守江口峻將至回復謂亮曰峻知石頭有重戍不敢直下必向小丹陽南道步來宜伏兵要之可一戰而擒亮不從峻果從小丹陽經秣陵迷失道夜行無復部分亮深悔不從回之言尋王師敗績回還邑收合義軍得千餘人與陶侃溫嶠等并力攻峻又別破韓晃以功封康樂伯轉中護軍吳興太守時人饑穀貴回不待報輙

便開倉及割府郡軍資數萬斛米以救乏絕由是一境獲全既而下詔并勑會稽吳郡依回振恤二郡賴之在郡四年徵拜領軍將軍加散騎常侍回性雅直不憚彊禦丹陽尹桓景佞事王導甚爲導所昵會熒惑守南斗經旬導語回曰南斗揚州分而熒惑守之吾當遜位以厭此謫回答曰公以明德作相輔弼聖主當親忠貞遠邪佞而與桓景造膝熒惑何由退舍導深愧之咸和二年以疾辭職不許從護軍將軍常侍領軍如故未拜卒謚曰威四子

汪陋隱忌咸有幹用皆至大官

王彪之字叔武丞相導之姪初除佐著作郎東海王文學屢遷吏部尚書桓溫欲北伐詔不許溫輒下武昌人情震懼或勸殷浩引身告退彪之言於簡文曰若殷浩去職人情崩駭當有任其責者非殿下而誰又謂浩曰彼抗表問罪當靜以待之令相王與手書示以款誠陳以成敗當必旋旆若不順命即遣中詔如復不奉乃當以正義相裁無故怱怱先自猖獗浩從之溫亦奉旨果不進時衆官漸多而遷徙每速彪之上議以爲職事之修在于省官朝風之澄在于并職官省則選清而得久職并則吏簡而俗靜

選清則任人久于其事事久則中才亦足有成無俸祿之虛費簡吏寺之煩役矣長安人雷弱兒梁安等詐降請兵應接時殷浩鎮壽陽便進據洛彪之與簡文言弱兒等容有詐僞浩未宜輕進已而弱兒果詐姚襄反叛浩大敗退守譙城簡文笑謂彪之曰果如君言謀無遺策張陳復何以過之轉領軍將軍太常後爲鎮軍將軍會稽內史居郡八年豪右斂迹亡戶歸者三萬餘口桓溫下鎮姑孰威勢震主四方修敬皆遣上佐綱紀彪之獨不遣溫檻收下吏會赦免左降爲尚書頃之復爲僕射是時溫將廢海西公百寮震慄莫知所爲彪之知溫不臣迹已著理不可奪乃命取霍光傳禮度儀制定于須臾曾無懼容簡文崩羣臣未敢立嗣或云宜須大司馬處分彪之正色曰君崩太子代立大司馬何容得異若先稟諮必反爲所責矣于是朝議乃定及孝武即位太皇太后令以帝沖幼加在諒闇令溫依周公居攝故事事已施行彪之曰此異常大事大司馬必當固讓使萬幾停滯稽廢山陵未敢奉令謹封還事遂不行溫疾諷朝廷求九錫袁宏爲文以示彪之彪之謂曰卿固大才安可以此示人聞彼病日增自可更小遲迴宏從之溫

尋死遷尚書令與謝安共秉政安每日朝之大事衆不能決者諮王公無不得判以年老上疏乞骸骨優詔不許至太元二年卒

王坦之字文度弱冠與郗超齊名時人爲之語曰盛德絕倫郗嘉賓江東獨步王文度簡文帝臨崩詔大司馬溫依周公居攝故事坦之自持詔入于帝前毀之帝曰天下儻來之運卿何所嫌坦之曰天下宣元之天下陛下何得專之帝乃使坦之改詔溫薨坦之與謝安共輔幼主盡忠帝室遷中書令出鎮廣陵臨終與謝安桓沖書惟以國事爲憂言不及私朝野共悼惜之

謝元字幼度安之姪也少頴悟爲安所器重及長有經國才畧屢辟不起後桓溫辟安與王珣爲掾並禮重之符堅强盛邊境數被侵寇時求文武良將可以鎮禦北方者安乃以元應舉郗超素與元不善聞而嘆曰安違衆舉親明也元必不負舉才也拜兖州刺史領廣陵相監江北諸軍事乃選士數千人以劉牢之爲帥號北府兵敵人畏之時符堅遣人圍襄陽屢破走之進號冠軍以功封東興縣侯及符堅自

率兵次項城衆號百萬元先遣牢之以五千人直指洛澗斬梁成堅列陣淝水元以精鋭八千涉淝大戰堅中流矢陣斬符融敵衆奔潰自相蹈籍投水死淝水爲之不流餘衆棄甲宵遁聞風聲鶴唳皆以爲王師且至獲堅乘輿雲母車軍資山積牛畜十餘萬詔遣殿中將軍慰勞進號前將軍假節固讓不受賜錢百萬綵千疋安奏符堅喪敗宜乘其斃乃以元爲前鋒都督率冠軍將軍桓石虔徑造渦潁經畧舊都元率衆次于彭城遣參軍劉襲攻秦兖州刺史張崇于鄄城走之使牢之守鄄城兖州以平堅子丕遣將屯黎陽三魏皆降加元都督七州軍事封康樂縣公遇疾求解職疏十餘上乃授會稽内史卒于官謚曰獻武

王珣字元琳洽之子弱冠與謝元爲桓温掾俱爲温所重嘗謂之曰謝掾年四十必擁旄杖節王掾當作黑頭公皆未易才也珣轉主簿時温經畧中夏竟無寧歲軍中機務並委珣焉文武數萬人悉識其面隆安初王國寶用事謀黜舊臣遷珣尚書令王恭赴山陵欲殺國寶珣止之曰國寶雖終爲禍亂要罪

逆未彰今便先事而發必大失朝野之望恭乃止既而謂珣曰比來視君一似胡廣珣曰王陵廷爭陳平愼默但問厥終何如耳恭尋起兵國寶將殺珣等僅得免恭假珣節進衛將軍都督瑯琊水陸軍事四年以疾解職歲餘卒

王羲之字逸少年十三謁周顗顗見而異之起家秘書郎後爲右軍將軍會稽内史謝安總中書嘗與羲之登冶城悠然遐想有高世之志羲之謂曰夏禹勤王手足胼胝文王旰食日不暇給今四郊多壘宜思自效而虚談廢務浮文妨要非當世所宜安不能用時殷浩與桓溫不協羲之遺浩書以戒之浩不從及浩將北伐羲之以爲必敗以書止之言甚切至浩果爲姚襄所敗復圖再舉又遺浩書曰使君起於布衣任天下之重而喪敗至此恐闔朝羣賢未有與人分其謗者若有以前事爲未工復求之於分外宇宙雖廣自容何所時東土饑荒羲之輒開倉賑貸而朝廷賦役繁重吳會尤甚羲之上疏爭之事多見從尤長於書法爲古今之冠人謂羲之人品甚高爲書名所掩云

王珉字季琰少有才藝善行書名出珣右時人爲之語曰法護非不佳僧彌難爲兄僧彌珉小字也辟州主簿舉秀才不行後歷著作散騎郎國子博士黃門侍郎獻之爲之長兼中書令二人素齊名世謂獻之爲大令珉爲小令云

南北朝

王曇首太保弘弟也幼有操尚兄弟分財曇首惟取圖書而已辟琅琊王大司馬屬宋文帝鎮江陵時曇首爲鎮西長史高祖深知之謂文帝曰王曇首沉毅有器度宰相才也汝每事咨之文帝入奉大統議者皆疑不敢下曇首與到彥之固勸並言天人符應及即位謂曇首曰非宋昌獨見無以至此以爲侍中尋領右軍將軍徐羨之謝晦等誅曇首與有力文帝欲封之因拊御牀曰此坐非卿兄弟無復今日時封詔已成出以示曇首曇首曰近日之事釁難將成賴陛下英明速斷罪人斯戮臣等雖得仰憑天光效其毫露豈可因國之災以爲身幸封事遂寢時兄弘錄尚書事又爲揚州刺史曇首爲上所親委任兼兩官彭城王義康與弘並錄意殊怏怏曇首固乞吳郡文帝曰豈有欲建大廈而遺其棟梁哉

不允七年卒文帝爲之慟中書舍人周起侍側曰王家欲褒賢者先殞帝曰直是我家褒耳追贈左光祿大夫

劉瓛字子珪晉丹陽尹惔六世之孫也宋大明四年舉秀才除奉朝請不就兄弟三人共處蓬室怡然自樂習業不廢教授常數十人丹陽尹袁粲指廳事前古柳樹謂瓛曰人謂此是劉尹時樹每想高風今復見卿清政可謂不衰矣薦爲秘書郎不見用後拜安成王撫軍行叅軍坐事免素無宦情自此不復仕袁粲誅瓛微服往哭拜致賻助祭高帝踐祚召問政道答曰政在孝經宋氏所以亡陛下所以得之是也帝咨嗟曰儒者之言可寶萬世又謂瓛曰吾應天革命物議以爲何如對曰陛下戒前軌之失加之以寬厚雖危可安若循其覆轍雖安必危及出帝謂司徒褚彥回曰方直乃爾學力故自過人上欲用爲中書郎使吏部尚書何戢喻旨瓛笑曰平生無榮進意後以老母闕養拜彭城會稽郡丞學徒從之者轉衆除步兵校尉不拜住在檀橋瓦屋數間上皆穿漏學徒敬慕不敢指斥呼爲清溪竟陵王子良請往修謁

表爲立舘以城西楊烈橋故主第給之公曰此華宇豈吾宅邪未及徙居遇疾卒少有至性祖母病疽經年手持膏藥漬指爲爛母孔氏甚嚴明謂親戚曰阿稱便是今世曾子稱㦸小名也年四十餘未有婚對建元中高帝與司徒褚彦回爲娶王氏女王氏穿壁挂履土落孔氏牀上孔氏不悅㦸郎出其妻及居母憂住墓下不出廬足爲之屈非杖不能起梁武帝少時嘗從受業天監元年下詔爲立碑謚貞簡先生所著文集行於世

王僧虔

僧綽弟弱冠善隸書宋文帝見其書素扇歎曰非唯跡逾子敬方當器雅過之除秘書郎太子舍人轉義陽王文學太子洗馬遷司徒左西屬兄僧綽爲元凶所害親賓咸勸僧虔逃僧虔涕泣曰吾兄奉國以忠貞撫我以慈愛今日之事苦不見及耳若同歸九泉猶羽化也孝建初出爲武陵陵守兄子儉於中途得病僧虔爲廢寢食同行客慰喻之僧虔曰昔馬援處兒姪之間一情不異鄧攸於弟子更逾所生吾實懷其心誠未異古若此兒不救便當回舟謝職無復宦興矣遷爲中書郎轉中庶子泰始中

出爲吳興太守又徙會稽中書舍人阮佃夫請假東歸客勸僧虔以佃夫要倖宜加禮接僧虔曰我立身有素豈能曲意此輩彼若見惡當拂衣去耳佃夫言於明帝坐免官尋以白衣兼侍中出監吳郡太守歷湘州刺史所在以寬惠著稱昇明二年爲尚書令僧虔好文史解音律欲釐正雅樂不果齊高帝革命遷持節都督湘州諸軍事清簡無所欲不營財產百姓安之武帝即位遷侍中開府儀同三司乃謂兄子儉曰汝任重於朝行當有八命之禮我若復此授則一門有二台司實可畏懼乃固辭不拜武帝優而許之儉爲朝宰起長梁齋制度小過僧虔視之不悅竟不入戶儉即毀之永明二年薨

王儉 字仲寶僧綽子少孤爲叔僧虔所養幼有神彩專心篤學手不釋卷丹陽尹袁粲聞其名言於宋明帝尚陽羨公主解褐爲太子舍人起遷秘書丞上表求校墳籍撰七志四十卷獻之表辭甚典又撰定元徽四部書目蒼梧暴虐求出補義興太守還爲黃門郎齊高帝爲太尉引爲右長史恩禮隆密專見任用儉少有宰相之志物議咸相推許時大典將行儉爲佐命禮儀詔策皆出其手褚淵惟爲禪詔文使

儉叅治之齊臺建遷右僕射領吏部時年二十八明年轉左僕射屢有興作輒上疏諫止時制度草創儉職舊事問無不答高帝嘆曰詩云維嶽降神生甫及申今亦天爲我生儉也嘗侍曲晏羣臣數人各使效伎藝儉曰臣無所解唯知通書因跪誦相如封禪書高帝笑曰此盛德之事吾何以堪之尋以本官領太子詹事高帝殂遺詔以儉爲侍中尚書左鎮軍將軍武帝即位給班劒二十八永明二年領國子祭酒丹陽尹三年又領太子少傅是歲省總明觀於儉宅開學悉以四部書充儉家四年以本官領吏部儉長禮學諳究朝儀每博議證引先儒罕有其例八坐丞郎無能異者令史諮事賓客滿席儉應接銓序旁無流滞常謂人曰江左風流宰相唯有謝安蓋自比也武帝深委仗之士流選用奏無不可儉屢啓求解選不許七年卒

謝朏字敬沖弘微孫也幼聰慧十歲能屬文父莊遊土山賦詩使朏命篇朏攬筆便就莊因撫朏背曰眞吾家千金宋孝武遊姑孰敕莊攜朏從詔使爲洞井贊於坐奏之孝武曰雖小奇童也蕭道成輔政

選朏爲長史敕與褚炫江斅劉俁俱入侍號爲天子四友道成方圖禪代思佐命之臣以朏有重名深所欽屬論魏晉故事因曰晉革命時事久兆石苞不早勸晉文死方慟哭方之馮異非知機也朏答曰晉文世事魏氏將必身終北面假使魏早依唐虞亦當三讓彌高道成不悅更引王儉爲左長史以朏侍中領秘書監及齊受禪朏當日在直百僚陪位侍中當解璽朏佯不知曰有何公事傳詔云解璽授齊王朏曰齊自應有侍中乃引枕臥傳詔懼乃使稱疾朏曰我無疾何所道遂朝服步出東掖門乃得車還宅是日遂以王儉爲侍中解璽既而太子賾言於高帝請誅朏高帝曰殺之則遂成其名正應容之度外耳遂廢于家後復爲義興太守西昌侯鸞謀入嗣位朝之舊臣皆引參謀策朏內圖止足且實避事弟瀹時爲吏部尚書朏至郡致瀹數斛酒遺書曰可力飲此勿豫人事建武四年詔徵爲侍中中書令遂抗表不應召遣諸子還建康獨與母留築室郡之西廊明帝屢徵不至梁武帝踐阼徵之不屈宣旨敦譬明年六月朏輕舟出詣闕自陳既至詔以爲侍中司徒尚書令朏辭足疾不堪拜謁乃角巾肩輿詣雲龍門謝詔見於

華林園明旦武帝幸胐宅醼語盡歡胐固陳本志不許因請自還迎母乃許之臨發復臨幸賦詩餞別士人送迎相望於道敕材官起府於建康舊宅武帝臨軒遣謁者於府拜授焉是冬卒於府

謝瀹 字義潔胐之弟少簡靜有韻度王彧見而異之言於宋孝武孝武召見於稠人廣衆中舉動閑詳應對合旨孝武甚悅齊臺建遷太子中舍人建元初以母老須養出爲安成內史王儉引爲長史雅相禮遇除黃門郎永明中轉長史兼侍中瀹以晨昏有廢固辭不許遷司徒左長史出爲吳興太守有美績後爲吏部尚書蕭鸞廢鬱林領兵入殿左右驚走報瀹瀹與客圍碁畢局乃還齋臥意不問外事鸞又廢海陵自立瀹遂屬疾不視事後燕會功臣尚書令王宴等與席瀹獨不起曰陛下受命應天從民王宴妄叨天功以爲巳力明帝大笑解之

劉係宗 丹陽人元嘉初爲中書通事舍人封始興南亭侯兼秣陵令齊高帝卽位除龍驤將軍建康令上欲修白下城難于動役係宗啟謫役在東人丁隨唐寓之爲逆者從之後車駕出講武履行白下

城曰劉係宗爲國家得此一城永明中與魏朝書常令係宗題答係宗閑於職事武帝常云學士輩不堪經國經國一劉係宗足矣其重吏事如此建武二年卒

淳于量字思明世居建康父文成仕梁爲將帥量少有幹畧便弓馬梁主繹爲荆州刺史文成分量人馬令往事焉起家湘東王國常侍兼西中郎府中兵參軍兵甲士卒盛于府中荆雍之界羣蠻數反山帥文道期積爲邊患量助王僧辯併力大破道期斬其酋長以功封廣晉縣男授涪陵太守侯景之亂湘東王遣五軍入援量預其一臺城陷還荆州侯景西上攻巴州湘東王使王僧辯入據巴陵與并力拒景大敗景軍擒其將任約進攻郢州獲宋子仙仍隨僧辯克平侯景其後荆州陷量據桂州王琳擁割湘郢累遣召量量外與琳合而別遣使從間道歸朝陳主受禪授平西大將軍桂州刺使華皎搆逆以量爲使持節西討皎平以功封醴陵縣公

丁咸序秣陵人耽儒學進修士業授衡陽判官太守賢之

紀少瑜字幼瑒秣陵人早孤有志節常慕王安期之爲人年十三能屬文賦京華樂王僧孺見而賞之曰此子才藻新拔方有高名常夢陸倕以一束靑鏤管筆授之云我餘此筆猶可用卿自擇其善者其文因此頓進年十九游大學博士東海鮑皦雅相欽悅時皦有疾請少瑜代講少瑜旣妙元言善談吐辯捷如流梁大同七年爲東宮學士邵陵王在郢啟求學士武帝以少瑜充善容貌工草書吏部尚書到溉嘗曰此人有大才而無貴任將拔之會溉去職後除武陵王記室參軍卒

王志字次道僧虔子九歲居所生母憂哀容毀瘠爲中表所異除宣城內史淸謹有恩惠郡民張倪吳慶爭田經年不決父老乃相謂曰王府君有德政吾曹鄉里乃有此爭倪因相攜請罪所訟地遂爲閒田東陽太守郡獄有重囚十餘人冬至日悉遣還家過節皆返惟一人失期獄司以爲言志曰此太守事主者勿憂明旦果自詣獄辭以婦孕吏民益歎服之齊永明二年轉吏部尚書在選以和理稱梁武帝至城內百僚署名送東昏首志聞而歎曰冠雖弊可加足乎因取庭中樹葉挼服之僞悶不署名武帝覽牋

無志名心嘉之弗以讓也天監元年除丹陽尹爲政清靜去煩苛建康有寡婦無子姑亾舉債以斂葬旣葬而無以還之志愍其義以俸錢償焉時年饑每旦爲粥於郡門以賦百姓民稱之三爲散騎常侍中書令常懷止足謂諸子姪曰謝莊在宋孝武世位止中書令吾自視豈可過之因多謝病簡通賓客終金紫光祿大夫志善草隸徐希秀常謂爲書聖

王筠字元禮僧虔孫也幼警寤七歲能屬文年十六爲芍藥賦甚美及長清靜好學有重譽除殿中郎尚書令沈約當世辭宗每見筠文咨嗟吟咏以爲不逮也嘗謂筠昔蔡伯喈見王仲宣稱曰此王公之孫也吾家書籍悉當相與僕雖不敏請附斯言累遷太子洗馬中舍人竝掌東宮管記昭明太子愛文學士常與筠及劉孝綽陸倕到洽殷芸等遊宴元圃太子獨執筠袖撫孝綽肩而言曰所謂左把浮丘袖右拍洪崖肩其見重如此奏敕撰中書表奏三十卷及所上賦頌爲一集筠少擅才名與劉孝綽見重當世沈約云自開闢以來未有爵位蟬聯文才相繼如王氏之盛者也

到溉字茂灌曾祖彦之宋驃騎將軍溉少孤貧聰敏有才學早爲任昉所知由是聲名益廣起家爲湘東王長史梁武帝敕曰到溉非直爲汝從事足爲汝師間有進止每須詢訪遭母憂居喪盡禮服闋猶蔬食布衣者累載除江夏太守入爲左民尚書溉身八尺美風儀善容止所涖以清白修性率儉不好聲色虛室单牀傍無姬侍自外車服不事鮮華冠履十年一易朝服或至穿補傳呼清路示有朝章而已性友愛初與弟洽常共居一齋洽卒後便捨爲寺因斷腥羶終身蔬食不好交遊惟與宋异劉之遴張綰同志友密及臥疾家園門可羅雀三君每歲時常鳴騶枉道以相存問置酒叙生平極歡而去臨終囑子孫以薄葬之禮卒時七十二洽字茂沿亦聰慧夙成文詞敏贍天監中與溉俱擢用而洽尤見知賞從弟沆亦有時名武帝嘗問丘遲到洽何如溉沆對曰正清過于沆文章不減溉加以清言殆將難及時人比之二陸

周捨字昇逸父顒爲蕭惠開主簿歷官中書郎常于鍾山立隱舍休沐即歸之清貧寡欲終日蔬食

捨博學多通尤精義理起家齊太學博士遷後軍參軍建武中名爲口辯王亮爲丹陽尹聞而悅之辟爲主簿政事多委焉梁臺建尚書范雲重捨才器言之於高祖召拜祠部郎時天下草創禮儀損益多自捨出累遷中書侍郎鴻臚卿時王亮得罪歸家故人莫有至者捨獨敦恩舊及卒身營殯葬時人稱之遷尚書吏部郎國史詔誥儀體法律軍旅謀謨皆兼掌之預機密二十餘年未嘗離左右捨素辯給與人汎論談謔終日不絕口而竟無一言漏泄機事衆尤歎服之性儉素衣服器用居處牀席如布衣之貧者歷太子詹事卒

唐、王昌齡字少伯江寧人有詩名登開元進士第爲秘書郎改江寧丞賦性鯁直蹈義而行不擇利害在邑亦有善政竟以不合貶龍標尉

劉太眞字仲適弱冠以行義修潔詞藻瑰異爲蕭頴士所知廣德中薦授左衛兵曹歷官禮部侍郎信州刺史

邊鎬　金陵人事南唐爲通事舍人以通敏稱保大初羅縣小吏張遇賢擁衆稱亂襲虔州節度使賈浩閉門不敢出遇賢據白雲洞衆至十餘萬唐主遣鎬監都虞侯嚴恩軍討之鎬與書生白昌裕定計刋木開道襲執遇賢獻于朝遷洪州營屯都虞侯二年詔爲行營招討從樞密查文徽率師伐建州師小挫唐主遣何敬洙等來援鎬與建兵方相持文徽使騎繞出建兵之後敬洙等與鎬夾擊大破之遂取建州又南取鐔州湖南馬希崇廢其兄希蕚而自立密表請援以鎬爲湖南安撫使便宜進討希崇出降已而希蕚亦來見鎬皆以禮遣舉族入朝時湖南饑饉鎬發廩以賑楚人大悅進武安節度使復遣經畧朗州令劉言遣將襲長沙夜入其城鎬狼狽遁他將城守者相繼遁歸湖南竟失坐削官流饒州齊王景達用兵淮南起鎬爲大將軍潰被執于

周唐及周平遣還鎬等卒于金陵

韓熙載　字叔言先北海人早負才名落魄不偶徐知誥受禪召爲秘書郎中主璟嗣位命權知制誥書命典雅有元和之風與徐鉉齊名時號韓徐契丹入汴晉主北遷熙載疏言陛下有經營天下之志

此其時矣若戎主遁歸中原有主則不可圖中主不能聽及周主有國用事者猶議北伐熙載以爲不可時廷議闇于事機果爲周師藉口遂失淮南熙載才氣逸發尤長碑碣他國人不遠數千里輦金幣求文宿直宮中賜對多所弘益後主手教褒之卒年六十九謚文靖葬梅岡謝安墓側

徐鉉字鼎臣先廣陵人十歲能屬文與韓熙載齊名江南謂之韓徐仕南唐爲翰林學士御史大夫吏部尚書居攝山棲霞寺西宋師圍金陵煜遣鉉朝京師求緩兵太祖以禮遣之後隨煜至京師太祖責之鉉對曰臣仕江南國亡不能死臣之罪也不當問其他太祖歎曰忠臣也以爲太子率更令太平興國初直學士院從征太原加給事中出爲左散騎常侍坐事貶黜卒年七十六李穆嘗使江南見鉉及其弟鍇文歎曰二陸不能及也鍇仕江南爲內史舍人而卒鉉好李斯小篆尤得其妙隸書亦工尺牘爲士大夫所得皆珍藏之有集三十卷又有質疑論稽神錄行於世

宋陳承昭昇州人爲南唐高安令有政聲歷保義軍節度使初太祖從周世宗南伐承昭爲都應援

使太祖遇于淮上擊敗之追至山陽北禽承昭以獻周世宗釋之授右監門衛上將軍建隆初入朝以承昭知水利督治惠民五丈二河以通漕運都人利之二年河成承昭言其壻王仁表在南唐太祖爲致書李景令遣歸四年春大發丁壯數萬以承昭董修鑿內河堤又令督諸軍鑿池於朱明門外以習水戰從征太原承昭請壅汾水灌城城危甚會班師功不克就乾德五年遷右龍武軍統軍卒贈太子太師

盧郢 昇州人好學有才藝膂力過人善吹鐵笛江南後主時試賦擢第一嘗代徐鉉爲文命筆於吏口授而書之鉉以文進後主曰語勢似非卿作鉉以實對郢由是知名後來歸累官南全守多著治績

盧鑑 字正臣以右班殿直爲鄜延路走馬承受公事李繼遷寇邊與總管王榮敗走之又與鈐轄張崇貴擊賊焚其積聚擢本路兵馬都監復出蕩族帳獲羊牛萬計尋爲都巡檢使徙利州都監李繼遷聲言石隰帳前有文曰天誡爾勿爲中國患鑑時爲承受入奏事眞宗問之鑑曰此詐爲之以欺朝廷也宜益爲備至是繼遷陷靈武眞宗思其言特遷右侍禁知儀州州有封勝關最險要繼遷欲襲取之聲言將

由此大入諜者以告有詔徙老弱芻粟于內地鍇曰此姦謀也且示虜弱搖民心臣不敢奉詔卒不徙已而賊亦不至再遷供奉官知利州會歲饑以便宜發倉賑民秩滿民請留詔留一年後徙知丹州累遷至西上閤門使卒

刁衎字元賓上元人初爲南唐秘書郎從李煜來歸授太常大祝出知桐廬縣太平興國七年應詔言事請禁淫刑帝悅之累遷殿中丞歷知婺光廬湖州以純淡和雅知名子湛湜渭孫繹約俱登進士

秦羲字致堯江寧人世仕江左父承裕建州監軍使知州事李煜之歸朝也承裕遣羲詣闕上符印太祖悅其趨對詳謹補殿直令督廣濟漕船太平興國中有南唐軍校馬光璉等亾命荆楚結徒爲盜羲受詔縛光璉以獻太宗壯之改供奉官決獄于淮南淳化中監與國茶務尋提點淮南西路茶鹽得羨餘十餘萬淮南榷鹽二歲增錢八十三萬餘貫改內殿崇班又兼制置荆湖路江南羣盜久爲民患羲討捕皆盡四年領發運使稍遷東染院副使明年廣州言澄海兵嘗捕賊希恩桀驁軍中不能制部送闕下時

以遠方大鎮宜得材幹之臣帝曰秦羲可當此任復授供備庫使充廣州鈐轄東染院使知蘇州改崇儀使提舉在京諸司庫務因對求典藩郡遷內園使知泉州天禧四年代還道病卒羲知書爲詩喜賓客士大夫許其蘊藉歷財貨之任凡十餘年精勤練習號爲稱職

洪湛上元人曾祖勳南唐崇文館直學士湛幼好學五歲能賦詩舉進士第通判壽州許州知容郴舒州眞宗時凡五使西北議邊要有文集十卷子鼎中進士官度支員外郎直史館

李琮字獻甫江寧人第進士調寧國軍推官州庾積穀腐敗轉運使移州散于民俾至秋償新者守將行之琮曰穀不可食强與民責而償之將何以堪持不下守乃止呂公著尹開封薦知陽武縣役法初行琮處畫盡理近邑民相率撾登聞鼓願視以爲則徽宗召對擢江東轉運判官築惠民圩四十里奏陳鹽法十六事行部按民田詭稱逃絕者命以戶部判官使江浙賦入甲它部會瀘南罷兵詔充梓路轉運副使琮到官納歲費備邊事瀘帥王光祖虐軍校相挺爲亂琮械繫告者付獄瀘人乃安璽書褒諭元祐

初以言者論左遷知吉州歷潞州州有謀亂者爲書期日揭道上部使者聞之懼檄索姦甚亟琮置不問以是日置酒高會訖無他名爲太府卿時游天經議以礬水漬鐵爲銅可鑄錢琮上疏極言不當以僞爲寶轉刑部侍郎陝西人張天經上書詆時政琮議如律忤丞相章惇意出知杭州兼浙西兵馬鈐轄又遷高陽關路安撫使知瀛州

上柱國隴西郡開國侯卒

陳克字子高金陵人不事科舉博學能詩呂祉帥建康辟置爲屬

張頡字仲舉昇州人第進士調江陵推官歲饑遣使安撫頡條獻十事活數萬人知益陽縣縣接梅山溪洞多蠻獠出没頡按禁地約束名猺人耕墾界官擢廣西轉運使時建廣原高順州將城之頡謂無益朝廷從其議坐事罷歸未幾進直龍圖閣知桂州入覲首言卿鄉者論順州不可守信然時有獻言者謂海南黎人陳破蓋五洞酋領與時盛强且爲中國患今請出兵効力宜有以撫納之命頡處其事頡使一介往呼之出犒以牙校喜而去詔問何賞之薄對曰荒徼蠻蜑無他覬得是足矣尋罷兵海外訖無事

尋知均州哲宗立還故職召爲戶部侍郎顗所歷以嚴致理踰年出爲河北都轉運使知瀛州湖北溪猺畔復徙知荆南暴卒

秦梓字楚材少有才名登宣和進士第授太學錄擢翰林學士出知宣州民詣闕請留進職再任再移湖州告老贈光祿大夫梓爲檜之兄檜當國梓惡其所爲自江寧徙溧陽呰有柳下司馬之目焉

王綸字德言建康人幼穎悟十歲能屬文登紹興第授崑山主簿諸王公大小學教授言孔門弟子與後世諸儒有功斯文者皆得從祀先聖典庠序修禮樂宜以其式頒諸郡縣二十四年以御史中丞魏師遜薦爲監察御史與秦檜論事忤其意師遜遂論罷之後爲中書舍人高宗躬親政事收攬威柄召諸賢于散地詔命填委多綸所草論奏守臣裕民事乞毋拘五條從之兼侍講高宗喜讀春秋左氏傳綸進講輙合除同知樞密院事金將渝盟邊報沓至宰相沈該未敢以聞綸率參知政事陳康伯同知樞密院

事陳誠之共白其事乞備禦朝論欲遣大臣爲使窺敵且堅盟好綸請行乃以爲稱謝使曹勛副之至金館禮甚隆一日急召使人金主御便殿惟一執政在焉連發數問綸條對金主不能屈九月還朝綸舊疾作力丐外除資政殿大學士知福州高宗解所御犀帶賜之明年知建康府兼行宮留守敵犯境綸每以守禦利害驛聞多從之三十二年八月卒贈左光祿大夫謚章敏

王雲起字霖仲安石弟安上八世孫治春秋學爲元澧州路儒學教授甚宜其官嘗爲湖廣行省考試官士論服其鑒裁後改旌德簿不赴以疾終于家所著有定林漫稿吳澂胡長孺序之稱其文有荆國平甫之風焉

元楊剛中字志行幼穎異力學家貧與兄敏中竭力以養內行淳篤行臺移治建康至者必禮其廬聲譽益振以省辟主江寧縣學擢福建閩海廉訪司照磨行李蕭然若旅寓者部使者至改容禮貌僚宷與之言必稱先生兩主文衡所簡拔皆知名士或以不及貢額爲言曰國家設科目求賢才可濫取以充

額耶丞相脫歡薦于朝召爲翰林待制兼編修官月餘謝病歸居家講學不倦所著有易通微說詩講義霜月齋集若干卷

王元吉金陵人年十四歲饑與兄行羅旁縣遇盜將刼之兄懼走匿元吉不爲動徐罵曰庸縣官使吾運粟許夫防我而不至若豈防夫耶後有粟車數十兩若其防後至者盜以爲然散去福壽在金陵盜陳也先潘甲聚兵數千自稱元帥聲言討賊索餉城下福壽憂不知所出元吉請見言曰盜兵悍甚此難與爭鋒公宜開城門陳芻粟若將饋之者而以好言詒之請一元帥以卒來取彼聞吾言莫測深淺主者必自來吾以計殺之而制其一人易矣壽從其言潘甲果自來執殺之也先遁去明興元吉噤不言世事隱醫肆中自給以布衣終

明陳遇字中行誠純篤實德宇粹然博學綜覽元末教授溫州尋棄官歸高帝定金陵搜訪人才御史秦元之薦遇宜備顧問上素聞其名御書稱中行先生以伊呂孔明濟世安民期之遇就召上與語大悅

遇亦竭誠委巳禮待日隆凡三幸其第命以官輒辭不受上卽帝位詢保國安民大計遇以不殺人薄歛任賢爲對再除翰林學士固辭被命使兩浙還稱旨賜金除禮部侍郎又固辭會疾遣醫診視愈入謝上稱君子者再召對華蓋殿賜坐草平西詔賞賚有加西域進良馬諫却之兩除太常卿禮部尚書皆固辭上曰朕不强卿以官成卿之高每進見陳說必根諸仁義人有過被譴皆力爲言上每俞允其優禮寵渥羣臣莫敢望嘗曰卿老矣有子可帶刀侍衛遇伏地對曰臣二子皆幼待成立以效馳驅及卒上親爲文以祭賜葬鍾山稱曰靜誠先生子恭仕至工部尚書

周禎字文典江寧人洪武初爲大理寺卿詔與李善長劉基陶安同定律令六部初建以爲刑部尚書廣東建行省以爲叅知政事禎至察屬邑褒循良凡有實政可紀者皆上其績會下詔開科預聘名儒以待考試後入爲刑部尚書三年以老乞致仕

夏煜字允中金陵人丁仲容以詩名煜爲高弟高帝定金陵辟爲行省博士調浙江行省鄱陽之戰

與劉基二三儒臣侍左右受命草檄賦詩橫槊中流助成大功云

王興宗上元人明初爲帳前親兵以材授金華知縣。廉勤公幹，甚得民心，陞南昌通判、嵩州知州。僉院任亮集民爲軍興宗曰元末世爵聚則爲兵散則爲民若皆爲軍稅糧何出奏乞止之高帝從之陞懷慶知府請減民食鹽米民受其惠朝京師上問養蠶種田官吏興宗亦在問中高帝曰府主公勤不貪不必問還懷慶未久特改蘇州知府政尚寛簡愛民如子吏卒有過諭之使媿赧旣改又獎勸之人皆感德不敢犯法三年遷河南左布政使赴京辭高帝賜宴賞鈔而遣之

杜環字叔循其先廬陵人父一元宦金陵家焉環好學重然諾周人之急常主事允恭其父執也死于九江家破母張氏老無所依投知交謝不納來金陵訪一元死已久環驚迓率妻子拜留家貧黽勉敬事如母母性褊急少不愜輒詬怒環戒家人順之勿慢如是者十年母有幼子伯章失所在念之成疾環以事至嘉興遇伯章具以語踰半載始來值環初度母子相持大哭家人忌之環曰此人至情何傷伯章

貧乏又度母老不能行竟托故拾去母疾增劇環事
之彌謹又三年卒將死舉手向環曰吾累杜君吾累
杜君願杜君生子孫賢如杜君言訖而絕環爲
治葬且時祀焉環後爲晉府錄事太常寺丞

楊勉江寧人永樂初進士文皇選曾棨等二十八人
讀書中秘勉其一也時勉年最少風姿俊偉詩
文取法漢唐諸頌贊歌詞春容典則出諸作者之右
授刑部主事治獄明恕有兼人才召對稱旨特陞本
部右侍郎坐事出後
叅廣東政八年而卒

丁璿上元人永樂初登進士改庶吉士擢工部主事
讁居潞河以修行聞起爲御史巡按徐州擒賊
首張晉祥衞輝盜起承命往治縛渠魁散脅從令復
業英宗嘉其能陞右僉都時麓川蠻叛召璿馳視至
則條上用兵便宜十餘事事定
陞右副都御史巡撫滇黔卒

李時勉上元人徙安福少有大志七歲小學四書皆
成誦成童即以四勿三省自礪登永樂二年
進士選庶吉士進侍讀上書言事構讒下獄踰年釋
之洪熙改元上疏觸忌諱上震怒縛至便殿命力士

以金瓜捶之折其脅幾死明日下詔獄宣德初上恨時勉觸仁考怒令縛來面鞫必殺之已又令王指揮縛時勉斬西市王指揮出端西門先所遣使者已縛之從東門入得見上上訊其故憐時勉忠直立脫桎梏復其官正統中遷國子祭酒訓勵諸生週其困乏恩義兼至王振惡其守正因搆陷之荷校國學門諸生石大用上章願以身代號哭闕下者數千人以故得解乞致仕去諸生泣送觀者塞途商賈爲之罷市明年聞北狩號痛上疏言選將練兵迎駕復仇景泰元年卒謚文毅成化中贈禮部侍郎改謚忠文

李莊字敬中父以功臣子尚大長公主拜欒城侯北征歿於王事莊年七歲襲父爵文皇朝納其誥券初未知書有勸之學者乃從劉原博遊襟度灑落刻意詞翰有所作人爭傳之年九十四無疾而逝

劉江江寧人勵志古學居澹自尚永樂十六年第一甲第二名授編修歷修撰聲譽隆起江不樂仕進自乞教職以閒散適意

姜濬字子澄江寧人工書仁宗在東宮召寫金字經洪熙中授中書舍人歷稽勳主事出守廣南府

遐方險遠濬開誠布公凛然嚮風晉按察副使督學政先是在中書時宣宗召對便殿命往南雍取監生之能書者濬翌日即就道至則四馬入太學與祭酒召六館生選之得十八人名氏關白禮部而後抵家年其親其愼密如此鄉里稱爲寡過君子云

李應禎名甡以字行力學淹雅尤尚氣節中景泰癸酉舉人入太學中官牛玉請爲塾師固拒之遷授中書舍人屢有建白荆襄流民相聚朝議恐爲亂欲逐散之應禎疏言民墾田築室爲定居逐之祗益亂耳不若因而撫之便後增置郡縣如其言尋直文華殿有旨寫佛經上疏直諫累遷南太僕少卿乞休氣宇嚴峻若不可親然喜交遊尤好汲引後進朋友死經紀其喪恤其妻子顧華玉稱其一介不取予文翰如銛戟利劍掉以淮陰之雄可謂介而文焉

王麟上元人宣德己酉鄉貢授儀眞教諭轉國子監學正擢四川按察僉事督學政隨改山東政聲稱最卒年八十有三

王濬字文通正統九年鄉試經魁任山東鰲山衛學教授鰲山濱海教法未備首以十事聞于朝有旨頒行天下爲武衛學式尋擢北雍博士以文學見稱天順改元陞廣西提學僉事以母老遂力請致仕

徐承宗之中山武寧王曾孫明太祖賜中山第于秦淮之濱楠曰大功坊世家焉承宗沉靜簡雅有祖風襲爵爲魏國公天順改元守備南京號令嚴肅宗族家衆罔撓法者內守備諸司咸敬憚之居十六年人未嘗見其坐立傾側喜怒橫發至今傳頌以爲得大臣之體

陶元素字希文上元人正統元年舉進士以親老乞歸養教授諸生不復仕天順巳卯成化辛卯歷聘浙江河南典鄉試號稱得人家居進士典試重其品也自少懷奇負氣好交結不附匪人晚益自重雖貧甚自守益堅未嘗干人以私自六卿以下慕其高風皆往造其門詩文渾厚典則卒年七十有四

顧儼字廷望幼負美質早從里師遊卽能詩賦工書法累試不偶乃教授鄉里從學甚衆正統中巡按御史齊公以經明行修薦于朝召授嘉興學訓導登甲科拜陝西道御史奉敕清理福建軍政察邊軍

詭名勾攝之弊罪其奸而雪其誣民始獲安沙汀民叛誅其首惡餘黨悉平陞廣東僉事時新會陽江有賊數萬儼提兵五千直搗賊巢斬獲無算幕府上其績儼在軍中不解甲者數月冒犯霜露以勞疾乞歸

倪謙 字克讓上元人正統四年進士第三人生有奇質奉使朝鮮手采凛然即席揮毫略不經意至今國中梓行其文天順初屢遷學士簡侍東宮己卯主試順天黜權悪之子誣搆謫戍開平成化初復舊職與子岳同日奉命入史館纂修英宗實錄進禮部右侍郎轉南禮部尚書乞致仕卒贈太子少保謚文僖

沈琮 字廷器正統十三年進士爲御史見所行非法輒彈治之母少紬出爲四川僉事時松藩地近蜀數嘯聚爲肘腋憂朝議以琮在蜀久威望素孚乃推副使往鎮之朞月遂下黑虎諸寨松藩平事聞賜璽書褒之尋乞休歸平生忠信好修恥以能自表見人人稱爲長者

金潤 字伯玉上元人年十二能賦詩正統間鄉貢授兵部司務才敏有識有言赤斤蒙古所産可資

戎器欲取之潤曰豈可使狄人知此遂寢已瓦剌
入寇上欲親征潤白于尚書鄺埜曰細事未可重煩
車駕又請于王翺胡濙力上疏不報土木之變潤言
于司馬于謙請堅壁清野以待之謙從其言軍國大
計每與諮議京師晏然擢南安知府政暇彈琴寫畫
賦詩以子貴乞休家居手製床幾十事號洞天十友
風神如仙壽九十
賦詩一章而逝

金紳 潤之子景泰甲戌進士改庶吉士授刑科給事
中同張寧疏論指揮門達竊弄威柄及建議力
言都御史王竑剛毅直諒可屬大事又言時政八事
多見采納歷官刑部右侍郎性狷介嚴毅門無雜賓
鄉里富室無一識者成化間江西大旱命巡視以
便宜行事至則休力罷征裁冗減獄境賴以寧

童軒 字士昂景泰辛未進士授南吏科給事中時貢
翠毛魚鱐諸物以萬計軒上疏止之又陳弭盜
安民數事多見採納蜀寇起命軒往撫軒遍歷賊巢
宣布恩威賊羅拜乞生悉遣散三原王恕曰公不加
兵而四境寧官至南禮部尚書致仕
家無餘貲卒贈太子少保賜祭葬

羅麟字仲祥，江寧人。性敏，善書。舉景泰四年鄉薦，以孝友著名，有大度。屢遷廣東參議部，有寃獄數歲不決，麟至，立雪之，竟抵誣者罪。麟性寛緩，及臨政擊斷，毫無撓滯，人益多之。子輿，有孝行。弘治辛酉舉人，輅正德戊辰進士，皆知名。

湯應勣字公讓，東甌王和之孫。少負才好使氣，爲應天諸生，與府尹不合，輒攘臂去。題詩學門，有從今袖却經綸手，且向江頭理釣絲之句。嘗在江陰，其縣令虐民，將受代，應勣率少年數人直入縣廳，反縛之，狀其罪，送之上官。上官大駭，并收下獄。凡數歲，會赦乃出。周文襄奇其才，疏薦赴京，于忠肅方督諸軍，立試之，摘古今將畧及兵事以問。應對如洪鍾，忠肅曰：此文武材也。入對，以爲錦衣百戶，後以單師力戰孤山堡，衆寡不敵，死之。勣負氣不能俯仰狥時，好詩，豪邁奇崛，援筆揮灑，如風雨，觀者奪魄。每就人席上，操觚立成數十章。

鄭禮字中夫，江寧人。舉景泰七年鄉薦，任襄陽府通判，有平寇功，當事者已具疏，禮固辭，進大名府同知課爲三輔最擢守南安郡苦水患禮欲發倉賑之監司難之曰未上請奈何以便宜行事禮曰待報而後賑民皆溝壑矣如以矯制罪守守無所恨事聞于朝亦不之罪郡故椎魯禮修學校嚴課程士風遂振以年老乞歸郡人至今尸祝焉

凌文字從周上元人天順元年進士授戶部主事進郎中以才幹保陞湖廣參議時湖賊呂總聚萬人擄掠文捕戮悉平蘄黃大饑撫按屬賑濟所活萬餘人平生謙重不事外飾以文學重于時子雲翰弘治壬戌進士知吉水縣邑素嚚訟雲翰示以禮讓民感化訟爲之衰陞金州知州未任歸卒

朱貞字惟正天順元年進士知磁州時中官取異魚民爲所苦丞以下率避去貞恐益累百姓乃禱于河魚涌至境內以安改鄧州至卽疏革陝西等處驛夫與州民更番走遞以甦土著成化丙戌襄盜起軍興孔棘將次鄧貞夙戒諸生有幹局者分主供餉士卒無敢以非禮加諸生民賴以不擾進四川參議督松潘儲飛輓有方宿弊盡洗且善撫禦西羌剽掠者不入境黑虎寨恃頑不服貞與總戎計平之事聞

行賞貞以老乞休與里中士大夫爲眞率會優游十有五年而卒

龍夔 江寧人戸部員外郎峭直不畏疆禦有祠官附權貴乞免家徭役夔執不可靑徐大饑受命往賑存活無算人以爲得富鄭公遺法以老致仕子雨龍泉教諭善詩卒年九十鄉里甚重之

李旻 字景陽江寧人景泰丙子鄉貢拜南監察御史公平廉明以風裁自持擢雲南按察僉事辨雪寃獄貪墨望風引去生平敦尚名檢居官循寒士家無餘貲鄉里重之

王嶶 字尚文天順庚辰進士拜南禮科給事中即疏五事曰親覽史書開言路重大臣選良將全内官時閹宦牛玉專恣大臣失職皆時所忌嶶劾奏剴切謫普安州判官考滿歸杜門不出弘治甲申薦起陝西左參議逾二年乞致仕年八十有三卒子韋另有傳

倪岳 字舜咨文僖公謙之子文僖奉命祠北岳夫人姚氏夢緋衣神人入室而岳生五歲侍父問曰天上更有天地下亦當有天文僖異之舉天順八年進士授編修進侍讀每進講敷古義陳時政言辭剴

切吐音洪亮上喜進學士擢禮部右侍郎晉尚書是時儀制如徽號婚冠大喪祧祫及奉慈殿制皆前代所未有多所擬定革淫祠正神號禁齋醮止胡僧請却西戎貢獅諸疏皆出手筆值遣祭靈祐宮金闕玉闕岳奏曰徐知證知詳唐叛臣之裔也祀典不敢議廢但歲時典祀一祠官之職耳宗伯何與焉遂爲令弘治中改南吏部尚書尋改兵部參贊機務岳秉正達變不激不隨百廢頓舉兵民倚重相戒不敢犯法晋都肅肅然適淸寧宮災岳條上修省二十八事上嘉納之轉吏部尚書奬恬抑躁不恤恩怨正色昌言干謁消阻除目每下翕然稱快或諷其甄别太峻岳曰冢宰職固如是也迨病猶手書薦稿竟不及家事卒年五十有八贈少保賜謚文毅父子得並謚文自公始

翟瑄字廷瑞與弟瑛並有才名瑄舉天順甲申進士爲奉化令有善政擢御史執法不撓進僉都御史巡撫山西有平賊功上賜敕勞焉晉左都御史尋陞刑部尚書數斷大獄多所平反雖徒杖以下亦詳讞時稱無冤民瑛丙戌進士讀中秘書出爲禮科給事中改兵科幷封事數十上于時政多所規切上嘉納

之歷太常卿以病乞骸骨歸瑛孝友眞實事兄白首相敬無異事父世稱兄弟之美必曰二翟云

沐瓚 黔寧王曾孫初以父蔭爲千戶優于謀畧精于騎射天順戊寅入朝會兄總兵官都督琮訃至上念沐氏世守雲南邊夷信服不欲以兵政更委他人遂召瓚至便殿陞右軍都督同知掛鎭南將軍印乘傳之鎭瓚承命感謝至則修飾城壘增貯廩庾興學校輯姦宄旣而祿谷塞叛霑益州賊阿賽與土官適仲相仇殺瓚皆命將討平之隴州蠻酋木梅罕賢爨冦思不法等爭搆刧掠瓚會集鎭巡請于朝相機攻守邊圉輯寧事聞賚白金文綺有加成化初移鎭金齒恩浹士卒化行民獠遘疾卒歸葬江寧

丁鏞 字鳳儀上元人成化己丑進士任南刑部主事歷郎中守興化嘗斷疑獄人以爲神性嗜學工詩尤愛佳山水多宿山寺不出則焚香一寓中左經右史頹然自適

任彥常 字吉夫童年游庠刻苦勵學天順壬午鄉試第一人成化壬辰進士授南戶部主事歷陞福建提學甚得士心弘治改元致仕歸八府諸生赴京奏保凡上十二章不報從容林下者十餘年

金章 字質菴上元人成化乙未進士令黄梅有惠政不事苛刻聽决催科率取式前令民甚便之擢南道御史章父銀表著高風有竹溪集同里張侍郎志淳贈以詩有竹比孤高水比清清高誰得似先生之句欸子冕孫清皆舉進士瀚舉人

潘珩 字重玉上元人父傑工部郎中珩少有文名領成化庚子鄉薦除九江同知改南康修白鹿書院置田五頃師生至今賴之歲饑發粟賑貸全活殆萬人改袁州革弊興利士民交頌焉

梅純 字一之一字損齋駙馬都尉殷曾孫幼穎拔多才以儒士領成化丁酉鄉薦辛丑登進士授懷遠縣清介自守與當道不合遂上章乞歸補蔭孝陵衛指揮使正德初陞中都留守未三載以母老乞致政生平嗜學不厭見奇書嘗解衣購之爲文博雅詩清奇出塵交友極謙謹性亦寡合篤信程朱所藏書皆手自抄校崔後渠嘗題其所書易解以訓諸子偶病預知卒期屬纊之際神氣清暇如常

王敞 字漢英一字竹堂錦衣衛籍少爲諸生有時名成化辛丑會試第三人授刑科給事中出閱四

川松潘諸鎮邊儲還上便宜請罷免建昌礦夫從之孝宗即位賜一品服使朝鮮卻女樂斥餽遺屬國重之歷轉通政司使凡有章奏置大匱列後堂親司其鑰胥吏無所容奸尋陞兵部左侍郎進尚書敞以邦政重任勤愼益至武功黄册舊藏内府例納賄乃得對勘敞請謄副于部以便選法提督戎政賜蟒玉値寧夏悖叛勢甚猖獗敞仰贊廟謨易置諸將逆黨伏誅以功加宫保廕子錦衣四川盜起敞請增諸要地兵備定賞罰條格所用總制大臣及諸將佐皆叶時望盜以平乞休歸居東山開詩社天性孝友事母盡養與人和易絕無崖岸而廉潔之操確不可易銓曹贈官疏特以清愼稱之

蔣浤 字惟深上元人成化丁未進士官參議性朴實孝友少爲諸生居下街口有樓二間誦讀其上及罷官歸猶居此樓杜門讀書人罕覿其面有通鑑綱目一部每閱一過即以一色筆評註凡數閱五色皆備字畫精好顧文莊曰前賢操履清貞矯矯人外即其終身學古無他嗜好亦足見淳朴寡欲之一端也曾孫尚彬力學服古事繼祖母繼母皆盡孝養歲貢入京未仕而卒彬子士瑋辛卯舉人

倪阜字舜薰一字東岡文毅公弟丁未進士選庶吉士授工部都水司主事陞郎中文毅公卒請于朝護喪歸友愛過人陞山東分守參政時地方多盜阜計擒首惡餘黨悉降改守東兗值廷遣勘地極力區畫民賴以安陞四川布政卒于岳州囊橐蕭然至無以爲斂其清苦如此

陳鎬字宗之其先紹興人以欽天監籍家南京少與弟欽俱有文名成化丙午同舉應天鄉貢鎬第一人明年同舉進士皆由郎署鎬山東督學副使欽廣東督學副使時人謂之兄弟三同鎬在山東成就學者甚多公廉詳愼登降之序皆自書之齊魯間言衡文者必首稱焉歷官副都御史巡撫湖廣欽在南武選時會武庫郎婁性被誣下獄欽奮身疏其寃詔并逮欽同繫者二年婁病篤欽周旋之得不死出知廣平周達民隱臨事果決百廢具修時巡九縣問民疾苦郡人號爲陳母

吳彥華字汝和江寧人成化辛丑進士歷戶部郎出守荊州郡故多水患彥華築堤二十餘里至今號吳公堤郡多流移彥華善撫字增戶口至九千有奇墾田四萬餘畝爲守七年進四川參政開闢瞿

塘三峽古道令人得陸行無風波之患事聞劉瑾以功不由己出悉械繫赴詔獄衆以賄免彥華獨坐黜歸瑾誅復官浙江布政以疾歸疾革語其妻曰我平生不愛錢今死毋以爲市遺命殮畢三日即出郡邑賻贈一無所受

劉蒼字伯春鷹揚衛千戶九歲嗣官十五歲入武學篤志刻勵每晨起讀將鑑一篇始進食通小學四書史畧七經諸籍又能書嘗得遺牒于道乃解戶所須千金部汝也蒼候其地三日其人乃號呼來覔蒼舉與之其人泥首請以數金酬蒼笑而不受自以位卑不克行其志乃擇師教子于時有趙經先生者亦千戶也明經而習舉子業遵禮尚志跬步不苟蒼以爲賢遣子麟師事之每獲折俸布帛必以帛進先生而以布自衣經念麟貧不受蒼曰不贄何以遣吾子麟卒成進士爲名臣經之父曰趙端蒼尊行也敦廉節不妄交獨敬重蒼一日與蒼過其家命家人具饌以食而饌不時具蒼退端怒欲出子婦麟時從學經家奔告蒼蒼來曰朋友與家室孰重以小故黜之如爾孫何端始解復具饌歡飲而罷其見敬禮如此

指揮吳英孤介自守喜蒼同志每從斷疑義及麟舉進士謁英英呼之曰善承爾父志無墨以貽羞否則雖官卿相吾不復見矣又指揮龔海于經爲前輩耳貧好學年七十矣擣藥以賣不二價好讀孟子每從經聽講必正講席而已旁聽之先後廿年中又有姚福張晟兩千戶福字世昌一字守素居近青溪有屋廿楹扁曰青溪精舍每遇俸入輒以置書諸子姪里中多從問字喜談不倦有求詩若文者亦輒應之著有風樹藁定軒集青溪暇筆窺豹錄避喧錄諸書晟字德齋嗜古好學能大書祖父二代未葬晟旣襲職即損衣食積官俸徒跣覔地日行數十里雖隆冬盛暑不輟乃得地近郊葬焉日手一編稍有所入即以市書不得不休著有明德攝生宗法理家諸圖說精易數及星曆之學

曾昂字廷瞻江寧人性勤敏弱冠始知學即籠蓋上人舉成化二十三年進士授兵科給事中時院判劉文泰誣奏太宰王恕出政府意舉朝莫敢頌言昂獨上疏摘其奸天下快之太監李廣駙馬都尉齊世恩怙寵奏奪民田下昂勘問悉還民間轉戶科都疏文武大臣不法事忌者益衆會李廣死賄賂盈籍

昻言宏罝諸饋者于法事連太僕少卿楊瑛瑛故給事中也遂撫拾奏昻下詔獄鞫訊無驗謫蒲圻令投檄歸語所親曰吾非薄蒲圻顧性戇直終不能俛仰耳尋復戶科給事中致仕與縉紳語及時事輒感慨悲壯未嘗一語及私

陳鋼字堅遠舉成化乙酉鄉試授黔陽知縣爲政通大體恤養惸獨民有無告者闢荒田俾墾爲巳業積穀數千石以備荒年民翕然以懷廼興學校謹禮讓黜俗居喪擊鼓羣歌歌且俚鋼知難卒禁也獨教以歌哀辭俗遂改沅湘水合流城下數壞民居廼治石堤幾萬尺水遂不溢縣南有道崖石險狹僅可容人跡辰沅諸路軍戍靖州者往往夜墮崖下鋼聚薪烈石而鑿之外繚以索行者賴焉秩滿當去民遮道泣留擢長沙通判修復岳麓書院士子絃誦一時爲盛以母喪歸遘疾卒

伊乘字德載吳人爲應天府學生勵志學問聞四明楊文懿公邃于易不遠千里從之舉成化甲辰進士授南京刑部主事員外郎管諸司奏牘擢四川按察僉事理冤抑活饑民討除劇賊三載乞終養遂

不復仕子伯熊正德丁卯舉人孫敏生嘉靖壬辰進士曾孫在廷嘉靖乙丑進士

强毅字致遠自幼異常兒母病癰且劇親爲洗濯中夜忘寢年五十貢入監登弘治十七年順天鄉薦授紹興府推官府有疑獄十數毅至剖決咸允人稱爲神明性戇直上官有反駁或論議稍不合輒與爭辨甚至拂衣而出以是見讓于當路在官兩載歸去後民多思之年八十三卒

都勝字廷美父忠以廕授南京羽林指揮勝年十五入武學讀書綴文與儒生等繼父官懋著聲績累遷都指揮僉事奉敕守備儀眞軍務嚴飭盜賊平息而廉愼詳密百廢俱舉民畏愛之奉敕備倭鹽徒金藩等犯嘉定上海聞之散去已而復乘巨艦數百欲犯江陰勝率衆捕獲之俘于朝漕運總兵平江伯薦勝克叅將協同漕運仍鎭守淮安乙巳山陝饑奉敕運米百萬餘石往濟之是年平江内擢勝代之三歲陞中府都督上疏乞休致卒于家

顧璘字華玉上元人弘治丙辰進士授廣平知縣陞南吏部擢台州府歷叅政按察右副都御史巡

撫湖廣陞刑部右侍郎尋改吏部會題陵肇工改工部左領山陵事進尚書歷任至南刑部璘融朗潤達精於吏理能激昂任事守開封時鎮守中官廖堂乃逆瑾黨子奪自恣璘每加摧抑不令得肆瑾誅廖罷去而錢寧用事王宏繼鎮尤諄謾氣焰讋人有司多屈節自容璘不爲禮有所徵需不答積忤宏矯詔逮錦衣獄吏問狀璘據理執詨抗言條對宏遣邏卒陰探郡中無所得乃文致他比以竟其獄獄成徙知全州及起撫湖南益事振植湖湘遐曠提封數千里撫臣尊重受計坐理而已璘軺車省循徧歷州郡雖偏疆下鄙莫不臨蒞跋涉險阻不少厭却故事巡歷所在必以藩臬守臣自隨璘悉謝遣軒車簡易僕從歛約供頓次舍才足周用民按堵不知爲勞所至勸農振業平繇復稅而摘伏省微軌迹彝易民用安集在鎮逾年多所建白首言地瘠民貧兵食不足而藩府賦祿無限後繼爲難又以湖湘控扼邊徼地大事繁御史按部歲一更代勢不得周欲乞添差御史分蒞河南北以廣詢謀所言凡數十事皆當時利病深切治理論者韙其言云顯陵之作經費不貲璘既長于料簡而程省費懈調發有制視他所營率損費十五

而功實倍之璘爲文不事險刻而鑄詞發藻必古人爲師詩矩矱唐人而劉芟陳爛時出奇峭樂府歌詞不失漢魏風格云璘子嶼字懋涵少年文譽騰踔督學蕭鳴鳳試鳳臺春曉詩唐初四子贊援筆立就蕭歎賞謂璘有子後以歲貢卒嶼子應祥亦以詩名

劉麟字元瑞千戶蒼子弘治丙辰進士外戚張氏驕横臺諫䴡律等歷詆罪狀上震怒下詔獄麟上疏申救清議重之授刑部主事轉員外郎出守紹興精核廉敏逆璀修郎署時舊隙黜爲民郡人爭致贐麟却之曰勤苦諸君吾治不逮前劉敢蒙一錢惠耶郡故漢劉寵所治既去越人肖其像爲小劉祠麟貧不能歸乃寓長興與孫一元龍霓陸崑吳玧相往還稱苕溪五隱璀敗起知西安父沒葬長興遂居濆南坦上因號南坦服除陞陜西叅政歲饑邊警朝廷遣貴臣督兵餉擬加賦麟獨不可曰靖邊本以衛民民可先困乎議遂阻而軍興亦不乏累遷工部尚書奏建節慎庫與臺臣同典出入歲一查盤自是財無濫用奏裁工部上供十四事請罷遣璫督造龍袍于蘇松中官憾之致仕家居三十餘年蕭然一室賦詩自

娛建安李尚書嘗訪之于峴山了無宿具以乳羊博市沽風雨瀟瀟欣然達夜好樓居而力不能搆用篾籃輿懸之于梁僅可引卧其上下收放皆自握之不用他人名曰神樓文徵仲作神樓圖遺之以壽終贈太子少保謚淸惠子牖以蔭敘官

羅鳳字子文弘治丙辰進士性峭直砥礪廉隅官南臺綽有風采出守兗州時屬車屢動傳言有事太山東撫欲額外征取以備巡幸鳳不應被劾改守鎮遠復忤巡方再移石阡乞致仕家居二十餘年卒年八十有餘博雅好古所蓄法書名畫金石遺刻多至千種工詩老猶勤書所著稿皆手自謄寫云

鄭巘弘治己未進士授江西新喻令居官廉正陞刑部主事歷郎中出守高州改南昌時宸濠蓄異志招巨盜閔念四等潛刼江淮巘捕之每事裁抑濠誣奏捶殺王府校尉購錢寧矯詔撫按提問濠令校尉鎖入府凌辱萬狀乃送有司濠反因械繫之于小船錮守之忽風吹船開見鄰船舊兵巘諭以禍福衆共釋其縛奪馬潰圍登岸一呼從者千人斬賊將范成等赴王新建軍門備陳賊勢烏合易破請速進兵

陽明嘉之授以兵四百名使巡守俘賊廿桂等三十四人賊平復任以訐直忤當道又與舊屬楊材爭道爲所誣奏侍郎吳廷舉給事中毛玉副都御史伍文定不平皆疏辨之上以瓛抗逆不屈又有斬獲功擢山東鹽運使子守矩有文名嘉靖壬子舉人令邵陽廉明仁恕以乏嗣乞休里居三十餘年神采不衰年八十有三

龍瑄字克温才名籍甚與丘仲深羅璟正陳公甫爲布衣交重然諾尚風義朋游有急竭力從事江湖間豪士每日過金陵不識龍克温猶徒行也自號半閒居士顧東江作半閒居士傳子霓弘治癸丑會魁官副使罷歸入茗溪社與劉南坦齊名有詩集行世

姚隆字原學弘治壬戌進士初令浙之新昌時旱民多流殍設法賑濟多所存活數辨寃獄有懷百金謝者峻拒不受陞主客司郎中出守荆州威惠並行明年大水人附高阜大樹日夜噭噭隆命人駕小舟千艘以濟之仍各給以米活者數千人是冬大雪殍者塞途又搭席舍于江岸以庇趂食者而于近境

爲粥以啖之活者亦數千人又明年修築黃潭等處決堤曲盡規畫雖工費數萬緡皆不取于民時取佛中官過郡從者殺人捕而抵罪中官恐以奇禍隆不爲變政績大著歌謠載道忽罷歸民皆扶老携幼攀轅號泣至不可前爲祠肖像以祀之歸家不入城府不道時事有田僅供朝夕處之裕如

張琮字廷憲江寧人文僖益之從孫弘治庚戌進士爲禮部儀制郎中孝宗不豫免長至賀東宮親王如故事琮請于尚書曰未有天子不豫而太子諸王受賀者時韙其議晉藩有奪王封者時劉瑾受賂琮執不可瑾曰一郎中力能勝尚書耶出爲陝西叅議奪者卽如請後謫琮爲濟寧知州改監察御史巡按甘肅時安化餘亂未息琮恤無辜而治有罪邊氓以安瑾誅擢按察副使累官至南京右都御史門可羅雀乞致仕卒賜祭葬子恕嘉靖壬午舉人官僉事以賢世其家

金賢字士希弘治十五年進士授給事中奉命勘兩淮重獄時閹瑾亂政諸司讞獄非取其意旨不敢決賢操三尺不少徇瑾恨之出守大名有政聲已而中忌徙延平毅皇轍遍天下所至不寧賢乃請老

不俟報而歸精于春秋病諸傳之舛乃以所自得爲紀愚十卷或問百篇行世子大車字子有幼負才名沉默矜重嘉靖乙酉舉于鄉父遺産千金悉予諸弟人有所貸每爲焚券博綜藝文非古弗程大輿字子坤高才困諸生脫粟不厭處之裕如各有集

王韋 字欽佩徽之子沈毅清介動準禮法性至孝奉二親禮恭氣和小心周愼如一日登弘治乙丑進士庶吉士念親老乞爲南考功主事南曹考察力持公論擢河南督學凡請托一切謝絕士咸歸心擢南太僕少卿時居母憂且病竟卒顧東橋兄弟選其遺文刻之名南原家藏集子逢元字子新亦能詩

邵清 字士廉江寧人幼有至性母卒時纔三歲置於別室淸號泣欲往視聞者異之長端絜好學壬子舉於鄉授江西德化教諭教諸生必以孝弟節義爲言束修問饋之儀無敢及門者乙卯秋山東巡按聘典試事志在甄拔才俊高下咸自主斷巡按素重其名不易也事竣即日就道有謁贄者拒不受藩臬交章薦之考上上選授監察御史教職擢臺臣自淸始也委督抽分豪猾射利隱沒者皆置於法正德初

戚晼張延齡恃恩奏人負券若干緡有旨與追清曰御史朝廷耳目之官可爲人索私債耶逆瑾擅政索清賄不入矯旨遣官校捕至榜數十罷歸家居閉門灌畦圃瑾怒猶未釋仍罰米三百石交親爲代償乃得足瑾伏誅廷臣追訟其寃復御史陞雲南按察僉事改廣西左江兵備乞休得允杜門謝賓客宗伯霍韜雅重清以所毁淫祠田餽清清不受疾革語其子曰爲已謹獨甚難又曰兢兢業業過此生務要保全無過至瞑目心始安耳

李熙字師文上元人父昊成化己丑進士以簡討改禮科給事中因黑眚之異力陳時事陞浙江僉議值水災寛民逋負熙弘治丙辰進士任將樂知縣拜南京監察御史事多執法鄉里有不悦者熙曰朝廷與鄉里孰重耶逆瑾擅政以言事械繫被重刑落職歸又以劾二府貪吏瑾見其故牒復行南京杖三十幾死熙在府獄人爲之憂熙方作外舅壽頌數百言人見之歎服不已嘉靖初詔起爲饒州知府顧華玉稱其玩無奇石器無精甆葢實録也轉浙江按察副使卒於官

梁材字大用舉弘治十二年進士授德清知縣以廉
介著稱入爲刑部主事折獄明審曉律令諸所
擬當皆麗情法逆瑾用事每以意生殺人材據法力
爭不少屈晉郎中改監察御史出知嘉興府調杭州
皆有惠政而在杭尤著始至適歲饑告濟者塞路材
語云五日即發粟以賑時倉無儲積人皆惑之材密
訪某鄉某人有粟若干斛皆得其實屆期材親至其
家曰汝有粟若干當糶半以銀償之即命賑其鄉人
事完以報一日數處皆遍饑民數萬即日皆得食無
侵漁留難之弊陞浙江按察使轉補雲南先是有土
酋相仇殺將謀變材至曰是未可治以中國法乃以
贖論土酋驚喜聽命御史難其太輕材曰不爾則變
矣後偵知酋果密調兵聞無他故乃止累遷戶部尚
書總覈財賦裁抑冗費條奏十餘事會計爲清未幾
致仕後以戶部難其人仍以材任適遇考察京官肅
皇素知材清正命監部院考察凡黜陟進退材議居
多是歲刑部有疑獄四事上命掌刑部讞之俱得其
情奏上上喜曰得尚書十二人如材者朕可無憂矣
在職六年眷注甚厚加太子少保竟以忤權貴罷職
歸家甫兩月卒隆慶初賜葬祭贈太子太保謚端肅

孫桂茂善八分書官臨安知府歸出積俸與兄均受不以自私鄉里重之

王鑾字汝和舉正德辛未進士試政吏部時流賊甫平鑾爲原治二篇太宰楊一清異之補文選主事秉公持衡不與人交接尋改考功節益峻朝散扃鍵自防人罕識其面晉驗封郎中武宗南巡鑾上疏力諫廷杖致傷踰年卒士論惜之

周金字子庚正德戊辰進士擢給事中都督馬昂進女弟奸謀叵測力諫出之人以爲難尤通達邊務歷陞僉都御史巡撫延綏宣府善撫將士得其心力宣府糧不繼衆大譟將爲變金肩輿撫諭之投戈解散徐治其渠帥而已邊告無事乞歸久之起撫圻內入佐本兵擢右都御史總督漕運章聖梓宮南祔始奉旨由江而諸護行大臣至儀眞議從陸衆知不可而不敢言金獨力言沿江山險路不可通且奉梓宮上下山阪恐有撼頓柰何乃從江沿江千里居民免伐樹廢屋役夫數萬人得無走死山谷者金之力也致仕歸卒賜葬祭贈太子太保謚襄敏子仕官至苑馬寺卿南嘉靖丁卯舉人常德知府清廉慈惠民

載其德孫維輔拔貢任平和令致仕歸讀書力善年登百齡卒

王以旂字士招江寧人登正德辛未進士授江西上高知縣時華林賊方熾數剽掠縣境而流賊復往來江上上高爲賊衝以旂團結鄉兵諸要害處遍置鐵蒺藜又聲言欲搗巢穴賊偵知不敢犯入爲監察御史巡按河南會宸濠叛鎮守劉璟與通謀倡言上親征道出汴取藏銀四萬兩備供應諸司莫可誰何以旂徐譬曉之曰大駕所經供應誠不可緩俟勑至圖之未晚事乃寢後逮捕璟藉其家僉服其見嘉靖時巡按福建賊刼安溪永春延及尤溪以旂度且犯福寧檄兵備禦賊謀大沮以親老乞養家居且十餘年父卒服闋起提督北畿學校歷官兵部右侍郎是歲徐吕洪涸漕舟滯不行遣以旂漕艘皆如期達京師汶上寧陽之間有水櫃四勢豪浸没詭獻德邸藉灌溉爲私利以旂上言水櫃以備畜洩河溢則懸河以入湖河溢則懸湖以入河遂任怨力復之至今賴焉事竣加俸一級擢掌南臺以風憲重臣居梓里舊宅在聚寶門外每歲時歸祀必由他道謂諸子曰昔張湛入里門必步此可取爲法也召入爲工部

尚書㝷攺兵部先是陝西總督侍郎曾銑議復河套奉命集議以旂謂套誠當復第區處宜預定乃條十餘事以上會嚴嵩惡銑有旨逮獄卽命以旂代之以旂聞命就道軍中務爲鎮靜明部位遠斥堠日休沐士卒而撫循之軍中皆願一戰不許甘肅關廂有哈密熟蕃留住種類日繁以旂恐爲中國患謀徙之關外繕室廬計口授田俾爲生計諸蕃聽命在鎮六年屢著戰功開誠布信邊境以寧疾作乞致仕卒于固原鎮邊民號泣罷市賜葬祭謚襄敏

顧瑮字英玉璘從弟也正德甲戌進士累官南刑部武選郎中故舊一切謝絕會有旨查冗員請囑不行明年謫知許州許冠帶邑多豪猾瑮治頗尚惠文而時時有所縱舍歷陞河南副使風裁益峻與部使者論事有不可輒封還移文同官駭愕瑮曰朝廷置外臺爲耳目枉法媚人吾不爲竟以是罷歸瑮高自負許恥諧于俗居官常俸外秋毫無取比歸家益窘昕夕不繼處之晏如臨街一小樓扁曰寒松訓蒙自給兄璘闢息園賓從如雲招之多不赴惟與一二鄰父典衣沽酒爲歡而已孫端祥字孝直以貢授汝

寧通判潔巳愼事嘗署府篆錢糧羨餘分毫不染悉備穀貯倉次年大荒賴以賑濟年餘七十猶手不釋卷端祥子夢游有詩名里人爲刊其集

謝承舉字子象上元人父知府芳有孝行承舉八歲賦詩有紫塞風寒雁叫霜之句人以神童目之長益博洽風雅爲文豪宕如奔流掣電書法米蘇棄舉子業自放于山水間每與客縱談古今詞鋒飈發一座皆傾酒酣賦述引筆疾書輒盡數紙暇則出遊諸寺談空習靜翛然塵表與任德友善德字仲修文學高古博雅能詩時又稱任謝云承舉子少南登嘉靖壬辰進士傳其家學

李重字遠菴正德辛未進士授戶部主事時芻粟皆中官預之重以清苦自持中官餽遺悉拒郤爲時所重明年督賦兩浙鎮守太監劉璟侵官銀至二十萬計欲厚有所餽冀鉗其口重正色曰與其遺我孰若爲民償所負以足國乎璟憚其嚴盡以所侵輸官歷員外郎擢德安府會有告宗藩郡校豪橫不法事悉窴如法以是搆釁至遣廷臣鞫之事始白謫官歸民哭送之戊子漕河壅用大臣薦起工部郎中擢

守九江進江西按察副使持法不能俯仰與上官不協罷歸與同里邵侍御清顧憲副璪志趣相同重清操峻刻鑒裁獨別好汲引後進官浙時拔鄭端簡公曉于稠人之中每以第一人期之鄉薦果第一後官南曹謁重于故里袖有所贈逡巡不敢露重詰之始云門生婦製一布履未知敢達否重哂而受之家法素嚴在任夫人置一耳環重取投之于水歸里後偶見僕人卧漆床問所自來僕對以隨任所得重大怒即責令負床還任所取縣收以復所居敝廬無以葺治值一卿貳來謁忽屋漏塵土墮客茶甌中重恬不爲怪卿貳改容盡吸之曰吾飲

公清德也子种嘉靖丙午舉人

陳沂　字魯南鋼之子五歲能屬句十歲爲詩文嘗著孔墨辨赤賓山賦人傳誦焉比長益博綜羣言爲文有蘇氏風登正德丁丑進士選庶吉士除編修與修武宗寔錄甲申與鄒守益楊愼等再論大禮乙西寔錄成進侍講每經筵進說必委曲寓規諷意世廟問宰執知其名忤永嘉出爲江西參議督賦諸郡民皆稱便進山東左參政按沂莒滕費察其災荒發官帑市牛給民耕墾歲則大熟又爲蠲馬種薪木運

布諸征凋瘵獲甦嘗按鉅野有羣盜謀刼縣沂偵知之調兵掩捕盜驚散改山西行太僕卿疏乞歸築遂初齋杜門著述絕意人事沂詩宗盛唐文出入史漢晚益臻理奧時大江南北稱朱顧陳王四大家

劉壐 字廷守龍驤衛人正德間擢江西都司時巡撫盛公應期知其廉明每屬以疑獄多所平反善政美意不一而足王文成總制江西一見重之巡按穆公相疏薦有僚友比之學官家人謂之窮鬼等語及推總漕運上識其名喜曰是前窮鬼耶亟可其奏壐奏增餘丁月粮以均勞逸定考課以裨軍政明漕規以一衆心疏濬江南河道以濟粮運折兌山縣粮米以免稽遲凡三十餘疏垂爲漕政良規郭勛方有寵囑市南物于運舟分載入都以網利壐不應以疾請告久之總漕非人復召壐竟以直忤當道罷歸

管景 字子山上元人嘉靖中貢入太學授廣信府檢校監司聞其才檄署永豐又署上饒適横峰窑民作亂監司檄景往景宣布威德作勸善懲亂箴以示之盜悔過多散去殺賊魁以獻餘悉不問民乃安爭塑其像祀于家遷布政司檢校嘗修上元縣志後大京兆葉公以府無志亦屬景爲之志成藏于府萬

曆間汪京兆宗伊重修之同景修志者徐霖劉雨也雨字潤之文最高古名更重于諸公志中雨筆削居多

何鉞字勳伯江寧人父瑄善天文鉞穎異不羣見曆算輒能通曉治詩入郡庠文譽蔚然登正德辛丑進士授行人奉使楚藩擢浙江道御史秉道直言不識忌諱時武廟欲毀民居爲演武場鉞抗諫得止奉敕清戎務閱軍器奉法惟謹剔蠧殆盡救建言下獄御史得末減出按兩浙擊貪發奸吏治肅然擢荊州知府賑恤饑民均給宗祿咸有調理調守常德釋禁併驛民困以紓致仕歸不妄交遊時庄居少入城市

司馬泰字魯瞻宋温國文正公之裔江寧人世業醫泰獨習舉子業有文名嘉靖癸未進士授南道御史按湖廣覈而不苛嘗疏論給事中陳洸太監崔文置於理憲度肅然條陳留都軍民利害七事最稱切要多見施行陞懷慶知府調嘉興再調濟南皆有惠政勘魯府事奏事十日而決特詔獎之爲郡人

所忌去官歸而閉戶著書築園種樹名曰懷洛不忘始也婚嫁遺孤子女內外十一人割產以贈弟姪無吝色著述最多

沈越字中甫江寧人嘉靖壬辰進士授羅田令吏事精敏令民墾山谷汙萊地千餘畝收流移附籍者一百九十七戶移平江縣羅田之民思之祀於名宦平江凋瘵號難治越視事精察善斷裁里甲費十之六七擢山東監察御史平江之民亦思而祀之巡按江西執法峻整以風力著稱時累朝多以恩幸得官武員冗濫京衛旗役冒替賄占不可勝數有旨命越查覈落職罷役者數千人疏四上必得請乃已嚴嵩當國意有所不悅以指授越越不應嵩銜之會甲辰試事發坐監試左遷出判開州遷衛輝府推官德安府同知以不能隨時俛仰竟拂袖歸年甫五十閉戶著書不與貴人接鄉邑罕睹其面布衣蔬水晏然自得年七十卒子朝陽以明經授池州教授績學該博著通鑑紀事前編嘉隆聞見紀

陳芹字子野十歲能詩嘉靖甲午舉人屢上公車不第乃往來攝山天台間選崇仁教諭時邑令峻

刑急歛衆大譁有二生素爲令所恨遂揭於諸司詛以鼓衆司牒提究芹執不發曰二生若以别情取戾則憲約有三等簿在豈肯輕縱今令長一邑不能禁民無越志而謂倡自二生芹司教事而坐視誣陷是不得其職也於理勢皆不可當道是之二生得免陞奉新令調寧鄉非其好也上書求歸起五柳亭邀笛閣于秦淮居家十五年未嘗履公庭談時政芹工寫竹罔作花卉山水皆入逸品結青溪社才思敏贍踈散自得

許穀字仲詒一字石城上元人父陞字彦明清修雅尚不事生産人稱攝泉先生與顧司寇王太僕爲布衣交足蹟多歷名勝所作蕭散有林下風穀年二十舉嘉靖乙酉鄉試登乙未會試第一人是年肅皇御文華殿親試進士入中秘穀對策論時務甚剴切讀卷者恐忤上意故抑之授戶部主事管倉務以清愼舉其職尚書梁材甚器之居三月調禮部奔父喪三年哀毀不出戶服闋補吏部文選僉謂其公而厚云任滿當陞因乞南就養遂拜南太常寺少卿改江西提學造士甚著聲譽陞南尚寶寺卿致仕家居

三十餘年四方遊宦至者無不慕敬每投轄欵之然竟不報謁或疑其簡毅曰林下當如是也平生坦蕩和煦不設城府人比之劉寛卓茂焉春秋良日引二三知已巖居川觀歌咏相樂有時奉母倘佯臺榭間子婦曾孫次第爲壽母年八十考終毅亦踰耆以白首盡哀遠近莫不嘆服毅登嘉靖乙酉賢書至萬曆乙酉舉人來謁尚矍鑠碧眼長頴白鬚飄然見者謂神仙中人年八十三卒孫天叙萬曆乙卯舉人官裕州知州有善政福藩之國各郡邑認派王莊裕獨以叙力爭免天叙子延祖延祖子岳皆以書名

陳鳳字元舉嘉靖乙未進士授南陽府推官郡有疑獄數案久不决鳳至原情核寔釋之人稱神明丁父艱起復補彰德擢刑部主事决囚多所平反省中故有白雲樓暇則與文學僚友眺咏其上稱爲西臺雅社歷郎中出僉憲江西改陝西聞邊警冒暑抵慶陽扶病經畫以勞苦卒

廖文光字士龍上元人父經四川廣安州同知有清譽文光嘉靖丁酉亞魁選清江令政尚廉明時分宜執政光擒其横僕於獄寘之法人多危之其直指特薦轉廣信同知郡有商被盗幾死忽若神呼

之盡告於廖青天商隨投告竟獲盜抵罪民益信服去有遺思晉戶部員外郎督揚稅餘羡六千金盡登庫陞工部都水郎罷官家居二十餘年嘯咏自樂卒年八十子希元隆慶辛未進士官至憲副

邢一鳳字羽伯一字雉山嘉靖辛丑進士殿試一甲第三人屢官侍講遷太常寺少卿一鳳修幹廣步才藻溢發工小篆求者屨滿致仕歸葺屋闢園一觴一詠人羡江左風流未墜云家居軫念民瘼撰縣碑備述疾苦及吏胥之蠹閭者悚然稱爲名言

殷邁字時訓一字秋濱江寧人少始受書即有志聖賢之學二十登鄉薦肄業南雍與江西何善山游聞陽明先生學又從少司成歐陽南野論道有當於心以爲非靜無以成學遂屏居山寺鍵關默養多所自得嘉靖辛丑成進士授戶部主事以病乞南改吏部進文選郎中擢江西左參議轉貴州提學副使中途感疾歸卻掃杜門一切世好如洗隆慶改元巡方屢薦除浙江提學副使進南太僕寺卿時僕寺法弛邁務張之釐革僱役冗名僞票諸弊著爲令辛未移疾懇辭賜休沐居里萬曆改元江陵當國以邁負

盛名欲引以爲重操江都御史王篆傳江陵意邁不應謂其子慶曰江陵横終當有禍篆非端人不可與作緣也久之進南太常寺卿旋以禮部右侍郎管南國子祭酒事累疏乞休得請時年六十有二自知逝期獨居一室戒家人勿前作偈云丈夫自堂堂脚底有元路撒手便歸家何曾移寸步焚香若假寐而終蓋幾於委蛇云邁賦性淡泊在官什三在告什七參證内典澄思靜照久而有省自言一日於幽獨中怳惚見其良心始知此心虚融周徧而身内有形之心非吾心也陸文定稱其坐鎮雅俗似房次律急流勇退似錢宣靖洞明宗要則楊次公晁太傅至其信道之篤不言而默成覰理學諸儒不知何如也遠近志於學道者必推白野先生焉子序嘉靖辛酉舉人孫薦亦有聲庠序間

張祥字元吉以貢爲泗水訓導中山東鄉試嘉靖辛丑進士初令鄢陵操法得民巨盜不敢竊發摧抑豪右緝歛惟謹入爲工部掌虞衡會報商人大戶多以賄行祥持正無所徇有夜賫千金爲壽者峻却之陞守萊州撫字流民駸駸復籍亡命匿諸島者時出剽掠祥備設法禁咸帖然受約束移楚雄郡饒礦

井之利毫無所染士官二姓爭印據理判決二姓毋
敢譁歷遷按察副使苑馬寺卿罷歸茹淡服素怡然
自樂執親之喪以毀瘠聞旣老事女兄惟謹曰吾不
逮事吾母事女兄卽事吾母也卒年八十有七孫蕃
博學能詩多識古文
奇字有詩集行世

張鐸嘉靖辛丑進士以翰林庶吉士授監察御史按
遼悉心經略規度要害請建沿邊諸臺堡又積
粟幾六萬餘斛貯遼陽預備倉以防兵荒後十年果
遭大水疫癘繼作至人相食賴此倉以濟人咸謳思
之祀
名宦

楊希淳字道南上元人幼岐嶷日誦千言爲古文詞
下筆立就年十四督學胡象岡試孔子惜繁
纓論詞辯川湧意爲宿學及見其幼更異之遣就海
虞錢有威學因得師唐中丞順之皆忘年敬禮之館
於梁溪華學士家嘗贈金百兩弗受比歸潛置其書
囊中道南登舟檢書見之卒回舟力却而去由是名
益著與同里李逢暘輩相切劘動以聖賢自待不肯
諧俗耿天臺督學南來聞其名首試以學莫先乎立

志論大加稱賞因相與講明聖學一夕忽大悟曰道在是矣由是與人論學圓明透徹直指心要素以方嚴稱至是益和粹人以方程伯淳云以補貢至京師歸踰年忽病自知期至爲書別知交談笑而卒

阮屋　字德載嘉靖二十年進士授浮梁令往令皆侵里甲以充橐屋悉罷之每禱雨賜輒應人稱神君入爲南職方大璫夏綬盜孝陵樹懼誅屋按坐如律授以重貲求解屋太息曰三尺法安在哉峻拒之出爲九江僉事凡事務引大體不苛細而風骨挺然卒中忌者言拂衣歸杜門著書年八十餘卒

沈九思　字天啓上元縣籍世父琮起家進士仕至蜀憲九思童丱卽有亢宗之志旦起侍兩尊人於寢問起居滌厠牏惟謹退則下帷伊吾中夜不休父病顲天請以身代而瘳嘉靖癸酉舉鄉試公車不第益發憤攻苦爲大司成呂文安公所賞羅母憂哀毀骨立哭三年不輟音後至京師感疾困甚謂友人曰吾生不獲祿養而又以死傷親心命也以諸君子之義俾得歸骨從松楸於地下則死且不朽亡何卒卒後三十餘年伯子鳳翔成進士爲蕭山令以廉能課最爲給事中淸素如儒者才品爲一時所重封駁

岳岳有

直聲

李登字士龍上元人弱冠入京庠以文行著時督學天臺耿公倡明理學擇諸生之俊尊異之以風多士登居一焉隆慶初以選貢克太學生授新野令至則重學校勵士風嚴考課值歲凶多設粥糜食飢者復置義倉改贖鍰令折穀以實之歲率爲常存活甚衆邑有水患爲築堤三成梁一而民免爲魚條陳興革俱切時宜民受其賜焉以抗直忤時改諭崇仁講明鄒魯之學有願學編寶唐語錄後家居三十餘年建講堂以集同志嚮學者戶屨恒滿遠邇人士莫不知有如眞先生云卒年八十有六登孝友出天性事父及兩繼母養生送死不愧古人視子姪無異情有產俱中分之精考六書之學直探其奧所著字學諸書行

於世

朱潤身字海峰江寧人嘉靖己酉舉人壬戌進士時嚴介溪當國欲招致門下先期以鼎元餌之潤身拒不應遂抑置二甲并罷是科館選授吏部考功遷雲南僉事士酋鳳繼祖執張僉事以叛潤身與

直指謀用間諜募死士指示方略繼祖授首被口語謫歷數任告病歸築室天闕山側蒔花木自娛至今手植滇茶猶存

蔡鋭 字抑之家貧養母盡孝端介不苟屢困場屋督學揚裁菴名知人閱鋭貢卷歎曰豈有如此才而偃蹇終乎果中嘉靖丙午鄉試選河南通許令卓有政聲入覲垂橐邑人醵金四十要於路爲餽贐固却之以不能媚上官遷杭州府學教授始至勵廉隅端軌範士憚其嚴未期月翕然尊信曰古君子也越四年竟以不能俯仰遷襄府紀善去之日士多裹糧相從至數百里外者立去思碑於學宮至今浙人猶稱之

梁楹 字汝直嘉靖丙午鄉薦歷湖州二守遷荆府長史致仕初令鹿邑廉愼恤民隱剔吏蠹遷守眉州州之玻瓈江源出岷水至武陽與邛水合江勢悍暴轉徙不常宋魏文靖守眉作蟇頤堰記以爲東流則病堰西流則病城截江爲揵而釃渠於東西之兩間城與堰兩利焉有明以來議者紛沓績用弗成城

益危楹至察水勢見與文靖合築堤斜截大江導使中流長八十丈有奇不二月遂成至今賴之

馬汝溪字誠望嘉靖壬子領鄉薦任慶元令歲值攢造溪曰大造繫十年利病可容奸胥私弊乎晝夜親閱纖毫不假踰月冊成當道賢之事載慶元志中受撫院檄禦甌閩劇賊李文標即率鄉兵左右之滅賊入覲過家遂謝不赴溪恬靜隱厚有陰德買城南瘞暴骨五年積千餘副嘗貸邵氏金無券邵没其家不知也必致還之居恒泊如不自鳴其善書法遍右軍卒年八十有二詩集行世

何汝健字體乾一字龍匡嘉靖癸丑進士仕至參議性寡交游惟喜奬拔後進如璞州之馮祿冀州之李再命皆於童識之爲之延師訓教買田供給復爲之延譽皆成名士再命與健之子湛之進士同榜馮祿聞公夫人死偕妻南來斬衰哭於墓下其感人之深如此湛之字公露萬曆己丑進士授戶部歷陞浙江參政乞歸才穎而雋雅談道釋書法遒美次子淳之字仲雅丙戌進士司李中州一時臺省監司咸倚辦焉召授御史移疾歸文雅風華詩畫雋爽强記尤爲流輩所推

王可大字元簡嘉靖癸丑進士初授刑曹時相欲陷人重辟可大執不可出補瓊州欽水自矢後海剛峰來南掌院嘗語其孫曰乃祖在瓊止飲一杯水吾甚敬之爾等無墜家聲轉台州知府與總兵戚公繼光禦倭馘醜奪還所俘甚衆罷歸閉門讀書門無雜賓世皆稱其簡貴

姚汝循字叔卿丙辰聯第知杞縣擢南刑部主事出守大名所至政多平恕郡故土城當河流之衝汝循伐石甃陶築之高厚堅實至今屹然因抵宦家子於法得謗當左遷遂屏居十年起桂陽同知遷嘉定州以事忤江陵意罷歸生平尚節儉喜施予親故貧乏者周卹之尤留心鄉井利弊有丁糧議詳載誌中

黃尚質字宗商嘉靖戊午舉於鄉授劒州學正監司知其賢延主省城大益書院旋聘陝西典試稱得士攝巴縣會妖寇蔡百貫作亂竭力捍禦郡賴以安改峽江令地瘠賦逋監司行訪每以微眚當巨憝尚質一無所開報驛有羨金歲暮輸於縣尚質令存以減來歲額泒山漁舉網得簏金千里豪誣以盜

漁人懼獻之官尚質曰此天以賚貧民也麾之弗視入覲里甲舊有餽金悉拒之萬曆初詔雪練子寧其遺嗣流爲厮養尚質多方覓得之復其姓立祠買田俾主其祀尋擢饒州別駕投檄歸居家敝衣糲飯一如居約時李逢暘美之曰不以身涉仕宦而二其操不以中更坎壈而變其塞今見之宗商矣

焦瑞字伯賢以貢授靈山令時一條編法已行十餘年有司以僻遠里甲之供如故瑞至首罷之民始灑然有樂生之望縣多叢箐羣盜嘯聚督撫檄推官劉某勦之被執將加害瑞率衆往援賊見驚拜曰此眞吾父母柰何犯之遽斂去乃救推官還嶺南仕者率取珠翠瑞一無所漁有牛稅沿爲縣用亦盻之庫縣産熊膽天竺黃花石諸物上司不時需索皆力辭終其任無取靈山一物者慮賊猶窺伺選壯丁訓練之以銀爲射的中輒賞之由是諸兵競勸賊不敢近課邑士月試加賞勵人人自奮權相柄國賦斂嚴急鄰郡縣爭爲刻深瑞歎曰吾忍以民命博一官乎移疾告歸先是督賦嘗出俸百金爲民代償去官未幾輸者滿額攝篆者盡以返之卒不納曰吾業已心代之不忍易吾心也歸之日囊餘八金半皆纍時射

的也卒於途聞者惜之

鄭宣化字行義嘉靖乙丑進士授袁州府推官潔巳奉公入爲南工部主事改南吏部服闋除兵部武選郎時王少宰勢傾朝野欲以其甥百戶冒襲千戶宣化覈罷之一日時相出片紙以錦衣某官掌衞事宣化固陳不可遂激其怒外調邵武守甚著惠聲

劉安節嘉靖丙午舉人正德庚午舉人劉紀子也紀任黃州府同知有惠政安節起家縣令歷任南工部員外郎榷稅蕪關恤商輕耗遠近稱之京兆詹公採輿論製主送入鄉賢祠

常信字國寶爲人孝友多藝能精考六書旁及繪事至靈樞陰符之書無不曉解嘉靖末以書學校士入彀者餼於官信爲首以印局使晉撫州府照磨太守胡公性嚴重察信可任事託以辦花園港有巨盜嘯聚行劫商旅幾絕兩臺以委信信詭爲日者服変入其阻圖上地形并所爲芟除建置策甚具於是擒盜魁十有三人道路無梗時信以幹局最於臨汝間聞母疾委于板歸甫兩月而母卒得躬藥餌親含

歛每至花晨月夕輒泣下沾襟以不復盡色養爲恨最後嚮耿天臺先生之學刻心究圖嘆曰吾疇昔所爲殊孟浪也寘心内觀超然無所繫焦太史漪園爲之傳兼序其集

金光初 字元予江寧人隆慶丁卯舉於鄉選奉新令鋤奸咸當其辜入覲卒於京邸同年焦太史王尚寶醵金歛之橐中裁七金其政平恕不爲赫赫聲死而後以廉見

李逢暘 字維明爲諸生時大京兆喻時延以教子逢暘以師道自重出入未嘗左顧見者肅然戊午舉孝廉京兆實薦之逢暘弗善也絕不謁謝喻亦不介意時論兩賢之性至孝母没哀毀骨立啖蔬處外三年悉如禮隆慶戊辰成進士時方選庶吉士當道屬意焉固避弗就乃授戶部主事改儀部郎奉命遣祭楚王事竣郤其贐友人楊道南病親視湯藥或謂宜少避者不從楊卒未浹旬亦卒年僅四十素性篤於踐履不事空談嘗語所善者曰學校風俗所關須厚自待世間兒曹態不足慕傚也見耿天臺然後

心服曰吾曩來毛髮動止皆非是又曰吾不聞學得爲古之矜者止爾今而後知學之不可已也吳司寇合楊道南稿傳之

朱衣字正伯號杜村嘉靖甲子舉於鄉辛未謁選臨淄令邑多逋賦乃令里各置櫃自投民皆樂輸賦更早完調房縣房故巖邑訟牘塡委令多被訐衣至斥訟師鋤强猾月完積案七百有奇民乃懾服邑有巨堰爲豪彊所據擁水專利侵害民田衣多方疏築歲灌千餘頃邑人便之遷守沅州將離任會礦徒作亂督撫檄衣率民兵治之聞命輒往下令執鐵者賊空拳者民不得妄戮乃獲亂首誅之餘黨解散沅有防兵以缺餉爲變衣聞報曰非反也迫於饑耳先遣牌撫之定期給餉而亂息擒其首四人置之法爲郡守所忌遂歸儲名書畫古玩蒔花卉以娛老工於詩詞子之蕃別有傳

吳自新字伯恒江寧人隆慶戊辰進士授工部都水主事出董呂洪河道審擇便利杜乾沒之奸罷無名之費補營繕司督工大內程材授精宦官毋敢侵漁其間擢守杭州杭故難治剔蠹除奸不少貸

有廢勲匿重犯於家自新執其黨論犯如法郡有豪宦當大辟監司屬意寬之不聽有寃民累歲不决廉得誣狀立破械釋之織府金巨萬前守多利爲私槖自新一一檢核歲省數千緡杭人曰昔金陵梁尚書以清正著今復幸有吳公矣備兵温處核軍實杜吏弊汰冗并海防肅然案牘盈前一見立解尤精於法律能令老吏震慴進布政使久於其地益諳機宜歲積羨金悉充兵餉歲歉賑䘏有條全活甚衆以右副都御史巡撫河南時宗藩驕横自新選其俊彦爲宗學長始皆斤斤奉法會陳卒以餉不時聚而囂立逮首事者誅之咄嗟而定陞南刑部侍郎卽與諸司約謹官箴愼交與簡聽斷數十言共遵行之視篆兩月疾卒次子汝璟癸卯舉人曾孫樹聲登康熙甲辰進士

顧國輔字惟德祖以幼孤鞠於張遂蒙其姓登萬曆甲戌進士由刑部郎中出守襄陽晉浙憲副始請復姓性孝友奉親色養備至伯有子弗能養曁張氏子貧並優贍之終其身居刑曹清愼時江陵當國同舍郎疏攻之張並銜諸同舍屬當讞囚國輔有所務釋江陵不允乃抱牘而質於江陵江陵無以奪

之始入襄屬久旱首倡便宜賑濟大雨如澍歲尋五稔中州流民就食者數萬多方活之且資遣歸郎卒叛詈制府毆監司襄卒聞亦思逞國輔召將士諭以大義皆屏伏任浙憲治兵海上繩諸將之耄而貪者薦其才而勇者署考郡邑吏旌賢汰否務核實不以文致傳能聲會爲忌者所中調守寶慶數月卒於任伯子起元別有傳起鳳庚戌進士南鴻臚卿起貞辛酉舉人戶部郎

張後甲字丁也萬曆丙子丁丑聯捷庚辰廷對賜進士授辰州府推官多所平反有士人爲豪右所陷文致成獄後甲亟釋之後成孝廉又奸民手斃其女誣人陷大辟後甲爲昭雪一旦免十年之繫五開戍卒戕長官後甲捕渠魁置之法黨立散陞戶部督御馬草塲盡法釐弊中貴憚之監榷清源司餉雲中皆有能聲補工部郎時以營建徵木後甲引繩程度商不能欺中貴無所肆其欲晉四川按察時征播之役客兵經過所至驛騷而後甲轄境獨得安堵引疾歸童孺時父病疽爲吮其血成人後母病瘍籲天悲禱長跽終夜既貴盡以舊產讓兄自奉泊如而每急人之急瘞骼至千餘人皆以德讓稱之

叢文蔚字豹卿弱冠攻苦淡泊明志登隆慶戊辰進士授烏程令居官廉勤一介不取鋤奸輯盜恩威並濟邑有巨惡合縣交訟潛以三千金饋峻拒不受又賫金至江寧家亦無染指遂成定案後文蔚疾延醫惡以重利賄醫行毒遂卒卒十餘日醫與惡黨同謀十九人俱死合邑以爲神建祠供奉崇祀名宦

焦竑字弱侯父文傑衛千戶生平伉直不欺振武營兵變羣起攫賞文傑按劍戢所部無敢譁還吳主簿所寄八百金仍護歸其喪人稱盛德竑生而端敏六歲時從師登觀象臺嘆曰天濶如此人乃蔽以垣撤之則六合爲一矣稍長好學博覽耿天臺先生視學南畿深加延接最爲高第萬曆己丑殿試第一人除修撰南充陳文憲公疏修國史意耑屬竑竑爲具凡例體裁又爲經籍志兼輯諸名臣家乘稗記爲獻徵錄雖正史未竟修而一代鉅典犂然略具爲東宮講官每講必從容叩擊願殿下垂賜明問咸服竑之善導云時太倉以元子冲齡典學當引以圖史故事竑遂采輯成書繪圖演義名曰養正圖解具疏上

之同列忌之丁酉北試上眞原推兩宮坊而用竑忌者益甚摘士牘一二奇語以爲壞文體調外竑歸杜門著書學者仰若山斗其學惟以性命名理爲極而濟時御變咸中窾要丁酉三殿災甚竑走京營帥臨淮侯所令集營軍以救侯以無旨難之竑曰請旨與調軍並發可也得旨而軍已集及倭入朝鮮中外爭言戰欵竑曰倭不習中國閩浙人導之耳燕人不習倭也何導之從無張皇搖人心居一年倭遁去楚宗人戕殺撫臣詠讉徵調無寧日竑曰此尺一可解耳巳而果定他如江南浦口要害語守臣修築堅城以固藩衛句曲將開河直達白下竑謂都城陵脈所關不當輕開事乃止其决機成務類如此所著有正續集筆乘類林刊行其藏於家者尤富子尊生周並有才名周癸卯舉人季子潤生以廕叙仕至曲靖知府殉國難孫絅

官戶部主事

朱之蕃字元介號蘭嵎杜村公之子治舉子業搦筆立就萬曆乙未殿試第一人明年春會試之

蕃爲同考試官錄許獬等十有八人皆知名士人服其衡鑑云加一品服奉使朝鮮遇屬國君臣嚴重有

體有以翰墨請立揮付之事竣盡却餽贐擢右諭德掌南翰林院事晉南禮部右侍郎以丁内艱後遂屢召不復出生平奉親盡孝既貴悉以遺田推與弟辦同産子女之婚嫁改卜叔可怡之吉壤其餘周濟未易更僕搆小桃源於謝公墩之比往來寢處無他嗜好惟是鼎彝尊罍法書名畫既病猶寫字賦詩不輟將革呼子從義語之曰人生聚則成成形散則成氣一去來間耳悠然而逝家無餘貲

顧起元字隣初萬曆戊戌會試第一人殿試一甲三名由編修累官吏部左侍郎清修自尚望重朝野時座主沈蛟門葉臺山素器重之方欲引以大拜起元避居遯園七徵不起友人題其小築曰七召亭起元學問淵博凡古今成敗人物賢否以至諸曹掌故無不留心口陳指畫歷歷如覩接引後學孜孜不倦稍有當意稱不容口因以有成者甚衆通籍三十年立朝僅五載大用未竟士林惜之居家絕跡公府惟地方利弊如兵部快舡改馬舡絕衛弁之科索兩縣坊廂準里甲爲條編皆更定良法軍民皆便有妄言復舊以便其私者起元力爭之乃止門人有巡鹺兩淮者念其清素銮諭鹽商以重貲求其寸禮起

元堅郤之曰素不爲也所居遯園古松怪石曲徑廻廊天然逈韻不假修飾嘗自題像云誰爲太虛生此罔電其脫蹤縈利蓋有本矣

何楝如 字子極號天玉湛之子楝如姿性超越年二十舉萬曆戊戌進士授襄陽府推官大獄多平允値苗亂板角關楝如簡練士卒遣將王一桂立縛如雞雛遂以知兵名後璫至襄民不勝忿爭揭竿起繫稅監及其爪牙畫擠之江時京師訛傳楚官民繫殺璫上怒遣緹騎逮全楚臣首楝如下詔獄四年會星變赦歸光廟初起南兵部職方主事以韜畧自負慨然請纓思立功塞外加太僕卿行邊贊畫會失貴人意復逮繫詔獄拷掠備至無可坐乃坐募船糜費四百金戍滁陽崇禎初昭雪脫戍籍歸南大司馬范公景文將擬推轂會疾卒嘆惜以爲未盡其才云

陳忠 字南塘家貧有膽智膂力絕人能浮江面游百里嘗於神烈山擒兩虎由是知名投開府李公麾下李公以倭警治兵偶宿廟灣關王廟忠宿別帳忽夢中示警急呼所部巡至廟倭方於廟前放火乃

折廟垣救李公出郎集四路兵與戰斬級七十二李公始重之復於牛王河與倭戰倭以奇兵襲其後忠曰事急矣負公渡河且戰且走始得脫李公感之書渡河圖以紀其勇後隸胡總制梅林幕下一日方布陣倭躍武挑戰梅林撫髀曰得猛將衝之其鋒可挫也忠挺然請往梅林即以所乘馬與之白鎧雙刀直入倭陣旁如無人萬賊辟易梅林大喜揮兵繼進遂獲全勝又於通州逐倭舉鎗刺一倭奴於牆餘倭驚遁凡百戰未嘗少挫由卒伍歷官參戎稱名將云

周暉字吉甫上元人髫年補弟子員數舉不第即棄去舉子業博古洽聞爲鄉里所重焦太史稱其腦饒韞蓄性好編錄吟咏自適不求人知蓋博雅君子也曾以所著山中白雲一卷寄顧少宰極爲嘆許有金陵瑣事正續十二卷多載萬曆以後故實郡志多取資之

陳舜仁字淳甫上元人少食餼膠庠大京兆少泉汪公重其才命修府志與盛敏耕陳桂林沈朝陽共効編纂而董其成萬曆已卯登賢書癸未成進士授衢州之江山令簡静明察民俗改觀丁艱補授

泰和俗稱難治省訟謝請戢豪剔蠹諸如均賦役清保歇賑饑窘民皆勸紀於萃和書院治邑五年民愛戴如父母而上官嫌其侃直僅量移大理評事歎曰吾不能媚人於邑安能媚人於朝哉遂移病歸年八十三

姚履素字允初上元人萬曆辛丑進士授刑部恤刑湖廣多所全活差竣於漕河道中舉一子乏乳鄰舶有婦聞而代乳即楚因之蒙釋者也陰德之報巧值如此陞廣東憲副兼督學政爲海忠介公申請廕子平抱繇羅峒黎賊事畢乞休優游林下葺市隱園居焉以民役苦繁與丁清惠公商榷立房號得僱役定爲三則民以樂業

鄭宗化字尚德上元人以明經爲滁陽諭延集多士置講席四時不輟學者宗之稱明台夫子性至孝居巽母喪終制未嘗見齒遊於耿恭簡羅明德焦文瑞之門顧少宰目之爲黃憲可想其風概矣子元厚字載之博雅方正有父風曾遇異人授以道術病者求其導引撫摩法簡功倍然其秘多不傳

卜有徵字虬岩江寧人中萬曆庚子鄉試授山東昌邑縣令歷任六載値水旱頻仍流民載道有徵倡先賑濟分設粥厰冬施絮襖全活甚衆考天下清官第一例應行取吏科祁公疏言東省連年災傷賴縣令卜有徵多方救濟一旦内轉東民如失慈母乞就近陞遷得旨陞平度知州未任得疾卒是日平度州民見有徵冠蓋入城隍廟中因肖其像以祀

程國祥字我旋上元人起家寒素受知於焦太史澹園舉萬曆甲辰進士清愼不阿初授確山知縣調光山政簡刑清民間有半升之謡謂聽訟明決來訟者所食不過米半升也歷陞考功郎中掌計典矢公矢愼數遷至南總督倉場侍郎解官無守納之艱軍丁無留難之費至今誦之晉禮部尚書以重望拜東閣大學士憂國奉公天性簡淡布衣蔬食出入里中多步行一蒼頭自隨而已身後至不能舉火子上字雲扶好學敦友誼有夌雲集藏於家晚年食貧以明經卒人多惜其才

李克愛字虚雲登之孫天性誠篤以孝著時彦多從授經弟克恭字虚舟皆有夫子之稱卜居長

千里之西與李義人張興公論學賦詩號南郊三老義人名尚志一字何事負經濟才兵農典禮以及奇門遁甲之秘無不深究孝廉王亦臨常集多士開社中林堂延尚志坐臯比講經義四方來聽者屨相錯也亦臨豪爽倜儻爲詩超遠筆無點塵極爲凌公義渠余公颺所稱賞興公名基宿學淸才器識過人尤勤於性命之旨以餘技爲舉子業都人士多取法焉

余大成字集生祭酒孟麟外孫也立以爲嗣孟麟父光號古峰淹雅長才嘉靖壬辰進士拜御史進所撰兩京賦宣付史館著有古峰集大成生有夙慧困童子試者十餘載未嘗以家世通於有司有司亦不以遺任公子爲恠萬曆丙午丁未聯捷授南京兵部主武選典壬子滇試稱得士歷職方以忤璫削籍崇禎初特旨加尚寶卿仍任職方加太僕卿綜理邊務具有條畫值京師戒嚴大司馬被逮大成獨力任事中使宣傳相繼不脫冠帶者百餘日事平同太僕前後二十餘載四任職方御批淸執二字褒之陞山東巡撫值登變與防撫孫元化並逮廷臣白其寃謫電白後以追叙其肅功除伍歸籍搆竹西院於馴

象門外長齋奉佛壬午夏示寂
次子二聞知襄城縣著廉名

王堯封 字華嵩萬曆癸未進士授戶部郎出守南昌
以恤民興教革弊鋤強為先而尤於人材加
意晉守滁州州民苦丁糧重多逃亡時值編審極意
釐剔減下戶舊額十之六其他亦減十之三民乃歸
業精於法律嘗言明豈能盡奸要在執一實以御百
虛法豈能遍有罪貴於刑一人而萬人懼歷政皆以
廉能稱戒子弟曰吾家世淳朴勿習於澆世清
貧勿汚於利世讀書勿荒於嬉人以爲名言

俞彥 字容自號仲茅萬曆辛丑進士性至孝少有奇
才年十二補博士歷試數十從未居第二人十
九與恩選貢北雍思親歸省不欲與試又十年庚子
以親命赴舉北闈成進士即告請終養搆園亭花石
以娛親時兩黨搆煽超然不滓積學著書得古樂府
不傳之調推繹摹繪彙刊成帙居鄉操清議樹雅望
爲時楷模十三年養志終起家樞部晉光祿少卿以
耿直不容於時出守彝陵擢南兵曹尚書郎直道不
易遂不仕詞采風流至今傳誦所著少卿集古今
樂府三冊山海經圖考金陵圖考諸書行於世

黃應登字徵甫一字少龍尚質公子少下帷攻苦爲焦顧兩先生所知萬曆中以貢謁選浙江德清訓導陞福建侯官教諭轉廣西府教授端廉愛士多所成全生平行己無媿授徒賣文以養親如獻徵錄列卿紀京學志皆與修纂顧少宰嘗謂吾鄉儒林著述之工而且富自澹園先生外未有踰徵甫者其推服如此

卜履吉字訥齋江寧人萬曆戊戌進士性至孝早年喪母言即淚下至老不忘歷官福建兵備副使攝籓臬篆二十餘年始爲泉州理刑法不妄加查盤通省活人甚衆稅監高寀開礦厲民一時士紳廬墓不保履吉毅然具䟽以聞先禁黨惡璫燄稍衰因與衆約以千金助其礦稅使之出境闔地以安至今祠祀之部舉天下清官第一年八十卒

楊名世字沂水江寧人少負文名以歲貢三任學博所至教化蔚起課士而外靜坐手一編至耄不衰歸里八舉飲賓年七十有九卒孫士元順治辛丑進士

黄鉞字長白萬曆辛丑武科第一人歷官南京左府僉書都督僉事生平功績在粤東渡海征黎平抱由羅活諸峒在南水陸營渡江禦蓮妖保護淮鳳在黔領專勅征安酋繫破酋定織金大方諸寨提問優賚解印南還遂家金陵少孤事母孝事伯兄如父祿入悉周宗族不爲家年七十八年

王之藩字南衡江寧人爲人慷慨好施重然諾篤友于兄某領官鏹采銅於荆襄留滯踰年耗其貲株連者衆藩毅然鬻産得千八百金以輸官當事義之弟某病疽危篤醫禱百端卒不起撫其子若已子初仕陝西籓幕権税潼關課額之外行槖蕭然攝華州篆平反訟獄出贖鍰釋淹繫者數人人皆感泣年八十餘子潢以孝廉謁公車力請終養人兩高之

歐陽序字維禮江寧人能詩詞工篆籀究心理學與焦太史交謁選福州府幕太守耳其名獄訟多令訊決兩署閩與侯官篆不妄刑一人不妄取一錢嘗蠲俸以償贖鍰持平而釋大辟郡人德之爲立祠罷官歸結茅於姑塘之麓終老焉序弟廩亦能大小篆以詩畫名官松潘通判

薛應和 字子融，江寧人，萬曆癸酉舉人，授長洲教諭，遷成安令。故事，催徵多取羨於民。應和至，曰：我拜朝命父母吾民，而爲民盜乎？敢犯者懲無赦。已而有崔守志者，徵加羨以進，應和恚甚，追給民而寘志於法，民曉然知其廉，奸胥無敢肆者。屬大比，應和分較，榜首出其門。有所取士張嶙者，豪於貲，修贄過腆，變色却之。值應和入覲，嶙復托其親友先於所往盛裝槖以待，應和拒之曰：我蕭然行李，豈不足貴，乃以是辱我乎？嶙自是不敢言。丁艱歸，遂不復出。應和既清白無長物，而見義必爲。故人叢太守母死，爲傾槖經紀其事。有里人某某貧不能殮，皆任其喪葬。而應和之卒，則遺命薄殮云。

陳元慶 字允嘉，乙卯舉人，任滁州學正，陞上饒知縣，不赴，挂冠歸。元慶性孤介，不耐圭組，喜讀書，善談名理，有說詩解頤之趣。年未三十喪妻，遂終身不娶。每晨起禮佛誦經有常課，行道上見片紙隻字必拾而歸，既滿簏則焚投江中。愛飲酒，家貧不能繼。年七十三。子大韻，夙慧多才，早卒。

王芝瑞 字鍾淑，中萬曆戊午亞魁，猶弱冠。崇禎辛未成進士，授行人，轉禮部郎。故事，宗藩襲封必由儀部申請有郡籓當降授將軍而請襲王封者以三千金爲壽曰但乞具文上他無問也瑞拒之駁不許襲政府呼瑞謂曰今上方篤親親子當具文吾爲若成之芝瑞執不從時荆溪再相芝瑞故爲所取士會銓部缺人荆溪欲以瑞改補瑞辭之甚力拂荆溪意或問之曰銓部要地人所幾倖不得者彼力嚮子子何辭焉芝瑞曰相公自出山來所行甚不厭輿望而好與羣小謀必敗乃公事吾去之恐不速乃以四川督學行未幾聞國變掛冠授生徒死於粤西之端州梅菴僧雪憨藁塟菴側子焉字杲青别有傳

湯有光字孟彂先世溧水家於上元萬曆己卯鄉科歷瑞州知府爲政以撫字爲先不事苛察嘗曰吾奉命出守爲民非爲名也朔望至學宮延見諸生講說經義一夕夢郡有火災竭誠齋禱明日闔境共見火星南飛得免於災事載郡紳所著去思碑中致仕歸年八十三卒

謝杞字君舍江寧人天啓辛酉舉人就教元城陞廣坊司直謫外督學粤西見諸生講書襲成說者輒痛斥之曰觀書須求心得柰何泥成說乎爲文亦當自

出心匠所謂篤實而有光輝不可寄人籬落下也識張翀於諸士卒爲名臣所取稱得士杞至縣諸生欽其名裔執經問業者無虛日杞和易近人不事敲朴而賦額克辦署隆安篆却例金以抵欠餉民困以甦去官之日士民攀轅醵金助行李杞一無所受邑人爲立祠祀鄉賢載入粵西通志

倪嘉慶字篤之一字樸菴江寧人幼即篤志砥行有出世之思登天啓壬戌進士官戶曹時議裁驛站嘉慶執奏驛站乃朝廷一大養濟院也游手強悍之徒不肯爲兵不即爲盜者皆賴以存活今過裁之若輩消歸何處是腹心之患也不從未幾闖獻之禍果熾理新餉值楊閣部嗣昌以增兵辦急請加餉嘉慶曰今日之患不在兵少而在餉多餉多則農病農病則民貧民貧則挺而走險者益衆不若簡練士卒減餉裕民以消盜源之爲得也嗣昌啣之繼忤執政誣以豆案繫獄七年危坐研易究心釋典毫無怨尤嘗戒子弟曰君恩置我爐鞲鍛鍊凡根得休歇地凡下石者皆我善知識若以冤家視之則誤矣壬午獲釋猶擬遣戍臺省交章薦部逡巡未復隨罹國變甲申春調銓郎改戶科給事中未幾薙髮爲僧稱笑

峰庚子夏沐
浴跏趺而化

黃楝字伯隆弱冠食餼郡學督學熊拔冠一軍數奇不偶四中副車府聘修神宗光宗實錄自書門聯云兩朝太平文獻四科幾捷風流舉明經試廷元授烏程學博入浙闈復中副車撫軍特薦陞鄖陽别駕異數也時獻賊蹂躪荊楚楝以捍禦成勞告歸舉鄉飲大賓著有觀鶴堂集行世孫之中有名邑庠

孫石字介臣上元人宿學有盛名以歲貢不仕抱道靜居砥礪廉隅時人擬之百尺孤松石同里同社有廖傳生孔悅張彥先一儒孔悅太學生博聞強記學有獨得海昌許同生棄官隱華陽招之偕隱嘗棲止祈澤龍泉之勝晚年持律修淨業後人或見之茅山柏枝左右相傳以爲尸解一儒性孝友淸外父之遺貲爲立嗣絲毫無染父死喪葬大事獨力襄舉不累兄姪由明經爲廣文時攝邑篆値天旱苗槁步禱得雨邑以有秋崇禎乙亥以保舉徵考授邑令未選以病卒於燕邸當病劇時猶圍爐拈韻不問家事云

常延齡 字喬若開平王十四世孫伉爽有大志旣襲侯封遇事敢言前後條陳利弊疏凡十二上皆切時弊上深眷之嘗請巨璫王裕民籍產上命查給蓋異數也時科臣姜埰行人熊應霖以劾首輔下獄延齡疏請釋二臣而以文彥博救唐介爲輔臣勸朝論避之禍王立後屢疏不用卽掛冠去爲僧號蒼谷居村菴中傍無傔從灌園自給時或不免饑寒處之晏如死無以爲殮友人白大生胡星卿等醵金襄事乃克葬夫人徐氏魏國愛女也食貧如飴躬操井臼辟纑而食荊布不克毫無怨尤人以爲難

孫自修 字無修江寧人天啓甲子鄉薦授陽江令遷貳大同感時亂忽盡遣愛妾棄家祝髮巖棲谷汲縛茅於人迹罕至之處顏曰懸溪菴嘗擔柴負重以自給其子間關往省勅斷家事以學道讀書相勉而已交遊有識其面者避去不顧識者謂自修生平兒女情深而一旦拔出愛河徑登雪嶺毫無沾滯眞足重也甲午示寂菴中

張文峙 字紫淀莊節公弟流寇震驚鳳泗范大司馬景文參贊留務詢防江戰守之策文峙臚陳

古今畫地聚米撰南樞志一百七十卷上之莊節痾難徒步逆其喪中年坎坷貧甚倍篤友誼甲午年屬疾告其弟可度曰晚年讀楞嚴般若悟成住壞空之理病中有神告我是身清淨勿以感懷錯亂任運往耳弟可度字季筏至性孝友不避險阻晚年棲心禪觀大有証悟卒於閩之客舍神識不亂自為行述

賈必選 字徙南上元人萬曆已酉鄉薦歷官戶部主事筦西新倉時巨璫總理兩部復遣其黨分伺六倉必選盡黜陋規在濡不染璫爲稍歛會同官倪嘉慶以屯豆下獄先是已巳城守羽書旁午典守者或有脫誤顧事在七八年前與嘉慶無與且收支俱清實無他弊必選知其寃既攝篆雲南實司此案遂不顧時忌據事直陳謫九江幕遷桂林司理既而嘉慶事得白起用必選亦陞南工部虞衡司未任丁父艱歸即杜門不出講學著書者有年晚歲失明取架上書令友若孫讀之必選憑几諦聽爲辨析折衷口授筆錄成帙至午夜不休日非是不樂也所稱耄期好學至死不倦者歟卒年八十有七

凌世韶 字官球江寧籍崇禎甲戌進士授福清知縣不事催科上官屢徵賦不應曰朝廷令吾牧

民耳鞭朴非吾事也坐謫汀州經歷署寧化縣縣境邊海民操土音不可解凡以納課至者胥執爲盜而奪其有民莫能辨韶知其弊痛懲之民乃得至公庭積逋爲之一清遷處州府推官擢戶部以忤時去甲申後棄家爲頭陀居半峰菴有貴人持百金介密友求爲其父作墓銘世韶揮去之曰腕可斷此等文不可作也其介性如此嘗手評晞髮集深心懸解見者有郭象注莊之譽及卒巾鉢蕭然幾不能歛僉曰此亦晉淵明也請私謚以文陶

陳丹衷字旻昭崇禎癸未進士少事母以孝聞爲文閎奥自成一家詩原本離騷出入少陵長吉而歸于比興工書能畫中進士後請纓自效有志未遂著魂遠遊賦以自傷晚年一意禪悅有蕉渣稿二十餘卷

沈向字翼薇登萬曆乙卯賢書授巫山令是時獻賊出入楚蜀所過郡縣多失陷而巫山爲全蜀門戶獨保全無失奏最擢御史多所糾覈奉命巡漕悉釐諸弊會左帥跋扈單騎往以十義曉之後南都奔

潰當事急欲薦用以母老力辭遂隱居不仕年八十餘而卒

陸朗字闇先崇禎辛未進士授中書舍人凡誥敕當給者不待請囑榜于朝房唱名以給清望素著懷宗聞其名問漕事條對利弊甚悉稱旨又上治河一疏與翰林汪偉議論相合擢第一補戶科督浙漕催儹有方畧以內艱歸服闋仍補戶科督視湖册鼎革後遂謝病歸里投林二十年自處儉素而于昆弟子姪分宅給產親支婚葬悉力以助事關地方利弊侃侃直言當事採納輒有成效年七十卒有文二集行於世其奏疏詩稿藏之家

蔡屏周字明藩萬曆乙卯舉人授浮梁令時魏璫勢方熾巡撫揚邦憲檄屏周建祠屏周終不應已謫開封郡幕名改樞曹以知兵出守大同屏周特疏請覲會內臣張彝憲總戶工二部事責覲蒲伏賫册屏周獨不為屈遂以璫怒調歸卒跡不入城市卒年八十有五

胡文若字元美天啓壬戌科武進士守羊角堡先是軍中乞假輒收其月給文若但薄治之給糧

如故以是得士卒心已已京師告急勤兵入衛事平晏賚加等入提督南京標兵本兵議裁士卒鹽菜艮文若力持不可事得寢解職後築冶園奉父爲歡一弟早卒文若撫猶子如已出嫁兩孤女皆厚於已女鄉里稱其孝友云

王潢字元倬其先浙之龍游人其曾祖西谿來遊南雍因家江寧父南衡任陝西藩募攝華州守多惠政潢少穎異弱冠爲督學熊廷弼所首拔士自是名籍甚中崇禎丙子鄉試先是戸部郎中倪嘉慶薦于朝以賢良徵不就三上春官不第念世亂親老侍養賦南陔詩以見志人稱之曰南陔先生親沒皆哀毀踰禮遂絶意仕進雖處貧約口不言財賄足不一涉通顯之門楗戸觴詠自娛名高行潔四方之士仰焉其詩古文辭原本六經粹然出于至正著有南陔集行于世

黄日乾字聖因七歲喪父哀毀如成人事母至孝九歲能屬文即以第一人自命父明經藏書甚富乃發篋悉取置几案晝夜繙閱不倦出就童子試大京兆取第二忿甚及督學試果取第一且謂能開

拓萬古推倒一世云館閣諸名公相繼臨南雍聞其品望競相延致每一藝成無不歎絶家貧有徒自給泊如也丙子舉于鄉至四壁亦非所有或百以多金求其關白者即怒絶之兩赴公車不第賫志以没時方強仕士林共惜之所著有葵窗近藝行世子其代登丙午賢書有文名稱濟美云

周文煒始祖匡宋進士世居白下金沙井後徙櫟下遊南雍交天下士謁選暨陽簿凡不便民者力爭于令由是與令忤文煒嘗夜出聞女子泣甚哀鞭朴隨泣聲下詢之乃吳興輿人北里朱某以計購之逼與蕩子夜合女誓死不從日撻之文煒乃置朱于法白直指遣役吳輿名其母以女還之有婦妬妾榜掠備至加以炮烙立斃令屬文煒往驗乃懲悍婦擬以非刑殺人論死人皆稱快子亮工崇禎庚辰進士

吳瑞改名之琦字省予晚號安素先世宜興人生平質直尚義人咸敬之少攻制舉業徙居金陵前輩如廬陵蕭公伯玉清漳何公黄如毘陵張公二無相與爲忘年交其課二子也夜分不寐非六經孔孟不以訓廸子調鼎蜚英上庠調元中丙戌鄉試筮仕穀城有愷悌君子之稱刺涪陽拮据在公佐莆郡清

操自勵視漳篆飲氷茹蘗蓋得家教爲多云之琦年逾八十淹貫內典將屬纊神志不亂正襟而逝調元所著有同歸集及公餘劄記行世

國朝李敬字聖一中順治丁亥進士授行人考選廣西道御史多所建白出按湖廣丘燹之後請免租稅改折黃絹民皆便之身至行間犒師征賊有功歷陞刑部左侍郎和衷詳愼出入稱平丁內艱歸以哀毀疾卒著有學詩餘

陳嘉善字伯敬性孝友勵志學問繼母鄭氏苦節嚴以教之嘉善承顏順受無異言士論多之交友樸誠表裏如一登順治己丑進士歷官分守金衢道叅政以廉惠著聲卒於官旅櫬還南至不能卜地云

胡順忠字將美順治己丑進士掌　特恩以隨征加級授潯州知府招集流亡頁贍官鹽帶行軍儲告急以鹽易米用濟軍需兵免庚癸之呼民解腫痛之疾舊例太守掌搉稅順忠悉委屬員不欲以美

滌纖塵再任南安郡以瘠當衝首汰陋規私派雜項一槪不行地方安堵郡有虎患作驅虎文焚逹城隍三日内一虎裹被授首解皮骨于虔臺崇邑白面黑身神虎亦就捕咆哮遂息又郡有主荒田限屆交納順忠申文開墾起科民賴生全鼓勵士氣人知向學旱魃步禱立沛甘霖丁酉奉
温旨致仕離任之日紳士攀轅泣下歸里後清淡不異諸生手錄經史傳後著有通鑑述要名山採訂讀古憶昔訓孫編等書年八十以無疾終

郭亮字卧侯順治丁亥進士初授隆德縣令省倉庾繕城堞釐奸剔弊舉卓異行取戶科屢陞工科都給事凡封章入告多中時宜轉授西寧監司歷任荆南川西値歲大旱首倡賑濟全活數萬人養士愛民終始如一歸里後敦友愛篤知交著述尤稱極富

錢源字伯開崇禎丁丑進士授東陽令嚴禁火耗終其任無敢易絕贖鍰剔飛詭訟清奸息更値奇荒勸糴積粟民無流亡特陞兵垣改革後補授湖廣塩道攝臬事持法平允後致仕歸養源父名自強曾

舉鄉飲大賓人有奇金于其家者病不能語自強怪其久不來取急持金還之鄉里稱爲長者云

羅必顯字揚廷應天府學生中副榜必顯當孩提時事親即甚謹父没遺產悉以與弟而已不取讀書山寺爲一時經師門下生成名當世者甚衆幼拾遺金棋立以俟其還友人楊慕齋以其居陋遺二百金爲卜築必顯堅辭不受也暮年爲善益切凡施棺掩骼諸事悉爲倡首不遺餘力人稱爲連花長者其治舉子業甚精至髦不倦每一藝成里中爭稱之年八十一卒易簀時云有絳紗燈來接微笑而逝人皆聞香氣滿堂康熙十七年鄉紳士追念遺風送入鄉賢祠子德御增生以子貴封御史年八十舉鄉飲大賓著有偶吟集諸孫秉倫癸丑庚常改御史内陞現任大理寺丞

叢天奇字帝閣邑庠生爲人端方嚴正進退周旋必依于禮又復和氣近人人皆敬而愛之年十五割股愈親事繼母曲盡孝道母亦視猶已出略無間言鼎革初豫王召撫揚州即授揚州大守天奇以迂拙力辭強之不應命優豫王深加擾禮焉于書無所不讀而尤精于易所著有願學堂文十餘帙生

徒請業者屨滿戸外咸謂之叢夫子子克敬登丁己賢書孫潤澍等試輒冠軍焉

史允琦 字奇玉上元人幼而孤事母撫弟咸有至性能爲平反歷任山西提學道秉公而明多士頌之卒于官祀入名宦

吳繩 字天一原名儀潛爲府學諸生試必冠軍督學金公蘭司城項公煜皆以國士待之繩爲人淳篤誠一而其爲文則峭刻深細不相似也年三十五喪偶終其身不二色生徒前後從遊者幾千人多成名俊凡督學撫軍行優廣文先生輒以應命撫孤侄樹聲成進士設教古死官寺中雖至耄年談經析疑午夜不倦卒年七十有六盛德篤行學者奉爲師表焉子履聲登巳酉賢書

路汝前 字進公以拔貢授江西龍泉令邑屢經殘破城無居人汝前下車招集流亡勸建學宫民漸復業順治十一年山賊王打鐵潛窺邑城汝前偵知之密捕就擒自是山賊多引降者賊既定邑尚苦荒糧前令乃并荒賦于熟民不聊生汝前特上書兩院備陳情狀屢受嚴駁力争不已得允題免三十餘

萬而部覆久未下已兩院復議徵荒又力請更題時兩院已非前題允荒之人遂以鐫秩罷官後順治十六年荒糧卒得准免歸里卜宅隱于青溪孝侯臺之西享年七十有五子三長明向次鵾次端向

蔡祖庚　字蓮西順治乙丑進士授甘泉令爲民請捐逋賦永著爲令民戴其德兩奉　温綸不次陞擢入爲戶部主事時奉　旨三十大府需保舉用少宗伯李上爽棠舉祖庚擢太原知府以艱歸再補眞定兩臺交薦進臬副備兵通薊又補左江道特旨改補遂堅卧不起年七十卒于家

白夢鼎　字仲調諸生時以文名于時爲當事者所重戊子貢入　京師辛卯領鄉薦庚戌會試舉第二人折卷秉衡者恨不置第一授大理評事司江南案平反得宜時奉　旨舉博學宏祠稟溪魏公以鼎應有學問博雅才識老成之語擬授吏部會庚申補福建鄉試

皇上親擢主考得解元曾炳等三十六人稱盛復命疾卒于浙人皆惜之以爲未竟其才云

葉丹　字天木登順治丁亥進士起家華陰令招撫流移綏靖奸宄畢尤異入爲兵曹以部員巡方兩

浙興利除弊崇廉黜貪民有神君之稱後改南昌太守清操重望德惠及民致仕歸里悽心禪悅足跡不履公庭年六十八卒于家

王瑞字魯生選貢第一人康熙卯辰鄉會聯魁文章原本經史有古大家風選庶常授檢討奉詔纂皇輿表稱旨分校禮闈取十一人號爲得士聲名籍甚父廷弼字右君歷任嶺南道攝臬事卒于官時瑞年甫十四母董氏數千里外扶柩歸故土焉

吳樹聲字周旌江寧人登康熙甲辰進士癸丑選陝西略陽令蒞任甫數月値滇逆叛亂軍書旁午略陽當孔道供應大兵收支糧草督造戰艦水陸大驛竭膏枯髓憂瘁成疾猶力起視事竟致危篤臨終惟惓惓以封疆未靖爲念絕無一語及家事合邑百姓哀號動天如失父母時康熙十三年七月二日也漢中守劉目擊其事申請督撫題䘏以守臣盡瘁國事竟致殞身與死疆場同例應給廕贈以示風勵云子惟碩爲邑諸生痛父旅櫬遠在數千里貧不能舉殯還里方在匍匐以俟恩命聞者莫不爲痛心

焉

阮士鵾　字扶雲康熙癸卯鄉試考授府教授事母以孝稱母病且篤凡三月目不交睫衣不解帶禱以身代恍惚間如見絳衣峩冠者爲掖起曰某孝廉但去汝母無恙矣母病果漸愈年至八旬先嘗家貧讀書夏則置一磁甕于案下夜着足其中以防蚊噬冬則置一木鞠時踏動之以代火甎夜攻苦尤澄心易學自登賢書從未足及公庭晚年自號嘯庵卒于家子兆雄舉明經

方至　字克諧上元人萬曆戊子舉人鶴齡曾孫也鶴齡令永康有惠政至中順治戊子副榜第九人旋以恩拔入都　廷試第五人授推官改知鞏縣不挈妻子單騎就道不匝月訟簡刑清邑有真父母之謠上官事必諮焉因勞戚疾遂卒于官妻葉氏聞凶問誓不欲生思子幼泣血撫孤易簪珥親紡績青燈課子鄉黨稱稱苦節云

吴一儁　字慰先號鍾麓至性孝友敦本尚質游太學討繹經史偕諸伯仲同事鉛槧相爲師友順

治庚寅豫章初定中丞念餘朱公延入幕府至卽條上十餘事如禁旗厮伐河撇革浮稅招流亡諸凡善政皆出經畫時四郊白骨林目如麻悉解橐焚瘞教子若孫一本詩禮爲宗晚年益力善行賑糜施棺卹無不爲康熙癸亥春制府及府縣修復鄉飲酒禮葢爲數十年曠典矣僉舉以應其請人士爭歌咏焉卒年七十有五長子睿思舉明經讀書制行博雅和易諸子皆克世其賢聲

路汝楫字多盤年十四而孤事母盡孝登順治乙酉賢書授浙江新城令省刑寬賦以丁酉科同考被謗歸獨坐一樓徒四壁立閉門却掃者十八年惟日起讀孝經一週至老不倦年七十卽以遺命付諸子喪祭之禮勿溷浮屠葬則祔于親側殉身但用孝經一冊而已年八十卒

以上上江

吳唐固字子正句容人也父翔爲丹陽太守因家焉固修謹博通文史吳主權甚重之見固輒斂容陸遜張溫駱統皆拜固其爲名流宗尚如此黃武間位僕射所著有國語公羊穀梁傳註時方尚攻伐謀勇而固獨以儒自業講授常數十人

晉葛洪字稚川句容人少好學家貧躬伐薪以貿紙筆夜輒寫書誦習以儒學知名性寡欲無所愛翫不知棋局幾道樗蒱齒名爲人木訥不好榮利閉門却掃未嘗交游時或尋書問義不遠數千里崎嶇冒涉期於必得遂究覽典籍尤好神仙導養之法從祖元以其術授鄭隱洪就隱學悉得其法焉兼綜練醫術凡所著撰皆精覈是非而才章富贍晉太安中石冰作亂吳興太守顧秘起兵討之檄洪爲將兵都尉攻冰別率破之遷伏波將軍冰平洪不論功賞徑至洛陽欲搜求異書以廣其學洪見天下已亂欲避地南土乃參廣州刺史嵇含軍事及含遇害遂停南土多年征鎮檄命一無所就後還鄉里禮辟皆不赴元帝爲丞相辟爲掾以平賊功賜爵關內侯咸和初司徒導召補州主簿轉司徒掾遷諮議參軍干寶深相

親友薦洪才堪國史遷爲散騎常侍領著作洪固辭不就乃求爲勾漏令帝以洪貪高不許洪曰非欲爲榮以有丹耳帝從之洪遂將子姪俱行至廣州刺史鄧嶽留不聽去洪乃止羅浮山著書言黃白之事名曰內篇其餘駁難通釋名曰外篇自號抱朴子因以名書年八十一卒顏色如生世以爲尸解云

許謐句容人少以博學知名仕爲郡主簿王導蔡謨辟從事皆不赴後官至散騎常侍

馬樞博洽經史爲當世宗尚邵陵王綸鎮徐州引爲學士甚被知賞太清之難避居茅山以文籍自娛陳文帝徵爲度支尚書辭不赴樞少屬離亂行義人所欽仰凡所居處盜賊輒不犯人爭附之依止常數百家有白燕一雙巢于庭樹甚馴狎春去秋來幾三十年時人以爲異

唐許叔牙字延基句容人貞觀時遷晉王府叅軍事弘文館直學士邃於詩禮獻詩纂義十篇御史大夫高智周見之曰欲明詩者宜先讀此牙子儒字文擧高宗時爲奉常博士長壽中歷天官侍郎弘文館學士封潁川縣男同時有劉子翼劉裔之與叔牙齊名

許淹句容人幼多識廣聞精于訓詁與魏横公孫羅皆以博學名家

宋胡則字子正由進士仕至禮部尚書祥符中監鑄咸平錢有吏匿銅數萬觔捕得繫獄株連甚衆則以身賠償不科其罪全活數百人

明戎簡句容儒士多讀書有智識太祖既平陳理簡入見語及陳氏事簡曰主上向敗陳氏於九江其衆既潰何不乘勝直抵武昌而乃引還今雖克之用力多矣太祖曰事有緩急兵貴權宜當陳氏兵敗豈不知乘勝以蹴之顧兵法曰窮寇勿追吾故縱之遣偏師綴其後恐其奔逸料彼創殘之餘喘息不暇豈敢復戰我以大軍臨之故全城降伏一者我師不傷二者生靈獲全三者保全智勇所得不亦多乎簡大悅服他日與諸將論用兵因諭之曰汝等非不善戰然臨事決機智或不足宜親近儒者前日戎簡所言吾雖非之然當時將校亦有勸我邀之下流而以全師蹙之武昌賊衆可以全獲軍中皆以爲奇謀不知簡亦能言之然皆非吾意也汝等當思之勿以吾不用簡言而遂輕儒者

陳登字從善句容人篤信好古力學慎行文詞高邁宏偉有古人風味元末隱句曲山中明初參贊幕府與孫炎夏煜齊名所著有西掖稿

蔣用文句容人永樂中以儒醫薦官至太醫院判仁宗監國用文與黃淮蹇義等同輔知無不言一日論殺囚數百人用文入朝從容爲言可矜狀上悉宥之上嘗論保和之要對曰在養正氣耳正氣完邪氣無自入焉又嘗問卿于醫效率緩何也對曰善治者必固本急之恐傷其本是以聖人戒欲速也仁宗嘗稱其嘉言足以裨治道學士楊文貞言其所以受知于上者能隨事獻規不專以醫也卒謚恭靖孫誼中成化二年進士授杭州推官治卓異擢御史風紀肅然著經緯文衡紀行錄石屋間抄憨翁新錄諸書

曹義字宜之句容人父祖而上世有隱德初領鄉薦卒業胄監選入翰林院讀書喜曰吾得讀未見書何幸如之登永樂乙未進士授編修歴文選郎時朝廷以藩臬重任令在京三品堂上官各舉所知而

銓師覈實間有未當義往往執論由是公卿重其風
槩正統中陞吏部右侍郎王太宰直喜曰吾有所託
矣已巳冬京師戒嚴義分守崇文門核練兵士晝夜
防範歷轉南吏部尚書留務簡約義鎮之以靜百司
畏服天順初致仕壽
七十六卒賜祭塟

張諫字孟弼上世坐累戍赤水諫性至孝憫父拘於
行伍力欲脫之負笈從師不憚險遠既登第爲
行人丁母孫氏憂哀毀骨立廬墓三年羣烏集于壟
樹服闋進監察御史奉勑歸省父遘疾日夕侍湯藥
衣不解帶者累旬比卒復廬墓三年朝夕悲號芝產
墓傍人以爲孝感所致服闋調南道明年陞河南副
使廵歷南陽諸郡督屯修河所至有聲成化中召爲
順天府尹風力峻整請謁不行屢疏減免買辦差科
小民便之以忤時貴出守萊州久旱禱雨輒應新
郡學及東萊祠政聲籍甚召爲太僕少卿以疾卒

凌傅字汝弼句容人舉鄉貢端重寡言笑博學強記
以文名授象山知縣興學愛民嘗築堤障水民
得粒食卒於官民哀號立祠
祀之著有鳴蟬稿象山稿

樊繼 字景昭句容人由歲貢任江西南康教諭自幼篤學敦尚古道至南康勤於啟迪與諸生講學一以聖賢期之少保楊士奇薦陞湖廣興國知州毀淫祠崇正學以德化民至於成俗嘗築隄障水以利百姓有虎爲患禱於城隍兩虎自鬬而死正統間致政歸郡人號其築之隄曰樊公隄

湯鼐 字用之號鐵翁句容人成化已未進士授行人陞御史上贊襄弘治疏請御經筵辨內外累數千言凡國家大事抗言之不少讓直聲動天下京師號曰湯毆虎其後萬安嗾言官誣以他事謫戍甘肅蒙恩放回杜門不出以禮自閑簞瓢屢空晏如也

王暐 字克明句容人由正德丁丑進士授江西吉安府推官平反刑獄綽有令聞值宸濠之變王守仁檄從征勦南昌破贑兵殺傷太甚暐亟請守仁止之所活凡數萬人以功晉秩大理寺副疏議大禮廷杖幾死復起僉江西憲振綱肅紀窩賊攸平召二光祿穀冗濫正品式至今尚遵行之歷兩京太僕少卿擢巡撫江西右副都御史惠威綏服吏畏民懷踐歷南北戶侍有近戚以厚賄賂公爲請莊田拒不聽後

以右都御史督理漕運入爲戶部尚書總督倉場兼理西苑農事剛介正直忠亮端恪允得大臣之體免歸足跡不出家無厚積日坐讀書樓與二三老友四五兄弟詩筒酒杯談笑吟詠而已所著有克齋集

李春芳字子實句容人嘉靖辛卯以詩領鄉薦丁未進士第一人授修撰歷陞禮部尚書時天潢蕃衍宗祿歲增乃講求便宜酌其可行者奏上賜名宗藩條例既而入閣典機務與徐文貞同心輔政力改分宜所爲世宗崩同受顧命誅左道錄言官謫遣負中外欣然望治又諫止重建翔鳳樓罷太倉羨金罷織造歲幣所請皆允尋以兩尊人猶在堂疏乞歸養侍奉數年如一日卒年七十五謚文定曾孫長科博洽謙謹孝友著聞弟嗣京喬皆從長科受業取科第而長科偃蹇不遇膺薦舉授廣西懷集知縣生平著述甚富率皆勸善利人之書非徒矜博奧而已嗣京崇禎戊辰進士官御史巡按福建喬中萬曆己未進士初授靈寶奏循良第一歷官陝西巡撫有媚獨齋遺稿

張榜字賓王句容人早歲聰頴絕人書史過目成誦每作時藝落筆如風雨中萬曆癸卯南闈第二

人初肆業南雍受知于大司成馮夢禎夢禎高資夙望于酬對多闊略南曹郎嫉其慢已飛章劾之遂移病去榜時在太學舉幡小教場諸生會幡下者千餘人榜獨上疏請冠鐵冠伏斧鑕殺身以直先生已而得旨許留用由是顯名天下上公車不第生平功名事業並未究其用人皆惜之從孫芳中順治壬辰

進士

曹可明字懋德句容人天啟壬戌進士賦性廉潔始爲諸生受知于趙中丞延之西席時居貧約侃然以師道自持終年無所請託中丞心儀其爲人適有大辟求減可千金示意于明明卒不應中丞以此益加敬焉分臬粵西擒獲渠魁賊衆兇明宗人嘗脫明按如法解任之日篋笥蕭然

孔貞運字開仲宣聖裔器度端凝嗜學苦志小試輒冠曹偶萬曆己未進士廷對第二名授編修

天啟中陞中允充講官時璫勢薰灼運守正不阿觸璫忌思中以禍賴簡東素嚴無間獲免崇禎踐祚陞

國學祭酒駕臨雍進講禹謨上爲傾聽條陳監規著

國雍釐剔錄以親老乞假起南禮部侍郎禁游女毀

淫詞風習一變轉北吏部以專經補春秋講官授古諡令其救陳公子壯劉公宗周皆隨事敷陳上爲轉圜入閣輔政調劑爲多若解山右宗民之激變回鄭公三俊之聖怒止復社二張之逮繫其一二表見者也以病乞歸居建德山中食不兼味居無華屋歲饑施粥全活甚衆甲申聞闖變痛哭臥病親友慰問惟稱逝主上聖明諸臣誤國言與淚俱哀詔至縣扶掖起迎未及成禮遂卒年六十九諡文忠

孔夢周 號伯海句容人博洽多智壯遊京師辟事銀臺授陽城縣尉邑常苦旱迺望風占災搜得旱魃焚之澍雨隨降歲獲以登邑更有豪猾爲大盜窟宅周密令間諜傭作盜家跡其嘯聚行事之人暗以硃塗其衣履逮入市擒之羣盜盡獲邑人至今稱嘉績云

李喬 字世臣文定公曾孫登萬曆己未進士授靈寶令苦旱步禱屢應野人獻嘉穀歌兩岐德政碑石剔蠹恤鰥禁耗免徭其大較也調繁祥符擢儀曹戊辰衡文山左敦崇正學士風丕振晉大中丞巡撫陝西流寇數十萬撫標兵僅數千大小二十四戰斬賊級共六三千八百有奇襄樂之敗總制發兵直指誣

劾撫臣調度失宜罷職侍養椿庭十禩御史鄭瑜疏雪復官卒年七十有二順治戊子辛卯子汴挽河繼登賢書

楊瓊芳 字蕊仙句容坊郭人孝友性成篤愛其弟弟殁服除三年不入内人稱爲楊夫子早登賢書晚中會榜第一人過御史庭訓念其才而貧有某生以千金求薦者堅辭不顧當荆溪民變時株連善類力請于令攖盛怒得王繩故相而解廷對後前座主將以鼎甲市瓊芳堅持不爲動授中舍賑東省冊江藩一以耿介自命未幾搆疾未及復命而卒汪文貞公偉謂瓊芳三代以上人同朝諸君子皆如此存心太和在宇宙間矣子元勳順治己丑科進士

國朝**王自新** 字紫蘭號仍齋邑之坊郭人中順治乙酉科鄉試丁亥副榜授太倉州廣文課士有聲值海寇薄城自新率壯士授方畧破賊城賴以全尋轉國子監學正歷陞刑部郎中屢平寃獄奉特簡以僉憲督學全楚苞苴竿牘一切謝絶振肅風紀遴拔孤寒殆盡乃竟以校閲積勞疾終于任三楚

追感崇祀名宦其居家孝友兩弟少亡撫其孤爲完
嫁娶者五人當在刑曹時邑中一明經及蕪湖一候
補縣令先後卒于京皆爲具棺
措資俾歸于里其古誼如此

以上句容

唐史務滋 崇之裔先爲溧陽侯天授元年以司賓卿進拜納言武后革命詔務滋等十八人分行天下雅州刺史劉行實兄弟爲侍御史來子珣誣其反詔務滋與來俊臣訊之務滋意欲平反俊臣言務滋與囚善掩其反狀后命俊臣并治遂自殺

明偰斯 溧陽人也吳元年以元故官歸附授兵部員外郎三年改尚寶司丞冊封高麗使回稱旨出知河南府以才幹著累官吏部尚書

徐文英 溧陽人幼警敏尚氣節洪武丙子由明經授龍虎衛經歷擢浙江道御史清剛自立一日入朝後期上詰之對曰送臣父歸里爾上問何所贈曰錢一百草屨二緉追驗之良然見其衣肩寠裂命繡窮御史三字於袍上旌之尋轉河南副使寮屬有過輒斥不少容後從英國公征交阯矢竭心力遘病臥營中語人曰馬革裹屍未足報國遂卒英國憐其忠令人輿櫬歸葬焉

繆樗 字全之以進士知東陽縣莅事剛果奸人憚之邑有隱糧詭寄樗立法丈量以均徭役民德之

擢南道御史彈劾不避權貴抗論中官蔣琮誣侵汪直天子察其忠逐琮而謫楞莒州判官下車立辦王氏疑獄有神君稱卒於官

史際字恭甫溧陽人少從王公守仁湛公若水遊壬辰舉進士以文選主事改春坊清紀郎旋乞歸置義莊義塾修明倫堂濬躍龍關捐田二百畝貧士誦讀嘉靖甲午乙未洊饑際發廩以濟更捐粟墾治沙漲存活數千人田成名曰救荒滄太倉沿海大水運勸賑穀二萬石抵崇明嘉定等倉甲寅乙卯間倭犯東南際募死士邀擊於邑之舊縣又追勦之於太湖撫按上其功晉尚寶卿子繼書爲錦衣指揮僉事萬歷中倭寇朝鮮繼書請屯田天津爲勦倭犄角之勢會撫事成不果行

馬一龍字應圖溧陽人父性魯自給諫出知尋甸府以苗變誣繫獄一龍時爲諸生走長安上執政書辭旨悽惻執政憫之歲戊子中順天第一閱二十年至嘉靖丁未成進士由詞林陞南雍司業念母夫人許年高請告歸龍少負材名卓然以文章名世字學遒逸人能品建祠堂置義田一倣於古而剏建

尊經閣於學宮尤爲勝舉有遊藝集行世

鍾遐齡字子空隆慶戊辰進士出知井陘縣釐剔精敏潔得民心尤以文章擅名分校順天日主司屬搜遺漏獲一卷已受嗤拙目齡日此天下士也列高薦折視乃高邑趙南星果以忠直爲名臣

周旻字叔夜僻處湖東覃思易學遊於金沙從王太史肯堂潔譚名理多所契會尤爲湯儀部顯祖所知所著易徵修辭取義多會心語世傳之

彭适字伯韶十四補弟子員嘉靖戊午歲貢廷試第一授白水慶元兩縣勸農講學巡按李叔和以廉明慈惠首薦兩邑立祠祀之康熙戊午白水士民猶思其惠政舉祀名宦

史孔吉字敬勝風規秀整試常冠軍萬曆庚戌進士授南安知縣單車就道不以家累自隨至則釐奸撫弱威惠兼行調崇安政績彌著時浲洞爲災破城垣以入民胥其魚孔吉卓立風波中誓以身殉怒濤頓息崇人尸祝焉未幾内召除戶科給事中風采凜然出爲憲副遂歸臥不起居鄉置學田以贍士

買祭田以給族
鄉人至今稱之

國朝吳頴字見未生而英異八歲通舉子業及長工詩古文辭登順治壬辰進士授刑部主事遷郎中恤刑八閩五閱月不刑一人曰吾以恤來也爰書未減者千餘人出知潮州多惠政調劑兵民咸得其所會從師海上中寒疾遂謝病歸所著有蓴羹堂集潮州志溧詩選閏史百餘卷行世未刻者尚數十種存于家今
祀鄉賢

費達字于章順治壬辰進士授戶部主事奉　命榷稅九江簡科條剔奸弊時師旅驛騷市舶壅不行前後任者皆坐困達獨如額晉階郎中以卜兆請假未幾　寻告年甫及艾即賦遂初及歸葺其先人廬墓側者累月居家日夕一編至老不倦卒年七十三所著有硯濆堂詩文集

狄敬字文止少孤事母以孝聞初擢工曹視河夏陽値山東蠢動扞禦綏輯無不得宜兵燹後旱疫相仍力請蠲發全活甚衆晉員外郎司乾清宮之役秩滿督兩湖學政楚俗諸生多假冒且武帥大僚或

受賄以名竄其中曰難生敬嚴爲沙汰弗顧也至前任有招隱名目撫軍欲盡黜之曰維楚有材焉知此中無傑士乎甄别之果獲佳士數人尋補潼關參議撫兵息民懲貪剔蠹無異其在夏鎮也以年老致事歸擇地建祠旬日一詢族中貧屢不能婚嫁及大故不具棺殮者皆厚贈之生平著述甚富

史颺廷字昌謨少秉至性事二親以孝聞兄弟友愛無間及長通五經登順治乙未科進士歷任鄖陽安陸推官皆有政績司理缺裁改知陵縣陵固彈丸邑民鷙悍難治颺廷釐奸剔弊游刃裕如晉秩同知在西安榷關稅在南河理河工靡不稱任會吳逆蕩平大兵直抵滇南需良吏擢知雲南府事颺廷單車就道至則坐臥葦帳中籌芻粟造雲梯日無寧刻以勞卒于官

馬明錫字蕃卿以貢任黄巖訓導教諸生有方當事咸器之陞慶元令未任聞閩賊之變哀慟以死長子漸磐拮据營喪事畢亦以嘔血死同邑陳諫垣周其丁眷歸金沙許熙宇爲返其櫬焉

史鶴齡字子修康熙丁未進士選庶吉士授編修辛亥

上肇舉經筵集廷臣試書法擢第一充日講官兼起居
註奏對稱　旨每　召內廷作書憑几諦視嘆賞靡
已　御案卷冊多出其手三賜貂麟恩賚殊渥乙卯
以母錢恭人疾請假歸省哀毀成疾未幾遂卒
上聞嗟悼　詔賜諭祭閱今十有八年猶眷問不衰
子夔壬戌進士選讀中秘書授編修世其家學

芮城字巖尹邑諸生書過目不忘日誦二百餘頁與
陳名夏同出湯棨夫陳闇儒之門時名夏方務
博文而芮志在立行癸未甲申間入南雍遊神樂觀
考圖籍辨祭器樂舞方期有所展布而燕臺已淪限
芮獨叩學使者謝弟子員歸時年甫三十學耕山中
足跡不入城市惟與湯泰亨陳周輩質疑考訂所著
四書一得六經疑義綱鑑
異同匏瓜集諸書藏于家

李源字長公崇禎壬午舉於鄉為文沉博古奧膾炙
人口以親老不欲離膝下而遠求仕進每以病
辭或中道而返朝夕吟咏
為杜退思吳見未所稱

吳頊字子蒼潮州守穎第也事節母沈以孝聞各憲
旌異講學於清涼山與顧與治林茂之連詩社

家最貧而好爲周急詩文散佚者人爭寶之
長子環高才早逝次子琇康熙丙辰進士
以上
溧陽

宋俞臬字祇若溧水人初授承事郎轉起居舍人給事
中極論蔡京誤國謫知潤州改襄陽府鹿門寺
有田千頃歲收租萬斛皆以供僧酒食費臬奏入官
助軍儲一年召赴闕言官吏不率職願戒諭三省選
擇監司俾表率州縣徽宗嘉其言賜紫金魚袋再試
給事中在朝遇事輒盡言帝每嘉納竟以毀紹聖法
安置太平州未幾復起知
江寧府子孫後多顯者

魏良臣字道弼溧水人遊郡學聞母病亟歸刲股以
進初第進士卽詣闕訟陳東冤調嚴州壽昌
令以治最聞召對遷吏部員外郎金人犯高郵擇使
講和高宗曰魏良臣有氣節可屬大事遣詣金行成
而歸秦檜當國欲畀以言職力辭適金人敗盟奉使
兀朮擁精鋭懼之良臣辭氣不懾請觀國書曰分淮
畫守初議也今欲畀長江非使臣所敢知執論久之
得從初約檜忌出知池廬二州後檜死召拜叅知政
事首請出衣冠之四歸蠻瘴之冤特軍政廢弛乃
核軍實禁工役罷販賈觀聽一新歷潭洪二州卒

吳柔勝字勝之溧水人舉進士第授嘉興教授浙西
使者黃灝委以荒政多所全活御史湯碩劾

其擅放田租且主朱熹之學不可爲人師改贛縣尉韓侂胄用事黨禁甚厲柔勝獨講學不輟人以此服之時謫宦嶺南者多歿於瘴還過贛妻孥流落可憫柔勝乃置廣惠館括閒田所入待之提點刑獄司辟爲屬獲盜當改官柔勝曰豈忍以人命博一官丐辭歸嘉定初授國子正廷對切直未幾知隨州時議和邊將恐以生事獲罪郡人梁皋被北人盜馬追之以弓矢相拒郡下七人於獄柔勝立破械出之隨經兵火勝柔罷科歛寛逋負獎忠義褒死節隨人大悦築隨及棗陽二城招四方勇敢立忠勇軍金人圍棗陽三月不拔而退諸郡賴之改池州兼知鄂州值歲饑活人甚衆復改太平州鄂人遮道泣留治太平一年上章請老除秘閣修撰卒柔勝天性孝友與彭龜年楊簡袁燮相師友每以行事至否爲學力淺深之驗嘗曰士以大節爲本大節苟虧他美莫贖故羅黨禍十餘年不變其操贈觀文殿大學士太師魏國公謚正肅子四源泳俱補廸功郎淵潛自有傳

吳淵 字道父柔勝子端重寡言苦志力學五歳喪母哀泣如成人舉進士調建德主簿史彌遠館留

之語竟日大悅曰君方爲國器至官嚴幹有聲江東九郡寃獄咸訴使者乞送淵申雪改差河東制置使幹辦公事丁父憂詔起復力辭且貽書政府力言其非時史嵩之方奪情或曰得無礙時宰乎淵不顧詔從之服闋累官寶章閣學士知太平州兼江東轉運使兩淮民流徙入境者四十餘萬淵亟爲優恤使主客相什伍無敢犯由是獨獲濟以功加華文閣直學士工部尚書改知隆興府兼安撫轉運副使歲大侵講行荒政全活者七十八萬尋提舉南康節制蘄黃等處峒寇擾亂攻破數縣淵命將擒其渠酋亂平遷兵部尚書知平江府兼浙西兩淮發運使歲亦大侵淵所全活復不下數十萬進端明殿學士沿江制置使朝廷付淵以光豐蘄黃廼刱三大砦二十二小砦團丁壯分隊伍星聯碁布暇則耕有寇則戰屹然爲一方保障詔嘉其功拜資政殿大學士參知政事卒贈少師謚莊敏淵有材畧尚氣節所至興學養士著有易解及退菴文集奏議

吳潛字毅夫淵弟舉進士第一授簽鎮東軍節度判官紹定四年都城大火潛上疏累千言勸理宗

修省以實闕宦勿親女寵勿昵收召賢哲選用忠良毋竝進君子小人以爲包荒毋兼容邪說正論以爲皇極庶幾彌災爲祥易亂爲治又貽書史彌遠論六事遷太府少卿淮西總領又告執政論用兵復河南不可輕易金滅則與蒙古爲隣法當以和爲形以守爲貴以戰爲應六年除太府卿知建康府首奏以蠲剩事例并諸司問遺例冊錢代納江東一路折帛大論金元興亡本末甲午和戰非宜又論進取有甚難者三事後皆如其言除秘閣修撰兼知隆興府奏言諸郡兵荒乞下本路一體蠲征復屢論計畝納錢和戰成敗大計襄宜亟救備不可闕乞養宗子以繫國本皆切時務理宗頗嘉納之尋同知樞密院兼參知政事入對言國家之不能無弊猶人之不能無病今日之病不但倉扁望之而驚庸醫亦望而驚願陛下篤任元老以爲醫師博采衆益以爲醫工使臣輩得以効牛溲馬渤之助淳祐十一年拜右相明年以水災乞解機務又四年授沿海制置大使判慶元府條具軍民久遠之計達於政府奏時務行之又以餘錢代民輸前後所蠲五百四十九萬以久任丐祠乞歸未幾召拜左丞相會元兵渡江攻鄂州别將由大理

下交趾破廣西湖南諸郡潛上章言奸臣誤國又論丁大全沈炎等罪卒爲炎所論落職循州安置潛預知死日語人曰吾將死矣夜必風雷大作已而果然德祐改元追復原官潛平生篤義有經濟大志立朝忠亮剛直議事皆出於正惜用之弗究云

王景雲 字仲慶溧水人生而穎異及長學問宏博咸淳間以薦辟授清流簿與弟景華嘗捐貲周恤貧乏建怡怡亭宴樂至老不忍析居副使劉應昂爲撰墓志銘謂雲家有田氏紫荊之義云

明

端木復初 字以善溧水人元至正中四方兵動東南尤甚復初爲海右憲使言時政之急如此則可守如此則可戰否則必敗時人不能聽遂棄去洪武初以薦辟爲嚴州府經歷嚴郡田賦久不均復初建局城東使民自實田集爲圖籍覈盈朒驗虛實而定科繇由是民無逋租官無橫歛改吉州通判磨勘司丞陞爲令勾稽隱伏人不敢欺後爲刑部尚書用法本諸律而持以平恕老於議法者咸以爲允出爲湖廣行中書省參知政事卒

端木孝文 溧水人尚書以善子與其弟孝思皆以儒士起家孝文爲翰林待詔孝思爲翰林待書初孝文使朝鮮鮮人重其才欲有厚贈問端太史行李何在孝文曰吾持一節來耳請惟以一節還無何孝思復使朝鮮以氷蘗勉之孝思拜受而去後亦惟以一節還報朝鮮榮其事爲立雙清館

趙本 字居仁溧水人洪武間以薦舉歷官左通政苦節自勵家無蓄藏其孫往省之給錢二貫令徒步歸永樂間治水浙江居仁患之曰艱哉斯役也人成之而潮毁之徒使吾民死板築已耳以文請於海神潮果弗至者三日而功成

張彥彭 溧水人永樂間歷官河南道御史清愼持憲成祖賜金牌百面文曰赤金十分舉朝榮之

丁沂 字宗魯溧水人弘治壬戌進士授南京刑部主事歷郎中門無私謁獄無怨辭擢湖廣按察司僉事董造榮府常德之民賴以不擾賑湖湘饑全活甚多進浙江副使嘗治水田賦獲利轉參政至布政都御史所在吏畏民懷卒於蜀

武尚耕號晴川隆慶辛未進士歷官湖廣左布政先爲四川參政值洞蠻之亂征討有功勤勳於峨嵋山石居平清介不受一錢及歸日仍守布素三子在侍體無完衣以是清名大著

武化中字大治萬歷已酉舉人授黃陂令邑故難治多豪強化中摘伏得渠而民安嘗因旱步禱有應簡南道御史未任卒

施一鼇字士選生而穎異幼喪二親哀毀廬墓時以孝聞由恩貢司訓貴池陞授沔陽州學正時閣臣楊嗣昌辦寇於楚委署州篆詰戎治賦有聲州有里大垸廣四十餘里內田一萬三千餘畝因襄水衝破口岸幾三十年無能塞者一鼇令聚船百隻沉底隨折破房百間排架聚土高築三月堤城民間感戴年八十四卒

端木大美字粹伯原先賢子貢裔自河南來溧水因家焉復初孝友其遠祖也後諱爲端大美由例貢任福建按察司經歷陞鹽運司運副補授潮州府通判惠民恤商多有善政致仕歸里施槥賑粥

里人德之屢舉鄉飲大賓壽九十卒于家孫象震由貢授內閣中書隨征貴州補黔西知府象謙以廩監考授知縣象震以賢裔具由呈撫題請復姓端木奉旨報可又以康熙二十年滇黔蕩平　覃恩例封其父端木兆龍如象震官子孫蕃衍克閭咸以為大美積德之報云

國朝李蔚號鍾山溧水人順治丁亥進士父隱科慷慨能緩急人多義之蔚初任太行三奉使辛卯分校順天陞工部榷稅南關奉紀錄以病請告卒于家

湯聘溧水人辛丑科進士授平山縣令以廉能著稱正供勸輸永絕增耗之弊招撫流移一千二百餘戶前縣疑獄有封家九命沈冤不能白聘立判決允當輿情清丈水衝沙壓老荒糧田三百二十八頃餘請永蠲其賦自是民無逋亡潔已養士恤孤賑寡婚喪不能舉者皆力助之時邑大旱聘步禱于林山往復毒暍中四十餘里遂致疾不起合邑士民哀號震天當事廉其賢奉祠名宦復請移會江南入祀鄉賢康熙十六年八月江南巡撫慕送主崇祀　以上溧水

明周慎字尚禮高淳人父卿好施濟慎爲諸生受餼每舉所入奉之由歲薦入成均有京兆公某者贈之三十金會歲歉見道有流亡骨骸者即賑之比抵家僅餘數金適隣人將鬻妻復傾囊助之謁選授蘄水令政尚簡易務持大體釐積弊申誣枉而勵以清操會入計笥無餘貲士庶醵金以贈一切謝遣至濟寧旦起整襟端坐而逝蘄民立祠祀之

韓邦憲字子成高淳人少以奇童稱年十八中嘉靖己未進士授屯田主事佐理大工絕中貴人侵冒及管永陵有功晉虞衡員外郎丁艱歸居三喪致哀盡理時邑令丈田邦憲爲之區畫事定遂成丈量良法淳邑官田磽積糧重乃以己戶民田均之以分其糧豪右不能違先是邑田沒于湖而賦役外復加里甲物料虛懸米八千石大爲民困邦憲倡減稅議兩臺題請得永除米八百六十石由是應天尹改里甲人均費八縣同之皆頌其德遷衢州知府問民疾苦首陳明大義明職守實節省復成法議復役講實政廣儲蓄修武備八事而尤以敎化風俗人才爲先稽孔氏廟田捐俸養士定賦役之書革織造之奸

還寄運之艘增坊鑛之兵加開化之鹽引至今爲衢永利病劇值大旱猶強起書檄發粟賑濟及將卒惟惓惓百姓是念語不及私云著有韓衢州集

陳九思字福之高淳人慷慨秉正不競榮利淳邑官田糧重纍者僞作民田田去糧存逋積逃竄弊極莫除嘉靖戊戌思當歲薦挺身言之不避豪右巡撫歐陽移檄勘量盡除虛米貧富以均初令新鄉改令靈川均有惠政乞歸析產悉讓伯季鄉里敬之

韓一光字季孚高淳人登崇禎戊辰進士授行人奉詔冊封以沿途交際一切謝却癸酉考選河南道御史聲震京師豪貴戒不敢犯御書其名於屏大圈者三乙亥代巡四川力禁投獻與宗藩忤嚴革鋪役卬州一案保全諸生數十人因先巡視東城時以執法忤主師意遂爲所齮外轉浙僉事歷陞山東副使告歸淳邑錢糧以民解民解受累一光言之於官令官徵官解民困永甦淳自破圩折田以來賠墊虛糧苦無可告議行改折光具書大司農黨公極陳利病遂獲永折其力甚鉅年七十有六終

柳江字朝宗由歲貢授滿城令有惠政以艱歸後補石城奏績調寧津有罹死辟者江知其冤白之當道得釋其人報以數百金不受繪像祀之居家清約不異寒素人問曰作令三邑田不滿百何也江曰多田多人多人多費不如少也至今稱之

胡蛟之字印度天性孝友六合令米萬鍾愛其文訂盟游北以母老謝弟虬之病顧視湯藥捐產相周爲諸生時見重于金川唐侯親造廬問疾然終不一干謁序當歲薦竟棄去晚年杜門著有偶然吟年七十卒門人私謚曰貞靜先生

魏成忠字藎卿萬曆戊戌進士授餘干令士紳移徭差于小民撫按右士紳忠力爭之乃令調繁鄞縣立徵輸法歲八限令半銖以上得自輸納訟者勸諭解去修東西兩鄉諸圩鄞之地利盡出遷兵曹擢廣東瓊州道清戎伍覈儲糈歲積以備軍興時妖人金湯子將爲亂設計擒之陞晉臬歸卒于家

張蕡惇孝尚義毋性好施蕡每備物以順適其意由歲薦爲龍游丞捐俸造獄舍修橋路賂貧恤孤

以役入京途遇人虧納官銀五十兩泣甚哀即傾囊與之兄子幼喪父贇爲延師撫教俱成名及姪入宦招之不往人益高之

國朝史正謙 字遜之溧陽侯崇後生而穎異好讀書家無宿儲事父曲盡孝養撫訓幼弟友于篤至天性慈良雅好施濟嘗有遠人負罪江南縲絏而乞於途言得十數金可釋去急歸拮据竟如數予之不問姓名其陰行善如此明南宮詹錢牧齋用大京兆薦賚銓部授縣丞不謁選家居課子凡遇當世知名士俾子就正所學晚年爲善益力疾革猶誦太上感應篇不及家事卒之夕聞異香滿堂云子秉直壬子舉于鄉丙辰成進士

陳淳楨 字在巳賦性聰穎正直蚤歲游庠博通墳典試輒前茅屬數奇屢遭黜額遂退居著作林丘立言垂世其大義尤著者淳因漕糧改折獨加河工輕賫一項爲累滋多淳楨倡首籲當道攤派各改折諸州縣淳民永免其累又遺券一篋計千金時值歲祲嘆曰饑饉流離愧不能濟人尚索積逋乎遂悉

焚之蓋奉父瑞雲公之遺訓世德作求以昌厥後教子悅旦壬戌成進士癸亥考授內閣中翰

孫越 字凝之少爲諸生介然特立闖逆之變設位以哭乃掛青衫于澤宮門隱居教授足不入市者四十年所居風雨不蔽家徒四壁晏如也一日里民有以越爲頑戶逋糧控縣者邑侯崔簽拘之越即索館俸封付本役題詩二句于上云今朝得附頑民末猶愧商家義士風崔見而異之欲投刺就見越遁去

孫如驌 字公偉號臥齋孝子昺五世孫性朴誠操履醇潔生平無疾言遽色望而知爲長者事繼母孝黨族稱之好讀書博習子史爲一時宗匠晚年謝舉子業族人推爲宗督以身風族薰其德者甚衆邑侯敬慕之屢舉賓筵以光大典生子四俱有聲庠序長子奏順治辛丑進士任平遠知府

劉開槐 字王森嗜古力學嘗從吳太史貞啟遊弱齡京兆張瑋特加賞識梓其文思皇錄中著四書辨疑易經纂要比歲薦病卒弟開梧亦縣庠生好義樂施捐金建造宗祠里黨至今稱之

陳旻 性慷慨爲諸生年十七父喪母病遂乞終養析家產任二弟取仲弟家落姪不能婚復以已產

給之族有侵官賦者旁逮旻從兄旻棄業代償有程某者偕妻女鬻於富室妻屢被笞幾死旻稱貸爲贖之其仗義如此

邢仕乾字健甫性孝友事親備盡色養母病侍湯藥惟謹不解衣帶者累月弟仕貽遺腹生時家已分析仕乾敎育成立均已產予之里人高其義督宗族十載子弟率循禮讓油然爲邑庠生不事帖括著有歷代帝王世系圖考職方備覽等書子振岱歲貢生振嵒由副榜恩貢三歷劇邑陞邛州刺史

以上高淳

唐張籍字文昌第進士爲太常寺太祝次遷秘書郎韓愈稱其文多古風學有師法沈默静退光映儒林遂遷國子博士歷水部員外郎主客郎中一時名士咸與之遊性狷直不阿私人嘗責韓愈喜博簺爲駁雜之說論議好勝人排佛老不能著書若孟軻揚雄愈亦屢書荅之仕終國子司業籍爲詩長於樂府史稱其能自名於時云有集七卷

張孝祥字安國直秘閣祁之子以孝廉稱讀書一過目不忘下筆頃刻數千言紹興二十四年廷試第一時策問師友淵源秦塤與曹冠皆力攻程氏專門之學孝祥獨不攻考官已定塤冠多士高宗讀塤策皆檜語諭宰相曰張孝祥詞翰俱美於是擢孝祥弟一而塤第三授承事郎簽書鎮東判官秦檜聞之怒既知孝祥乃祁之子祁與胡寅厚檜素憾寅孝祥又拒曹泳請婚泳憾之於是諷言者誣祁有反謀繫詔獄會檜死以孝祥爲秘書省正字初對首言乞總攬權綱以盡更化之美又言官吏忤故相意並緣文致鍜鍊成罪乞令有司改正又言王安石作日錄一時政事美則歸已乞詳正黜私說以垂無窮從之

遷校書郎芝生太廟孝祥獻芝原以大本未立爲言且言芝在仁宗英宗之室天意可見乞早定大計遷尚書禮部員外郎尋爲起居舍人除知撫州年未三十蒞事精確老於州縣者所不及孝宗即位復集英殿修撰知平江府事繁劇孝祥部決庭無滯訟屬邑大姓並海囊槖爲奸利孝祥捕治籍其家得穀粟數萬明年吳中大饑賴以濟張浚自蜀還朝薦孝祥召對乃陳靖康以來惟和戰兩言遺無窮禍要先立自治之策以應之復言用才之路太狹乞博采度外之士以備緩急之用帝嘉之除中書舍人尋除直學士院兼領建康留守金再犯邊孝祥陳金之勢不過欲要盟宣諭使劾孝祥落職復集賢殿修撰知靜江府廣南西路經畧安撫使治有聲績再知潭州爲政簡易時濟以威湖南遂以無事復待制徙知荆南荆湖北路安撫使築守金隄自是荆州無水患置萬盈倉以儲諸漕之運請祠以疾卒年三十八孝宗惜之有用才不盡之歎孝祥俊逸能文章工翰墨嘗親書奏劄高宗見之曰必將名世且蚤貧才俊蒞政揚聲史臣尤歎息焉有集四十卷

明張瑄字廷璽一字古愚晚號安拙翁正統間爲縣學
生中辛酉鄉試明年登進士授刑部主事歷陞
江西吉安知府吉俗尚鬼刻木像神迎祀之禁之弗
聽遇諸途叱令棄像水中寘首倡者于法郡大饑申
上司不俟報發廩賑之全活甚衆郡諸生有匱乏者
輒分俸給之又建閣于學以藏御書建祠於郡以祀
忠節天順中陞廣東右布政會廣西流賊越境攻破
屬邑晝夜躬督官軍擒殺之不憚艱險同列歎其忠
勤又躬督各屬造預備六十二處修理陂塘圩岸四
千六百六十六處修築廣州新會等府縣城垣一十
二處成化中轉左布政使巡撫鎮守等官交章薦瑄
德行才識剛方仁惠乞留任以慰民情詔可無何陞
都察院右副都御史巡撫福建時郡邑久無糧儲瑄
命建倉廩勸民出粟以備凶荒海寇如林壽六魏懷
三等山賊如葉旺春等瑄皆驅畫擒斬境內以安朝
廷賜勅稱其處置得宜改巡撫河南風紀益振改運
倉于漳德水次軍民稱便入覲奏論時宜若安插流
民責成守令修舉武備甄拔滯才等一十八事悉皆
施行歲大饑發廩賑濟設粥以給饑者出衣布以給
寒者活民不啻萬數晉刑部左侍郎尋陞本部尚書

年七十有一謝事家居天性儉約居官幾五十年自奉如寒士吉安閩廣皆立石以紀功德所著有香泉稿粉署餘間稿凝清集閩浙記巡錄南征錄安拙類稿若干卷弘治甲寅秋卒於金陵之里第

莊㫤字孔陽舉進士授翰林檢討與羅倫陳獻章友善成化二年元宵放燈命史官賦詩㫤與同官章懋黄仲昭上培養君德疏謫桂陽州判官給事中毛弘御史陳莊論救改南京行人司副久之以艱去不起居定山垂三十年以後軍都督府周廣榮薦召用巡撫何鑑入定山勸起之謁部長揖尚書耿裕優禮之大學士徐溥謂當復㫤翰林丘濬沮之仍司副遷南驗封郎中得風疾明年乞告歸所著有定山集㫤性豪邁多奇蚤著直聲以道自任持身慕伊川矩度接人慕明道和氣晚乃應召而出非其初志云

丁毅字得剛少喜讀書尤精醫業嘗獲遺金咨其人還之任邑訓科率夫役采蘆時有虎患毅爲文祀神以身率先虎遂引去後取署本府正科屢委勘事不受私謁操履廉慎爲人所推

嚴紘字仲周受業定山莊先生門父早逝歲時悲悼不忘事母備盡孝養登弘治壬戌進士授歸安

知縣仁明廉介擢陝西道御史疏劾逆璫幾被中傷守南昌極辨宸濠非制喬莊簡公力爲推引兵備九江與王文成公討逆有功歷江西左布政歸休三十年縣民困於欽騎馬埡江稅鬻人困于月銀白當事者悉祛其弊他無所干謁壽九十有四集有石巖三體詩

丁明登字蓮侶萬曆丙辰進士仕至衢州知府有政聲築園烏龍潭旁亟其幽勝好善樂施著述甚多大約勸懲引掖有裨世教人爭傳誦明登子雄飛字菡生博學好義倣雲棲功過格聯社力行每朔望率諸友焚香告神以交儆焉積書數萬卷每出必擔簏囊載圖史以歸所著不啻百種

鄭朝聘少列宮牆岸然自異遊澹園焦竑門究心理學衍濂洛正傳躬行實踐動準先型大江南北從遊者衆所著語錄有廬言家範門人稱爲艮嶽先生

國朝丁峻飛字扶萬順治己丑進士天性孝友博雅能文歷任部郎端廉明允尋陞辰州知府而卒

劉曰珩字上玉由恩貢任四川石泉知縣賦性卓犖博洽高材鍵戶十餘年著有四書詩經說約纂序行世孔孟宗旨炳若日星世稱爲紫陽功臣云

以上江浦

晉王鑒字茂高少以文章著稱初爲晉元帝瑯琊國侍郎時杜弢作逆鑒上疏勸帝親征詞旨剴切帝深納之卽命中外戒嚴會弢平乃止中興建拜都尉奉朝請出補永興令大將軍王敦請爲記室參軍未就而卒時年四十一有文集行於世

唐陳融幼有至性奉親以孝友聞與人言若不出諸口尤以禮法自檢其遊止皆有常處鄉人無賢不肖皆敬之不樂仕進閉門誦讀博洽爲當世最卒謚貞晦先生東平呂溫作祀表之

宋仇著仕至朝散大夫知梓州子博年十三作至樂堂記蘇試見其文奇之

李可咸淳間爲監察御史與御史陳過論賈似道黨俱貶斥朝論快之

明楊洪字宗道祖政漢中百戶洪嗣官調開平機變敏捷善用計出奇兵搗虛或夜劫營累功陞都指揮正統元年内臣韓政阮鸞疏洪短上詰二内官曰此必小人左右汝卽械至京姑貸汝二人時洪頗爲衆忌上又每舉洪功勵諸將洪益自奮守邊屯營專用鐵蒺藜尋以都督守獨石所在有功充總兵鎮宣

府敵人畏之呼楊王土木之變車駕道宣府北狩去洪閉城門逮繫詔獄是年十月出洪獄中自効洪與孫鏜范廣等率兵戰輙大捷進侯洪為將紀律嚴明將士用命敬慎自將不敢專殺宣德正統景泰間稱名將也先之難奮不顧身一時諸將功為最景泰二年還鎮宣府卒贈潁國公謚武襄子傑嗣侯言臣家一侯三都督諸蒼頭得官旗者十六人乞停蒼頭職役許之未幾卒

陳逵 世襲忠義衛指揮同知景泰初被薦陞都指揮僉事鎮守通州等處督捕盜賊累進都督同知守備倒馬關通州軍人保留之成化中卒逵為人沉鷙有謀正統初有詔五品堂上官舉將才學士李時勉薦之天順初于謙被誣遭極刑是時群凶氣焰可畏逵獨收謙尸為之斂瘞君子多其義云

楊能 字文敬洪從子世開平指揮使已已之變拔為將驍雄善戰有功陞都督同知景泰初總兵鎮宣府與李秉共事天順元年陞都督仍充總兵鎮宣府援大同有功遂封武強伯食祿千石四年卒無子父伙乞以能弟倫嗣伯得世指揮使

楊信字文實幼武勇以功由指揮僉事歷陞督府僉事充參將再守懷來協守宣府移鎮延綏屢立戰功封彰武伯總諸鎮兵嚴烽火謹斥堠相機設伏多建奇績卒贈侯謚武毅

黃肅字敬夫成化戊戌進士授河南新鄭知縣賑濟饑民多所全活陞工部都水主事嘗管理泉閘與修河工進刑部員外郎擢廣西按察僉事部內土官趙源妻岑氏以賄謀立假子肅倡義竟立其姪土官黃紹反肅率兵討之其子被誅紹尋以憂死思恩知府岑濬謀作亂豫築丹良城以截行舟肅曰是賊咽喉也即被甲先登士皆蟻附賊遂焚營壘全師以歸東寨蠻叛肅從間道破其巢蠻潰撫按交章薦之尋進湖廣兵備副使猶上言廣右事宜七欵朝廷多見允行正德初以軍功陞三品致仕嘉靖壬午甲申奉恩詔進階二品有司存問其門壽八十六卒

王弘字叔毅弘治癸丑進士夙負天才弱冠舉禮記第一定山莊先生昶愛而妻之留神理學以名節自砥礪授行人擢南道御史論列逆瑾罪狀忤旨被逮杖發爲民瑾仍矯榜奸黨于朝堂弘與焉瑾誅

起廣東僉事進副使嘗攝學政拔霍宗伯韜倫司成以訓于生儒中在廣數朞糾貪吏祀先儒風采凜凜值江右海南傜寇蜂起隨相機擊走之以論時相之子重獄爲所中而歸嘉靖初有授弘出議大禮者弘不附名士尤高之所著有巴山集

汪元哲字魯生萬曆庚戌進士工詩文能書畫官戶部郎出守衢州性廉惠有淡靜稱子國溫亦工詩畫廬墓終墓側

孫拱辰字子極舉萬曆己卯經魁閉戶讀書授生徒從學甚衆授撫州推官丈量屬縣樂安田矢公矢愼不阿權要諸所隱占犁然一淸大司寇董公裕爲之記移守臨淸時稅璫煽惡惑方士言殘嬰兒爲藥餌辰指名揭治其罪值歲大祲殫精賑濟又借築城修學之役興工給食而活饑民甚衆薦山東循良第一爲璫黨所中罷官

孫國敉字伯觀原名國光拱辰子幼頴異善屬文爲大中丞周公乾敎所重嘗遊吳門至京口遇

老友錢允甫爲盜所劫傾囊贈之卜滁冶二水間置五一菴以貢特授中書舍人國敉書淫傳癖鑒賞最精四方碑板法書賈京師者必先投國敉訂之居金陵小館近廟市時董公思伯爲太宗伯每過市必至敉寓中繙閱竟日一時勳戚之賢者如恭順吳公惟英新樂劉公文炳都尉冉公興讓鞏公鴻圖皆禮賢下士篤嗜詞翰咸以牛耳推國敉月供膏火費著燕都遊覽志四十卷雞樹館詩文集讀書通藏書通若干卷乞假歸老年六十有八子宗岱亦能詩文投筆爲偏將軍晚年隱居賣藥有古人風

以上六合

江寧府志卷之二十七

人物二　忠節

晉卞壼字望之先濟陰人幼有名譽累轉御史中丞領尚書令明帝不豫與王導等並受顧命成帝即位導以疾不至壼正色於朝曰王公豈社稷之臣耶大行在殯嗣皇未立寧是人臣辭疾之時導聞之輿疾而至是時導稱疾不朝而私送車騎將軍郗鑒壼奏導虧法從私無大臣節御史中丞鍾雅阿縱不舉劾並請免官舉朝震肅庾亮將召蘇峻壼固爭不從峻果稱兵壼率諸將拒戰敗績壼時發背創猶未合力疾苦戰死之二子眕盱亦赴敵死夫人裴氏撫二子尸哭曰父爲忠臣爾爲孝子復何恨乎葬冶城旁至今廟祀不絶

樂道融少有大志爲王敦參軍敦將圖逆使名甘卓卓遲疑未赴敦遣道融融忿敦逆節因說卓曰王敦背恩不道國家待君至厚今若附之生爲逆臣死爲愚鬼君當僞許應命而馳襲武昌敦衆聞之

必不戰自散矣卓喜乃陳敦過逆發兵討之卓兄子印時爲敦參軍敦使印求和于卓令其旋軍卓信之道融曰將軍起義兵而中廢爲敗軍之將竊爲將軍不取也卓不從道融晝夜涕泣憂憤而死

南北朝

顔見遠 晋侍中含七世孫爲御史治書正色立朝及梁武帝受禪見遠痛哭而死

袁粲 字景倩明帝時累官尚書僕射領吏部加中書令明帝崩與褚彥回劉勔並受顧命齊高帝革命粲謀矯太后令率宿衛兵攻之事泄高帝遣戴僧靜向石頭粲衆奔力不能支爲僧靜所殺子最亦死焉先是粲衆潰時粲還坐列燭自照謂其子曰本知一木不能止大廈但以名義至此耳僧靜將殺粲最抱父乞先死兵士莫不殞涕遂皆遇害從兄子昂仕齊梁武起兵昂獨拒境帝手書諭之昂不屈稱世忠焉

沈恪 永定初爲宣猛將軍陳霸先謀篡使中書舍人劉師知引恪勒兵入宮衛送梁主如別宮恪排闥見霸先謝曰恪身經事蕭氏今日不忍見此決不奉命霸先嘉其意不復逼

唐桓彦範字士則長安中爲司刑少卿多所建白張柬之將誅張易之等引與定策乃以彦範敬暉等爲左右羽林將軍屬以禁兵因率羽林兵討賊迎中宗復位帝以彦範爲侍中封譙郡公時韋后雅爲帝寵畏且武三思與烝亂由是朋讒奇中未幾罷彦範等政事王同皎謀誅三思事洩三思誣彦範等同逆乃貶彦範瀧州司馬敬暉等悉貶三思又疏韋后隱穢榜於道請廢后乃誣彦範輩爲之御史大夫李承嘉誣其事奏當伏誅詔有司議罪卿裴談請即誅斬籍没帝業嘗許以不死遂流瀼州禁錮終身子弟年十六以上謫從嶺外三思又諷節愍太子請滅彦範等三族帝不從三思矯制殺之睿宗即位彦範等並追復官爵賜實封二百戸還其子孫謚曰忠烈

南唐李元清先濠州人趫捷善走能及奔馬常步入梁宋刺事後主嗣位以吉州永新與湖南聯境命元清爲永新制置使每數月一託疾不坐衙輒微服入湖南境人無知者敵人動息元清常預知之治境累年邊障寧晏國亡以故官起發赴京師元清心誓不復仕二國因僞稱失明名醫之揮刃將及頭

目不爲瞬乃放歸濠州卒

宋胡銓字邦衡建炎二年高宗策士維揚擢第一有娟其進者降第五授文林郎累遷編修官七年秦檜决策與金人講和王倫誘致金使以詔諭江南爲名銓上書乞斬檜倫與孫近三人羈留金使典兵伐之書奏除名謫新州檜死量移孝宗即位首復官歷端明殿學士卒年七十九命其子戶授遺表有死爲厲鬼殺賊之語表聞贈通議大夫謚忠簡

明徐輝祖中山王達長子常侍懿文太子學通經書大義善大書洪武中嗣魏國公建文即位特見信任靖難兵起輝祖帥師禦戰斬其驍將李斌等十數人北師皆懼會京師傳言燕王已歸召輝祖還文皇即位武臣咸附輝祖獨不屈上親見問輝祖不出一語文皇怒下于獄法司追取供招輝祖援筆惟書其父開國功子孫免死而已革祿米勒歸私第卒

梅殷汝南侯思祖從子尚寧國公主恭謹有謀善騎射精通經史諸駙馬中高皇愛之嘗命提督山

東學校後授客命輔建文靖難兵起殷充總兵官鎮守淮安悉心防禦文皇使人假道殷割其口鼻遣之文皇乃渡泗水田六合至京師即帝位殷尚擁重兵淮上上令公主嚙指血爲書招殷殷得書慟哭聞建文君遁去殷曰君存與存君亡與亡姑忍俟之乃還京見上上曰駙馬勞苦曰勞而無功永樂三年冬入朝都督譚深指揮趙曦令人擠殷死笪橋下都督許成發其事上深罪二人二人對以上命上大怒命力士持金瓜落二人齒斬之謚殷榮定同時駙馬死難者東川侯胡海子觀戰于白溝河陣亡功臣李英子堅爲燕兵擒不肯降憤恨死

王一居 初爲太常贊禮郎宣德初舉南郊之禮一居禮度詳雅上嘉之遷少卿正統間死于王事贈太常寺卿

何棟如 字子極號天玉湛之子棟如姿性超越年二十舉萬曆戊戌進士授襄陽府推官大獄多平允值苗亂板角關棟如簡練士卒遣將王一桂立縛之遂以知兵名中官陳奉擻開青山礦棟如以顯

陵發脈地繪圖疏聞事得寢後瑺至襄民不勝忿爭揭竿起擊稅監及其爪牙盡擠之江時京師訛傳楚官民擊殺瑺上怒遣緹騎逮全楚臣首棟如下詔獄四年會星變赦歸光廟初起南兵部職方主事以韜畧自負慨然請纓思立功塞外加太僕卿行邊贊畫會失貴人意復逮繫詔獄拷掠備至無可坐乃坐募船糜費四百金戍滁陽崇禎初昭雪脫戍籍歸南大司馬范公景文將擬推轂會疾卒嘆惜以為未盡其才云

張可大

張可大字觀甫一字扶輿父如蘭以世胄中武舉第一人官至淮徐漕運參將博極羣書譚古今事如指掌凡陪京大利弊典革靡不條議見諸用好學勵行動準古人可大幼警敏善騎射舉萬曆辛丑武進士屢官右都督鎮山東勤王解都城之圍領專勅平島帥劉典治之亂又建功於鐵山内陞左軍督府已得代聞兵變回登州為戰守計值防撫誤信賊間好人内應而登陷乃登署樓衣冠北向拜手刃愛妾題壁曰某年月日山東總兵張可大盡節於此遂投繯事聞贈太子少傳特賜祠額曰旌忠謚莊節可

大孝友博學所至敬禮賢士大夫投壺雅歌咸以爲
戚愈再見雖軍旅倥偬手未嘗釋卷許太史士柔謂
其將而能吏勇有其廉錢宗伯謙益謂
古之儒將而以忠烈特聞尤足重云

童仲揆 字元圃萬曆戊戌武進士爲四川都司經畧
熊廷弼聞其名疏調軍前屢立戰功後與石
柱土官秦邦屏率師渡河衆寡不敵仲揆揮短兵接
戰中弩死贈都督廕其子以振孝陵衛正千戸以振
歷官陽電叅
將死於陣

陳六奇 字鳴鸞萬曆戊午舉人知雲南曲靖府南寧
縣流寇內訌雲南大亂曲靖爲土酋所據知
府焦潤生死之六奇號召義勇力窮被執
賊欲官之六奇不屈爲所害闔門遇難

陳忠 見人物

姚九疇 字庚先爲浦口守禦崇禎八年冬流寇破歷
陽圍江浦九疇從游戎汪之斌援浦乘障用
火攻五戰皆捷斬賊亡算城賴以完之斌貪功議搜
山九疇諫不聽果中賊伏九疇率所部往救出之斌

於重圍帥膽落以偏師潰賊麇至援絶矢窮誘降不屈以刃脅之罵賊死先是戊午三路之師紅旗促戰南營帥姚國輔以游擊將軍領銳卒三千赴援死焉登州之變鎮標千總姚士良請當一隊與游擊陳良謨中軍管維城死於陣三姚皆南産其奮不顧身致命遂志畧相類

常延齡見人物

大清顧來鶴字和之由武舉歷任寧夏都閫會吳逆之變城中蜂起從賊迫來鶴使降來鶴大罵不屈竟爲所藏事聞

諭祭葬贈游擊廕一子衛千戸

董三策字繼舒天性孝友登康熙癸丑科武進士隨征入粵補瓊州府萬營游擊二十年海逆入犯攻陷定安因結連黎峒賊猗角爲亂鎮檄三策勦禦九戰恢復邑城攻破加番加袍等寨招復生黎生岐等峒卽追賊入山陣斬僞道員馬文驪僞總兵程可任窮追深入日夜不休身冐瘴毒遂卒於軍總鎮佟呈會督撫提請邺有稿以上上元

晉王諒字幼成少有幹畧永興三年爲交州刺史初以王機爲刺史新昌太守梁碩發兵拒機自領交阯太守迎前刺史修則子湛行州事諒旣到境湛退還九眞廣州刺史陶侃遣人誘湛來詣諒所諒執之碩時在座曰湛故州將之子有罪可遣不足殺也諒不聽卽斬之碩怒而出諒使客刺之弗克碩遂率衆圍諒於龍編陶侃遣軍救之未至而諒敗碩逼諒奪其節諒固執不與斷諒右臂諒正色曰死且不畏臂斷何有十餘日憤恚而卒

宋秦傳序淳化五年充夔峽巡檢使賊李順攻陷嘉戎瀘渝涪忠萬開八州序監軍開州督將士晝夜拒戰城中乏食出囊橐服玩盡市酒食以犒士衆皆感殊死戰而力竭不能支乃爲蠟書遣人間道上言臣一死報國誓不受辱頃之城壞赴火死其子輿自湖湘泝峽求父尸至夔州舟覆溺水死人謂父死於忠子死於孝奏至太宗嗟惻久之錄次子煦爲殿直賜錢十萬

秦鉅字子野建康侯堪之子嘉定間通判蘄州金人犯境與郡守李誠之協力捍禦求援於武昌安

慶月餘兵不至策應兵涂揮常用等棄城遁城破鉅與誠之各以親兵巷戰死傷畧盡鉅歸署疾呼吏人劉廸令火諸倉庫乃赴一室自焚有老卒見烟焰中着白戰袍者識其爲鉅也冒火挽出之鉅叱曰我爲國死汝輩可自求生掣衣就焚而死次子浚先往四祖山兵至亟還與弟瀶皆從父死後贈鉅五官秘閣修撰封義烈侯與誠之皆立廟蘄州賜額褒忠贈浚瀶通直郎淳祐十二年特封鉅義烈顯節侯

陳遘字亨伯登進士第知莘縣改知雍丘轉廣西轉運判官蔡京當國惡遘直言罷歸張商英得政擢給事中累遷進徽猷閣待制宣和二年冬方臘亂詔以屬遘遘上言指陳方畧帝悉從之加龍圖閣直學士經制七路又徙河北都轉運使進延康殿學士積官至光祿大夫復爲眞定又徙中山金人再至遘冐圍入城堅壁拒守詔遘爲兵馬元帥受圍半年外無援師京都既陷遘呼總管使盡括城中兵擊賊總管辭立斬以狥又呼步將沙振往振素有勇名亦固辭遘固遣之振怒且懼潛衷刃入府遂害遘於堂及其子錫并僕妾十七人長子鉅以官淮南獲免振出帳中卒譟而前執而捽裂之金人入見遘尸曰南朝

忠臣也斂而葬諸鐵柱寺建炎初贈特進弟適由開封少尹衞尉少卿至光祿卿是役也金人執之以北後十年死於雲中

楊邦乂 字晞稷吉水人舉政和中進士値府多艱每言及國事詞旨慷慨以節義自許歷婺源尉蘄廬建康三郡教授改知溧陽會叛卒周德據府城執府帥邦乂出獄囚趙明於庭諭曰汝能殄賊貰汝罪且官汝明許諾飲卮酒縱之明約其素所善者果擒賊邦乂以勞授通判建康府事建炎三年金人至江上杜充爲御營使駐節建康李棁以戸部尚書督軍餉相率迎降邦乂獨不屈大書衣裾曰寧作趙氏鬼不爲他邦臣授其僕曰持此見吾志吾必死之棁等强擁上馬見完顏宗弼使之拜邦乂不從明日授以舊官邦乂以首觸柱流血曰世豈有不畏死而可以利動者幸速殺我又明日宗弼與棁等宴立邦乂庭下邦乂曰若等爲天子守土賊至不能抗更與宴樂尚有面見我乎有劉團練者以幅紙書死活二字以示邦乂邦乂奮筆書死字金人相顧動色然未忍加害已而再見宗弼邦乂不勝忿激遥望大駡宗弼

怒殺之剖取其心明年事聞贈直秘閣卽死所立廟
賜額褒忠官其二子紹興七年加贈徽猷閣待制賜
田三
頃

明張益　字士謙幼岐嶷秀異過目成誦少孤事母以孝
聞撫弟晋有恩義庭無間言永樂中進士選庶
吉士授中書舍人轉大理評事正統戊午改修撰進
侍讀學士知制誥性儉朴雖貴顯不異儒生三楊甚
重之以詞翰名一時也先入寇王振力主親征
上命益扈從死於土木之難贈學士謚文僖

楊銳　守備安慶膽智過人宸濠之叛也留兵守南昌
自率大軍盡奪官民船蔽江而下聲言直取南
京豫伏奸人爲內應過安慶將順流飛渡銳與知府
張文錦等誓死固守令軍士鼓譟登城大罵之濠怒
遂駐師督衆運土塡塹內薄攻城城上矢石如雨賊
衆多傷數日不能克濠令僉事潘鵬遣其家人持書
入城諭降銳手刃之支解投城下賊衆氣沮會王新
建兵入南昌濠回兵救之安慶之圍始解遂擒賊戚
功議者以爲是役也濠乘初起之銳使順流而下事
未可知非銳等激怒之濠必不留攻安慶銳之功大

矣

王鑾 見人物

何遵 字孟循舉正德甲戌進士授工部主事督商稅荆州荆故利府以墨敗者相繼遵處之淡然不染已卯返命值武宗頻巡幸逆臣江彬實導之遂歷上谷雲中諸邊至是有詔除道將登封岱宗遵與會浮江漢而上以禱于太嶽逆藩宸變禍且莫測兵部郎中黄鞏修撰舒芬等暨遵先後進諫彬怒矯詔下鞏等獄且以死脅言者遵不顧復上疏言鞏等無罪不宜誅諫臣語益剴切彬愈怒并下遵于獄榜掠瀕死復罰跪廷杖逾二日竟死遵之將諫也貽書鄉人周金陳沂以親老爲託語不及私嘉靖初錄遵忠贈尚寶司卿子世守遺腹生以廕授臨江通判值洪水爲害世守願以身塞之而潮退平謝法四之賊黨而民安判永昌定木邦之亂起補吉安除寇救荒舉天下清官第一人以病乞休歸

潘可大 起行間嘗建功齊魯又北援京師南援閩粵皆有功崇禎乙亥授安慶守備署游戎事是

年流寇入桐瀦可大訓練爲備偕道臣史可法四面堵截不解甲者數月與士卒同甘苦加叅將隨總兵程龍進勦遇賊於酆家店時賊騎數萬而程所領纔三千餘人困守月餘矢盡營破度不得生乃取關防印襟袂數十處以身殉焉程亦自焚死史公招魂而哭爲立祠祀之事聞贈都指揮使廕其子

胥自修 字二如萬曆壬子鄉薦授曲陽令豈弟廉能勤䘏民隱爲三輔最丁艱起復補宜黃值奸民劫掠多方捕獲欲寘之法有夤緣縱以出押者坐是與當事忤左遷衢州府檢校轉光祿監事尚未離衢值國變具冠服北向肅拜自是絕粒子弟微勸之不顧曰吾惟一死報朝廷而已城破爲衆兵刺死其孫時進扶柩以歸

梁志仁 字霏玉萬曆戊午舉人授衡陽縣丞易徵便民之法完課獨先錢糧自收自解不用庫吏而庫銀無侵驛馬官買官養不設馬戶而民間無累調羅田縣時賊氛孔急志仁練民築城爲守禦計無何賊已破英山志仁遣民壯汪順等四百名截堵於鳳凰關未至而賊已入關順等陷沒長驅薄城下奸

人內應城破志仁被害死於縣門外倪公祠前妻唐氏同死事聞贈蘄州知州

劉旋 字遁生崇禎戊辰恩選授四川崇寧知縣任未一年流賊張獻忠從廣元寇蜀州縣望風遁旋誓死守賊至危坐堂上賊掖之下罵賊不屈賊怒刳目剔腎猶不絕聲事聞贈尚寶司司丞祀鄉賢

汪偉 字叔度少倜儻負才遇事敢爲崇禎戊辰進士授慈谿令多異政邑有虎災偉禱於神而得虎自是山行無患戊寅擢簡討癸未分較禮闈得人最盛房首顧咸建同殉難孟章明其最著者荊襄失守偉知時事不可爲上江防綢繆疏一曰布置謂禦淮所以禦江守九江所以守金陵一曰用人謂守江當責督撫守城當責京兆曰設處謂兵非舊額兵虧而餉不減水戰恃船船壞而費難措當擇壯勇丁舍以實伍整練兵船以助援凡條奏千餘言上嘉之甲申二月流賊逼近畿輔眞保督爲叛軍縛去偉聞泣曰事至此乎作書寄陸給諫朗曰賊襲眞定奸細蒲都城外解不至大小諸臣無一人可支危亡如聖主何平時誤國之人終日言門戶而不顧朝廷之門戶終日言聲氣而不顧窮民之聲氣今日當何所伸其狂

喙耶廟議又欲移史撫臺某正色曰諸公并江南亦不要耶弟死不足言南中諸老當思萬全之計可也三月十九城破先一日偉繼室耿氏簡新製袖衣上下固縫以待偉因援筆題襟曰翰林院簡討汪偉繼室耿氏同死節次早城陷耿氏先投繯公捉筆大書壁間云崇禎十七年三月十九日城陷翰林院檢討同繼室耿氏死節後書云身不可辱志不可降夫妻同死節義成雙江左汪偉絕筆復作家書寄長子觀大畧以忠孝自盡勿辱先人爲勉遂經府耿懸於左偉熟視曰雖造次不可失序因移耿停於右有僕見之解繫復甦偉瞪目大罵扃戶復經而卒子觀壬午舉人建祠於漢西門

徐有聲字聞復多才伉爽崇禎辛巳廷試上奇其對擢戶部貴州司主事居官廉勤釐剔宿弊朝退恒自歎曰安有取民至此極而能立國者乎語未畢泣下闖戈指闕公死難

大清羅斌由淮貢授府佐壁環縣知縣康熙二十年二月值土賊夜薄城下力不能支遂爲所執斌罵厲不屈自刎而死士民泣訴各臺監轄武公批雎陽不陷無以顯張巡之忠府以爲實錄云

以上江寧

唐劉鄴字漢藩父三復以文章知名少孤母有癈疾三復乞食供養不離左右李德裕觀察浙西辟爲掌書記鄴幼而聰敏童丱時便能屬辭德裕使與子共師學德裕廢客游江湖間久之名爲翰林學士歷中書舍人傷德裕以朋黨竄死海上書訟其冤復德裕官爵世高其義鄴尋以本官領諸道鹽鐵轉運使旋拜禮部尚書同中書門下平章事判度支罷爲淮南鳳翔節度使黃巢亂僖宗西狩鄴追乘輿不及爲巢所得迫以僞命不從爲賊所殺

明孫炎字伯融高帝下江南聞炎名召見炎勸帝收攬俊傑與圖大業每與謀多當帝意從下浙東擢知池州府未幾召爲省都事會處州降命耿再成守之以炎爲總裁聽自辟掾吏處州故賊衝環城壁塢相望不受約束炎匹馬入城召州豪長跽堦下諭以順逆禍福曰吾生若無自爲滅宗計皆叩頭流血誓不敢有二心轉相告語降者屬路炎乃擇精銳爲兵卽命其豪統之無事皆遣歸農寇來以符召立至時天下擾亂賢者多隱匿不肯出炎訪其名以書招之青田劉基造焉炎置酒與語論古今成敗詞辨鋒起

劉歎服苗將賀仁德李祐之叛襲炎城中與合勢置炎幽空窖中脅之降炎不屈乃以酒饋炎曰以此與公訣炎引滿仰天嘆曰嗟乎丈夫乃爲鼠輩擒乎飲酒自若卒使解衣炎大罵曰此紫綺裘吾君所賜當服之以死遂見害後追封丹陽縣男處州歲時祀之

大清李信　字吾斯文定公曾孫由貢生選廣東和平縣尹至任未幾城破信與其次子及第三子一時俱死一老諸生楊姓者江右人相隨署中曰吾亦江右文學也忍獨生乎亦相繼死有許士楷者亦邑人七日不食死

以上句容

唐董平　永貞中進士累官門下中書侍郎太和末與賈餗等謀誅宦官事泄有甘露之變平殉其難後
賜祭
葬

宋趙淮　字元輔以從父葵賜第溧陽遂家焉德祐中元兵大舉賈似道兵潰沿江守將或逃或降乃就家起淮爲大府寺丞招集義兵造艦于長蕩湖倚邑山置寨以扼東出之兵未幾元兵分道來攻淮戰敗被執辭家廟登舟過江見阿术不跪授以虎符不受使往揚州招李庭芝降至則大呼曰庭芝男子死則死耳阿术怒殺之罵不絶口二妾殉焉有錢應高者溧陽進士淮被執嘗宿於其家聞淮死追之不及亦赴荆溪而死

元偰列篪　本畏吾人居溧陽父哈剌不花死王事列篪中至順庚午進士爲潮陽尹歸過南昌值紅巾亂當事檄守東門城城陷誓不辱挈妻子十一人同日死之後人從其樓於城西北角曰偰家樓以旌其忠崇禎末南昌府推官立廟祀之

明徐文英幼警敏尚氣節洪武丙子由明經授龍虎衛經歷擢浙江道御史清剛自立一日入朝後期上詰之對曰送臣父歸里爾上問何所贈曰錢一百草屨二輛追驗之良然見其衣肩寠裂命繡窮御史三字於袍上旌之尋轉河南副使寮蜀有過輒斥不少容後從英國公征交趾矢竭心力遘病卧營中語人曰馬革裹屍未足報國遂卒英公憐其忠令人輿櫬歸葬焉

史源字元傑以才勇授驍騎千戶永樂間從征交趾於月常江遇賊馬逸入陣斬馘衝突賊驚潰忽爲毒鏢所中屍載所乘馬歸營中殭立如生云

戴慶祖由太常贊禮郎歷陞少卿正統己巳扈蹕北征與土木之難朝廷嘉其忠贈嘉議大夫太常寺卿遣官諭祭

王亮采字仲寅事母以孝聞由鄉舉知石州嚴明有聲宿逋一清北兵將寇汾州猝至石城下索金帛亮采固守不應乃益兵攻之城破執亮采之汾抵郭門大呼曰石州已陷我死不足以自贖城中宜

堅壁以待援兵遂遇害士民哀之立祠祀焉

馬從謙字益之嘉靖十四年進士初任工部主事治河徐梁有能聲轉禮部改尚寶丞掌制誥從世宗幸承天陞光祿少卿兼翰林院五經博士仍典制誥上好齋醮日費數千緡中官杜泰怙勢侵冒鉅萬從謙疏止齋醮并暴泰罪擬以誹謗廷杖死之萬曆己丑子有驊以明經官鴻臚三疏叩閽請卹詔贈太常寺少卿予祭葬有奏疏一卷竹湖遺稿行世

以上溧陽

宋朱處登　政和八年進士建延二年官左從事郎潭州瀏陽令四年軍賊杜彥等陷瀏陽處力戰三日死之後贈大中大夫

劉綰　靖康間官安撫使金兵至綰以抗敵死

元趙龍澤　字萬里汝穎兵陷建業龍澤不屈死之子權同死弟宗澤婦衛氏長侄婦夏氏次侄楷與其婦劉氏俱赴水死

明齊泰　字尚禮洪武二十年舉應天鄉試第一明年舉進士授禮部主事尋改兵部未幾陞本部左侍郎明年進尚書上名問邊將姓名泰歷舉以對無遺又問諸圖籍泰袖出手冊以進大稱旨是年受顧命時諸王方擁重兵驕逸不法及建文君嗣位詔諸王臨邸中毋奔喪諸王弗悅多卿泰已而文皇竟入臨泰請勅急勤還國泰嘗使北平伴內其賂歸請爲邊費上益倚重之靖難兵起閫外事一以付泰泰遂移檄指斥削屬籍無所憚或難之卒不顧文皇上疏請發奸臣齊泰等臣卽罷兵上不得已謫齊黃官以報

文皇文皇趣兵益進上亦復名齊黃未及至金川門聞建文君已遜去泰復募兵他郡被執見文皇不屈死之兄弟宗黨誅配殆盡獨子六齡倖免

魏澤字彥恩少有學行洪武中官刑部尚書建文時謫爲海寧尉時文皇逮方孝孺誅及族黨孝孺幼子德宗甫九歲澤極力覆護台州秀才余學夔寓於京心知之遂潛歸變形佯狂乞食於市一日逆澤於城隅作狂歌有願効程嬰語澤會其意叱曰扶顛子出城去兩日後復遇在市歌如前澤乃容致孝孺文稿及德宗於學夔囑使急去以故孝孺尚有後謝文肅所稱孫枝一葉者是矣後直指黃紀賢代巡至溧建石碑于北門橋表澤大義

武暐字元曄嘉靖間由臺史授台州府知事攝黃巖稱治會倭犯黃巖界暐率兵迎敵倭爲之却初所率兵猝募民間子弟雅勿習戰又以倭即引去備稍弛越五日倭突至城遂陷暐猶以奇兵禦倭於拘嶺掩殺多人至釣魚嶺倭亦以奇兵還擊之衆潰暐獨殿與寇相持者越日手刃若干級援勿至遂陣没

年三十八贈太僕寺寺丞廕一子

李佛保居恒以忠義自許不事名利嘉靖三十四年海倭自吳下登陸震驚東南犯溧境民衆惶潰保獨挺身捍之奮勇力戰勢孤不敵死于募軍橋

丁遵與李佛保同時值倭至懼邑民難出與佛保共力戰弗克而死

劉鳳池長齋少嗜欲年三十有一聞甲申之變作遺言付子六斤爲治命遂從容赴水死及家人跡至見其衣冠整然立于河中面貌鬚髮猶生邑諸生多爲詩文以弔之

大清劉虔邑庠生順治乙酉十二月土賊倏起知縣羅佳士聞警捧印上郡請兵未及虔登城瞭賊賊已在樓櫓虔力拒羣賊揮刃失手賊攮虔刺死邑中士民痛之

以上溧水

宋劉綰字子陽綰聖甲戌進士官至滑州安撫使靖康初金人入寇死於難

明甘霖字沛之洪武二十九年以薦召入高帝見其狀貌異之問其名曰甘霖因曰浙江大旱汝往霖之授左叅政以六月至任其夜夢神告曰某地有井可濟民渴旦往儼若夢境掘之果得大泉相傳今吳山井是也已而同僚屬祈禱大雨隨至歡聲四起居二年以病乞歸至永樂初文帝靖難師至錄舊績擢江西布政使霖抗節不屈同御史董鏞葉希賢魏冕求死從容就戮永樂五年文帝追嘉其忠賜葬官墩

邢仕礪字帶甫明崇禎中簿江西南康縣鼎革兵至城陷死之長子振懸抱父屍慟哭亦死焉

大清徐一范字吳徵其先當塗人性剛直操切有聲庠序登明崇禎戊辰進士順治初年官禮部轉大同兵憲遇難以死徼御葬恩廕

以上高淳

宋張邵字才彦烏江人籍之六代孫也登宣和三年上舍第爲衢州司刑曹事會求直言上疏宜進都金陵以圖恢復金人南侵詔求可至軍前者邵慨然請行以直龍圖閣假禮部尚書充通問使至濰州按伴夜置酒張樂邵以二帝北遷不忍聽固請止樂見左監軍撻覽不拜且以書抵之曰兵在曲直僞楚借立羣盜蜂起曾幾何時電掃無餘是天意人心未厭宋德今復封劉豫窮兵不已曲有在矣撻覽怒囚於祚山砦復送於劉豫豫使用之邵見豫長揖呼爲殿院責以君臣大義豫怒械置於獄知其不屈復送於金拘之燕山僧寺作書爲金言劉豫南侵非金之利守者密以告金取其書去蓋北徙之詔興十三年和議成邵歸陞秘閣修撰主管佑神觀左司諫詹大方論其奉使無成改台州崇道觀移書特相勸其迎請欽宗與諸王后妃復以敷文閣待制提舉江州太平興國宮知池州再奉祠卒邵遇事慷慨常以功名自許出使因徙屢瀕於死其在會寧金人多從之學有文集十卷子孝覽孝曾孝忠孝會後亦以出使歿於今金人知爲邵子尚憐之孝忠登龍興元年第官至直寶謨閣知金州事兼制司參議

明劉觀遵教鄉人領己卯鄉薦永樂中任監察御史克振風紀勁直敢言至冒重辟得免陞長蘆鹽運司同知卒於官囊無長物子孫不免饑寒張司寇瑄稱爲廉吏祀鄉賢祠

熊國璽邑庠生值流寇之變登陴力戰而死

以上江浦

南北朝

張約之 棠邑人性耿介不阿授吉陽縣令宋景平二年朝議將廢廬陵王爲庶人約之上疏切諫不納遂見殺論者以爲有田延年之風

明

鄒銘 洪武間以虎賁左衛百戶從征雲南死于陣事聞陞其子政貴州烏撒衛副千戶

沈旺 洪武間湖廣武昌護衛百戶從征荊門州死于陣其後承襲亦陣傷

龍再一 國初丙申年從軍死于陣

許福一 國初己亥年從軍死于陣

楊景 以陝西漢中衛百戶死于王事後以子洪貴累贈後府都督加贈昌平侯

韋敬 以福建漳州衛副千戶死于陣

夏斌 正統十四年以錦衣衛校尉隨駕北征死于鷂兒嶺

包貞 正統十四年亦以錦衣衛校尉隨駕北征死于鷂兒嶺

黃宏字德俗弘治壬戌進士初任萬安知縣擢戶部主事乞恩就養改南京刑部進祠祭郎中轉江西參議九江盜起凌閱之黨甚熾聞宏往走西山實據寧濠上世之墓莫敢兵也宏襲之夜遁擒其孥明年濠舉兵率羣盜以叛先陳壽晏兩院三司畢至明日期往謝首殺都御史孫燧按察副使許逵一時迫脅者多得釋宏不服以手械向柱蹙項死之暴其屍數日後濠誅贈太常寺少卿祀于旌忠廟

談王道字對揚崇禎乙卯以歲薦爲新鄭訓導府歲大祲道爲糜粥偕其長子躬哺之存活甚衆辛巳冬環河之城俱爲盜陷新鄭孤壘無援知縣劉之輝得瘵病道協民城守不避矢石環攻不下賊以五牛拽紅夔大砲攻之城應聲碎道猶踞守城東連被數矢墜城寇獲索道印道詈曰此朝廷家物賊欲何爲賊怒殺之

馬純仁字樸公邑庠士崇禎甲申聞國變題詩于衣帶投河卒

以上六合

江寧府志卷之二十八

人物三 孝義

晉王祥字休徵烏衣王氏之先也本臨沂人性至孝繼母朱氏不慈每使掃除牛下祥愈恭謹父母有疾衣不解帶湯藥必親嘗母嘗欲生魚時天寒水凍祥解衣將剖氷求之氷忽自解雙鯉躍出持之而歸母又思黃雀炙忽有黃雀數十飛入其幕復以供母鄉里驚嘆以爲孝感所致有丹柰結實母命守之每風雨輒抱樹而泣其篤孝純至如此漢末遭亂扶母攜弟覽避地廬江隱居三十餘年母終居喪毀瘁杖而後起徐州刺史呂虔檄爲別駕固辭覽勸之乃應召自是累官至太常封萬歲亭侯天子幸太學命祥爲三老祥南面几杖以師道自居天子北面乞言晉武踐祚拜太保進爵爲公大事皆諮訪之以子肇爲給事中使常優游定省祥疾篤著遺令訓子孫曰言行可覆信之至也推美隱過德之至也揚名顯親孝之至也兄弟怡怡宗族欣欣悌之至也臨財莫過乎讓此五者立身之本其子皆奉行薨年八十五謚曰元

王覽祥繼母弟也年數歲時見祥被楚撻輒涕泣抱持至于成童每諫其母少止凶虐母屢以非理使祥覽輒與祥俱又虐使祥妻覽妻亦趨而共之母患之乃止母密使酖祥覽知之徑起取酒祥疑其有毒爭而不與母遽奪反之自後母賜祥饌覽輒先嘗母懼覽至斃遂止覽亦篤行著聞應召累官至大中大夫薨年七十謚曰貞

顏含字弘都先世莘人少有操行以孝友聞兄畿得疾就醫死於醫家家人迎喪旐繞樹不可解引喪者顛仆稱畿言曰我未應死但服藥所悞今當復活慎勿葬也父祝之歸家旐乃解及還其婦夢之曰吾當復生可急開棺母及家人又夢之卽欲開棺而父不聽含時尚少乃曰開棺之痛孰與不開相負父母從之乃共發棺果有生驗但奄然餘息將視累月猶不能語含乃棄絕人事躬親侍養足不出戶者十有三年畿竟不起含二親既終兩兄繼沒次嫂樊氏因疾失明含課勵家人盡心奉養每自嘗省藥饌醫人疏方應須髯蚺膽而尋求備至無由得之忽有青衣童子持一青囊授含含開視乃蚺膽也童子化青

鳥飛去得膽藥成嫂病卽愈元帝初鎭下邳命爲參軍過江除吳郡太守含所歷簡而有恩明而有斷然以威御下王導嘆曰顏公在事吳人斂手矣未之官復爲侍中尋除國子祭酒以年老遜位成帝美其素行就加右光祿大夫賜牀帳被褥勅太官四時致膳固辭不受郭璞嘗欲爲之筮含曰年在天位在人修己而天不與者命也守道而人不知者性也自有性命無勞蓍龜桓溫求婚於含含以其盛滿不許惟與鄧攸深交或問江左群士優劣答曰周伯仁之正鄧伯道之清卞望之之節餘則吾不知也其抑浮貴實如此自含渡江九世皆葬建康

南北朝蕭統 字德施梁武帝長子也生而聰慧三歲受孝經論語五歲徧讀五經悉通諷誦性仁孝出居東宮常思戀不樂帝知之每五日一朝多便留永福省母丁貴嬪有疾太子還永福省朝夕侍疾衣不解帶及薨漿水不入口每哭輒慟絶武帝宣旨曰毁不滅性有我在那得自毁如此可卽强進粥雖屢奉勅勸終喪日止一溢不嘗菜果之味自加元服帝便使省萬機每所奏謬誤皆卽辯析徐令改正未

罪一人平亭法獄多所全宥引納鴻儒常與討論墳籍商搉古今有所撰文選傳世普通中都下米貴太子菲衣減膳賑賜饑寒每聞遠近賦役勤苦輒斂容變色吳郡水災有上言當漕大瀆以瀉浙江詔發吳興信義三郡人丁就役太子上疏婉諫帝優詔喻焉三年三月游後池姬人蕩舟沒溺而得出恐武帝憂深誠不言武帝敕看問輒自力手書啓及疾篤左右欲啓聞猶不許曰何令至尊知我如此惡因便嗚咽薨年三十一帝臨哭盡哀詔斂以袞冕謚曰昭明

陶子鏘字海育兄尚宋末爲倖臣所怨被繫子鏘公私緣訴流血稽顙兄乃得釋母終居喪盡禮與范雲鄰雲每聞其哭聲必動容改色欲爲申薦會雲卒初子鏘母嗜蓴母歿後常以供奠後忽營蓴不得子鏘悲恨慟哭而絶久之乃甦遂長斷蓴味

張松建康人兄悌坐罪當死松及弟景各欲代死縣以讞上梁武以爲孝義特降其死

徐雄丹陽人文伯子位奉朝請能清言多爲貴游所善事母孝母終毀瘠幾至自滅俄兄亡扶杖臨

喪一慟而絕

庾沙彌其先潁上人嫡母劉氏寢疾沙彌晨昏侍側母亡晝夜號慟鄰人不忍聞既葬旅松百餘株自生墳側梁武帝以純孝舉召見嘉之補歙令復丁生母憂喪還濟江中流遇風舫將覆沙彌抱柩號哭俄而風靜蓋孝感所致

阮孝緒字士宗其先尉氏人父彥之宋太尉從事中郎孝緒幼至孝性沈靜年十三徧通五經屏居一室非定省未嘗出戶外兄王宴貴顯屢至其門孝緒逃匿不見及宴誅竟獲免天監十二年與吳郡范元琰俱徵並不至後於鍾山聽講母王氏忽有疾兄弟欲召之母曰孝緒至性冥通必當自至果心驚而返合藥須得生人葠舊傳鍾山所出孝緒躬歷幽險累日不值忽見一鹿前行孝緒隨至一所就視果獲此草母服之遂愈時皆嘆其孝感著高隱傳上自炎黃終于天監之末斟酌分爲三品凡若干卷南平元襄王聞其名致書要之不赴鄱陽王妃孝緒之姊王嘗命駕欲就之遊孝緒鑿垣而逃卒不肯見大同

二年卒時年五十八門徒誄其德行謚曰文貞處士

劉訏字彥文其先平原人幼稱純孝數歲父母繼卒訏居喪哭泣幾至滅性赴吊者莫不傷焉

江紑字含絜先考城人父患目紑侍疾期月衣不解帶夜寢夢一僧告以飲慧眼水乃可差及覺言之莫能解者乃詣草堂寺訪智者法師啓捨牛屯里舍爲寺以慧眼爲名及就創造泄故井井水清洌異常取以洗眼遂差時人謂之孝感梁南康王召爲主簿不樂仕進父卒廬墓終日號慟月餘卒

謝貞字元正晉太保安九世孫幼聰敏有至性母王氏授以孝經論語讀便成誦年十三通五經大旨善左氏傳祖母阮氏病風眩每發輒不能食貞亦不食丁父艱號頓于地而復甦初父藺居母喪不食泣血而卒家人懼貞復然請長爪禪師爲說法師謂貞曰孝子既無兄弟極須自愛若憂毀滅性誰養母耶自是少進粥糜母喪哀毀羸瘠時徐祚沈客卿俱來候貞見其骨立纔加寬諭貞更感慟氣絕良久始甦士大夫無不仰止貞竟以毀卒

宋秦熹其先南泉人爲人長者歲收租萬斛鄉民輸粟每令自行槪量間捐之鄉人德焉當熙寧元豐間頻歲饑饉作糜粥以飼往來之人計升斗以給乏絶之家全活甚衆有司聞而薦之不起

元王進德字仁甫其先汴人家素封好施濟其最著者餘郡庠皴進德搆講堂并陳設器具所費七萬緡創建江東書院朝錫以額設官掌其教置義莊以贍親族修城隍以扞井里遇父母忌日修時祀致終身哀謙和恭愼雖炎天獨處必正衣冠見者肅然年八十四卒從子子清字寅叔事母盡孝富厚不逮進德而樂施好義惟力是視人以爲難

顧童子年十六母病割股母愈而童子死

明姚金玉其先浙人洪武初割股愈母詔旌孝行之門六世孫汝循舉進士

周祓其先宋元九世同居國初王師渡江祓糗糧以迎乃官祓武寧主簿正統間祓孫鏞者出粟賑饑旌爲義民

張福緣天性至孝竭力事親母李氏病衣不解帶者數月病轉劇遂刲股作羹以進母病獲痊洪武二十七年旌表

孝義王指揮失其名世襲虎賁衞妻死不娶獨與母居孝養備至人皆稱今名蓋重之也同官黄某遠謫久不通問妻貧不能存成國朱公儀素愛指揮欲以黄婦妻之召指揮語之故指揮不敢拒唯唯而已成國遂擇日歸之指揮雖處一室夜則各寢居數月成國聞之召訊其故指揮曰曩以主命不敢逆但與婦同寢其夫歸何以處之況彼失節是某失節也成國曰若爾則如之何指揮曰如兩全不若遣送謫所某家有老奴夫婦二人令伴送至彼可無虞矣成國歎賞從之更賜金遣二人送至謫所夫婦遂得重聚四方聞其事者皆稱之

徐遠字文穆平生以古人爲法有友人寄一竹篋內藏白金奇玩其夜遠家被火友人已甘灰燼往探之遠於已物無所取獨抱此篋移置善地性躭書史所著有居學齋集

姚讓字文敏家世富饒勤儉樂施凡貧不能殯斂及流離無依者叩門告之無不立應橋梁道路廢圮者即爲修葺街巷無井者輒計費開浚景泰間南雍志成出工價梓焉至於自奉儉約如寒士晚益礪儒術人傳頌之

龐景華字宇春幼有至性父歿時方九齡即哀毀如成人母孀居鬻簪珥市書遣就里塾景華承母志力學不怠比長娶婦徐氏能順姑志勤織紝家因以饒孝養備至母病阽危景華刲股以進疾乃瘳常至江滸捐金拯溺活十六人鄰火爇近所居籲天而禱風反火息有司奏旌其門曰孝行復其家母九十三乃卒廬墓三年哀聲不絕

吳珵字元玉天性至孝親病躬侍湯藥及卒哀毀踰禮墓側產芝登成化己丑進士歷陞工部郎中有吏犯罪當革役欲鬻子贖罪珵愍而復之其德惠及人類如此

李景星字應德爲諸生篤志經訓天性至孝事二親盡禮親喪三日不能飲食葬祭悉用朱氏禮

友于二兄生極孔懷之愛沒能字其孤與人交能急人之難不忮不怨閭里稱其篤行貢入太學卒

何岳 字畏齋嘗夜行拾遺金二百鍰不告家人昧爽攜至故處有尋至者問其數目封識皆合遂以還之其人欲分數金爲謝岳曰拾金而不敢隱豈利數金者乎其人感謝而去又嘗授經宦室值主人以事入都寄一廂於岳中有數百金曰俟遣人來取去數年絕不通聞適其姪以他事至因託之寄還岳卽觀察何汝健之曾祖

丁禟 其先江都人祖瑄天順初爲錦衣帥沒而賜葬江寧石子岡禟襲府軍後衛指揮使性至孝年五十猶無嗣有勸其禱祀者禟曰人受命於天而得生於祖與其乞靈土木曷若乞靈於吾親乎歲時膢臘必走賜塋下具牲牷申誠悃雖風雨寒暑不間一日冒雪往拜謁竟瞻隴上槭樹有碩果一如拳異而攜歸與室人啖之遂有娠生子弘潮得世襲孫時泰邑庠生素敦孝友著有雪崖逸叟詩文集時泰子徵亦庠生迄今子姓蕃衍

陳名謨父病危篤藥餌無効偕弟名世各籲天願以身代乃相繼刲股以進而父愈先是其母朱氏曾刲股愈其父姊適劉又刲股愈母一門之內母姊兄弟孝行相承人以爲難

沈鍾字仲律成天順庚辰進士歸省父病侍踰年卒居廬三年未嘗言笑服闋授吏部主事疏乞就養改南禮部俸資必跪奉其母所友惟章楓山懋彛正倫等時稱十君子尋拜按察僉事考績擢副使督學湖廣時座主尹公旻秉政當候見鍾問所居李文正顧坐客曰今之不識相門者仲律一人耳改督學山東爲諸生改五經文後子爲楚府儀賓遂乞致仕歸金陵無所棲息毫不介意平生賦詩萬首年八十弟鎧舉成化壬進士

鄭典前京兆鄭公埜之裔也爲府學諸生訓童子于大中橋尹氏夜臥館中群盜猝至脅主人門不得開捽典令呼以入典不可盜以刃迫之典大言曰吾受主人請訓若子乃爲若輩啓門以劫之此豈復有人理耶盜不得志掠生衣被而縛之逮明主人出乃解其縛人爭重之

王韋字欽佩巖之子沈毅清介動準禮法性至孝奉二親禮恭氣和小心周慎如一日登弘治乙丑進士庶吉士念親老乞爲南考功主事南曹考察力持公論擢河南督學凡請托一切謝絕士咸歸心擢南太僕少卿時居母憂且病竟卒顧東橋兄弟選其遺文刻之名南原家藏集子逢元字子新亦能詩

景暘字伯時正德戊辰舉進士第二人除翰林編修時逆瑾亂政陵轢朝士見者屏氣暘獨弗阿毎當進講必越宿齋沐覬有感悟在舘職九年遷國子司業二年改左中允管南京國子司業事辛巳以母憂去位甲申起復方就道染疾旬日而卒暘清介過甚居官如布衣時性篤孝義初母目盲百計莫療暘旦夕禱于神一日雙眸烱然舊疾如失有姊早寡奉與母居爲嫁娶其子女友人張貢見暘女欲與婚未聘也貢尋卒暘哭曰曩吾心已許之忍負亡友乎召其子妻之卒時方四十九歲識者共惋惜之

趙善繼邑庠生負氣重義嘉靖末年坊甲苦役傾家殞命者相繼善繼日夜謀與同里救父兄門庭之難奔走陳訴會郭給事具奏得請下所司悉爲蠲除民獲更甦卒之日異姓來哭者數百人從祀惠

澤
祠

姚澍字元白弱冠入太學力學耆古游情翰墨天性至孝母病脾醫不能療乃刲股作羹以進自是病漸愈更壽而康嘗拾遺金一囊候其主不至盡出以周貧乏謁選授鴻臚告攺南謝去不交當世子之裔文雅稱世美云

王馮字杲青四川學憲芝瑞公子芝瑞死王事藁葬端州西郊之梅菴馮家赤貧徒跣奔迎經營踰年間關萬里奉柩以歸時六合潘公士奇與芝瑞同官同志同患難同葬梅菴馮載與俱歸方起櫬時見菴側更有兩棺暴牆隅詢之菴僧曰此故廣東直指顧公之俊及其父棺也之俊與芝瑞爲患難交瑞殉時之俊爲經紀其喪馮悲感不勝乃葬之俊父于已父壙葬之俊于潘公壙各碣其墓而表誌之

鄭濂字師周嘉靖癸未進士爲行人兩使籓封餽贐一無所受選授山東道御史按兩浙粤西有能名出爲湖廣按察使以父憂乞致仕歸養母盡孝設榻母側旦夕候問起居惟謹長跽進甘旨母卒濂已

及耄哀毀踰禮里人著純孝傳以稱之侍二弟無間言屏跡公門年八十餘卒

盧璧 舉嘉靖戊戌進士擢南戸部主事陞彰德知府改漢陽晉苑馬寺少卿璧天性孝友父病以身爲禱親喪哀毀骨立居官常祿外秋毫無取又歸家計盜窘處之恬如杜門却掃不通公府性峭直終身下帷一人辭色不苟動遵禮法夫婦相敬如賓子孫必正衣冠然後敢見性好菊宅旁有圃手藝其中賁來異品躬灌植之花發召好友吟賞累日自餘閉戸晏坐讀書人罕識其面卒年七十有八

沈九思 字天啓世父琮起家進士仕至蜀憲九思童丱即有允宗之志旦起侍兩尊人於寢問起居滌廁牏惟謹退則下帷咿唔中夜不休父病顙天請以身代而瘳嘉靖癸酉舉試公車不第益發憤攻苦爲大司成呂文安公所賞罹母憂哀毀骨立哭三年不輟音後至京師感疾困甚謂友人曰吾生不獲祿養而又以死傷親心命也以君子之義俾得歸骨從松楸於地下則死且不朽亡何卒卒後三十餘年伯子鳳翔成進士爲蕭山令以廉能課最爲給事中清素如儒者才品爲一時所重封敭章奏有直聲

王元標字孚航業儒而精醫幼與鍾水部奇同學相友善鍾死以幼子屬之而令族人經紀其資爲饘粥計鍾子不能守費略盡標聞之責族人以負託而泣勉鍾子更出已囊代爲措置鍾子亦感而自立崇禎巳卯大疫標攜藥囊過貧乏之家遍爲診視窘者周之所活多人嘗著紫虛脈訣啓微八卷醫家稱爲指南

韓范字孟小父國楨歿勵志食貧娶薛氏善操作得母歡心崇禎丙子舉于鄉先是范父任俠好施涉江有負官錢鬻其女者解橐中金贖歸之咸以爲天道云榜發稱賀范泫然泣曰吾痛吾父之不及見也爲輟匕筯累日母蕭氏六十壽親友稱慶范猶以不逮事父爲恨母卒哀痛踰禮服闋謁選得吳興教諭聞國變憂憤成疾瀕死具衣冠北面再拜而逝

張繼宗刲股愈母旌　王項割股愈母

李逢暘見人物　李仕傑侍母蔡氏晝孝茹素祈壽

徐佛保割肝愈母旌

王萬禩割股愈母既貢不仕

馮添孫割股愈母旌

陳鑛庠生割股救母旌

吳洤精醫卜割股愈母

王潢見人物

楊佐年十五母病劇剖腹取肝雜粥藥以進越三日死母病果愈殯之日程祭酒令太學生數百人往送之

陸芬之字子布幼補本邑弟子員博通經史下筆千言立就太史焦澹園太僕何充符咸器重之所著東山集行於世孝廉陳公允嘉爲之序弟成之性尤孝友明末以詩酒自娛不求仕進人有稱貸者貧不能償即焚其券兄歿盡以其產付姪而自甘澹泊恬如也長姊適董卒有次女尚幼成之撫育如已女及笄即以配其從姪鳴時後鳴時登順治壬辰進士善屬文工行草士林重之子大節大寧有文名

周尚文字鳳梧太學生淹博敏異卓犖多才中年絕意仕進尚友古人著有遯圖稿及詩集行世

生平樂修善事萬曆三十六年水荒大歉捐產千金賑濟全活饑貧甚衆世居金沙井建金沙庵修三山一帶道途凡諸善績無不力行子道正命錫皆蜚聲庠序後裔蕃衍多著文人相傳爲金沙井周氏云

大清胥廷清字永公諸生時以文名登順治丁亥進士授臨城令再補餘姚擢工部虞衡司提督龍江關差竣歸里奉養承懽垂二十年與諸弟同居均產不私一錢兼設義田以贍宗族之貧者人咸稱其孝友焉

吳湘字楚三幼頴悟食餼郡庠英姿卓犖善屬文工清言爲士林推重事二親色養周至父卒哀毀幾絕處昆仲猶子曲敦和愛彌縫急難推腴讓甘巳背爲瘠不計與人誠厚有犯者輒忘至拯危濟迫靡不立應母病數載湘率妻戴氏晝夜侍湯藥不倦又禮斗祝天願減巳算益母母愈湘因遘疾疾革授子枚遺訓數則屬其善事祖母且誡曰即不諱無慟致傷母心遂卒妻戴氏守節

姜熊郡庠生性孝友博通經史生平方正自矢不侵然諾里中有訐訟請質者出片言剖曲直立拜

服去每遇歲歉必盡出所積倉庫以賑饑全活甚衆至周戚里完婚嫁成梁建刹殯葬無主骸柩不可勝數鄉里德焉一日談笑而逝

劉芳蔭字瞻怙其先屢割股救親父鍾岳遂以孝友名堂訓其子孫芳蔭十五補諸生性純篤母病以身爲禱及卒哀毀骨立幾至滅性朋友族黨有急遇之不言有疾視之弗倦棺死者藥病者除道成梁諸義舉靡不殫力焉及卒子思仁刊其孝友堂詩行世

陳國祚國學生幼孤事繼母盡孝母卒刲股以進而疾愈明季僉商之弊爲害最烈國祚叩閽陳言復條陳馬政諸害皆得報可鄉里重其義至設粥賑饑和藥療病力行不倦妻徐氏常脫簪珥助之一時賴以全活者甚衆子瑾瑛璡琬皆讀書樂善世其家學爲鄉閭推重焉

黄幼佶字翼廷太學生其先閩人曾祖某官南曹遂家焉至幼佶家道中落日以敦行利物爲務模範鄉里人爭頌之子豐字堯年性孝友父病刲股以愈兄久殁無嗣寸產不存以子繼焉後授寧德丞

多善政有蔡姓昆弟三人怨家誣以寇諜罪陷辟豐極力營救獲免故事訟牒進例有餽送豐辭不獲恐厲民遂解綬歸部曹張公曾建閩鄉寄棺屋日久頹圮歲爲葺垣益瓦無主者葬之其餘利濟稱是豐子杲登庚戌科武進士

朱知雄字爲谿幼嗜學性耿介爲諸生有名崇禎癸酉中副車改革後遂棄去帖括友人蔣元彥授樂安令邀知雄俱往樂安自明末盜賊公行吏胥悉賊耳目元彥初任獲大盜數人立誅之後數日餘盜蜂擁而入元彥被殺知雄泣訴當事紳士爭出金爲賻殮護喪以歸仍乞署事者出縣印封其餘金以遺蔣子遠近共高其義云

翁觀吉字自昇原籍浙之餘姚王父大立公官南大司寇遂家焉觀吉至性孝友敦尚氣節磊落慷慨有古人風與兄肇吉相友愛甘苦與共五十年如一日因名其堂曰怡怡觀吉病危時肇吉刲股救弟鄉里欽其篤行以爲美談子姪輩濬濂濬沛龍友皆著聲黌序中

曹鳳禎字子羽沉潛默識所讀書終身不忘登順治辛卯賢書壬辰乙未兩中會副性至孝母沒後屏絕華服所衣惟粗布袍而已恥爲干謁閉戶自守篤行淳品見之者皆知爲眞君子云

李之秀字子實原籍新安人年十三遊金陵以文名爲時賢推重遂娶於江寧迎二親養焉值歲大饑之秀竭筆墨資市甘脆以養親而與妻自甘藜藿在親側則强爲言笑不使親覺也兩弟貧而絕嗣之秀皆爲立嗣以己財分之教諸侄如己子得馳聲黌序中人以爲難及卒太史倪公粲爲之傳

計廷直字公亮少篤志嗜學因感慨時艱遂投筆學劍爲大司馬豫石呂公特知薦於鄉中癸未會副授事金衢戎兵克壯著有古今將畧諸書行世後任屯務軍旗有疾苦者常捐貲産代之納糧妻阮氏勤儉教子閫訓尤嚴姻族中急難不待相告輙周卹之不吝子鴻烈蜚聲藝苑大有文名

以上

上元

晉吳隱之 字處默先世濮陽鄄城人少以儒雅標名介立有清操年十餘丁父憂每號泣行人爲之流涕事母孝謹執喪哀毁過禮祥練之夕群鴈俱集時人以爲孝感隆安中爲廣州刺史假節領平越中郎將未至州二十里有水曰貪泉飲者懷無厭之欲隱之至泉所酌而飲之及在州清操踰厲始終不易盧循寇南海隱之率厲將士固守彌時長子曠之戰没循攻擊百有餘日城遂陷隱之携家累出奔久方得反裝無餘資及至都惟數畝小宅籬垣仄陋僅容妻子劉裕賜車牛更爲起宅固辭尋拜度支尚書太常後遷中領軍清儉不革每月得祿裁留身粮其餘悉分賑親族身恒布衣不完妻子不霑寸祿義熙八年請老優詔許之授光祿大夫加金章紫綬賜錢十萬米三百斛九年卒追贈左光祿大夫加散騎常侍

南齊朱百年 值兵亂母死廬墓終身有白兎紫芝之異鄉人名其里曰孝感

陶季直 祖愍祖甚愛異之愍祖嘗以銀四函列置於前令諸孫各取季直時甫四歲獨不取人問其故季直曰若有賜當先父伯不應度及諸孫祖益奇之五歲喪母哀若成人初母未病於外染衣卒後

家人始贖季直抱之號慟聞者莫不酸感齊初爲尚書北部郎累遷中書侍郎兼廷尉梁臺建遷給事黃門侍郎乃辭疾還鄉里天監初就家拜大中大夫高祖曰梁有天下遂不見此人十年卒於家貧至無以殯殮聞者莫不傷其志焉作京都記傳於世

宋傅霖 孝行純篤父卒居喪晝夜哀號葬後廬於墓所寢處苫塊至大初下部擬旌表門閭

明周琬 父爲滁州知州以侵官路論死琬年十六叩闕請代父刑上疑爲人所教命斬之琬顏色自若乃宥其父死戍邊琬復請曰戍與斬均死耳父死臣安用生爲願早就戮上怒命縛至市琬甚喜上察其誠赦之親署屏曰孝子周琬尋授兵科給事中

徐昱 字彥昭幼敏悟讀書數行俱下舉宣德七年鄉試遷國子學助教昱天性孝友父病革醫告技殫昱旦夕籲天求以身代封臂肉和糜以進父疾瘳鄉人將以聞部使者昱曰此一時遑迫計無復之耳忝何從邑長令干名乎居官有矩範許子完爲之傳

董宣字繼善以貢授青田訓導修明職業迎母官所晨起課諸生畢卽候于寢門承顏盡歡母病號泣嘗藥母卒摧隕復甦者數次郡守以下憫之資其歸著有青田雜錄

王昌爲人端愨誠孝事親色愛靡間母殷患頭風仆地傷且死昌籲天求以身代叩頭流血血涔涔濕衣裾間母疾尋愈昌之子項善繼克孝母得奇疾焚香禱神刲股進母疾頓解人以世德稱之

盧雍字廷佐天順丁丑進士爲兵部武庫主事進郎中以才器爲大司馬白圭王竑所重累官湖廣左布政使皆有政績居父喪廬于墓側三年有産芝之異語旌其門

金玉弱冠爲父報讐郎中尹顯稱其孝

蕭春字秉常其先江夏人性至孝父病痢春不解帶者逾月每夕沐浴仰叩北辰及病劇臭穢狠籍春泣曰吾父不復生矣兩手據床一吸殆盡悲苦遂絕良久乃甦父卒哀毁幾不欲生廬墓期年

李曉字子晦太學生授嵊縣丞當督輸却例金不取進瀋陽衞經歷曉事親孝母病侍湯藥不解生

平赴義好極人于急師蔣某旅卒家貧鹿經紀逆其喪歸葬之游太學同舍姚生遺其袖中金爲鹿所得候其人歸焉里中稱爲鶴山先生著有賓柳高稿

徐震字廷威其先吳郡人性篤孝友十三而入郡庠七舉不第遂謝去博士業錦衣指揮呂貴常以金十二斤寄托震遺少子貴死召其子還之其子啓封顧疑震震召故人并其子出貴手書示之其子乃愧謝而去博士沈立者善數學推其子後當貧以五十金托震震後訪其子果貧亦召而與之其不侵然諾如此成化間被荐至京例當得官不就隱居來鳳山

姚珉字廷器篤志孝友父嘗客游于浙得疾劇珉兼程往侍湯藥未浹旬病愈人謂孝誠所感弟玘爲教官致仕而貧珉資給之終身妹歿以二甥爲托撫教迄于成立親舊有婚喪不能舉者借貸無吝色

高仲光豹韜衛世職大司馬遺　疏入都行至山東投旅邸得遺金一囊約三百餘金因解鞍秣馬以待至次日客始尋至且泣且訴仲光取付之先是仲光踰四十無子嗣後生四子長名居仁中萬曆

辛丑武進士

楊朝宗 字見卿性狷介非義不取嘗館于大姓徐氏有同門生易某相友善貧將投故知于汴朝宗曰道路遠人心叵測適有館穀之便可少留乎易喜過望時徐姻有杜兵部者將令其子從朝宗學朝宗遂以讓易而易更陰謀欲得朝宗之館聞者咸不直易奮臂來告朝宗笑曰故人情厚寧有是耶明日遂託故辭徐而舉易自代人以是咸多朝宗而惡易會正德間修郡志將列其事朝宗亟止之曰揚友之過以成己名君子弗取也況彼爲貧累耳亦何過哉人以是愈多朝宗爲不可及

李在公 字天培孝友篤義萬曆丙辰登武進士累官分閫所至有聲致仕歸流賊倡獗總鎮陳洪範延爲幕中參贊會獲賊男婦四百餘人令發落皆斬之在公請驗眞僞報命視其壯貌辨其聲音乃斬二十二人以徇餘皆釋之留守夏雲奇遇在公厚夏忤璫被逮憤懣而卒其子二曰襄曰褒輿喪歸楚因疏其名於簡端欲圖報公子敬按楚襄已歿褒爲賣菜傭爲之授室置産在公喜曰死者有知吾子可謂

善承吾志矣歲祲竭貲以賑者凡六全活不下數萬人年至九十八卒

卜璠字璞菴生而慈仁濟人之急日以施藥掩骸放生修路爲事嘗卜地牛首山側中途見負戴者苦暍即以其資穿井井在鐵心橋至今行旅便之偶過一橋聞下有哭聲甚哀問之則夫婦逼于債携幼子欲自盡也急捐金救之次年冬返吳江夜深舟覆攀船底飄數十里得登岸至一人家叩門求濟門啓則昔之橋下人也夫婦拜呼爲具食燎衣易舟以行居恒教子孫以忠孝寬仁子鎧孫履吉皆掇巍科益諄諄以驕矜爲誡報君利物爲勉壽八十有七自知逝期沐浴端坐而化三日就殮面光如鏡

宰應文父母早喪刻木以祀朝夕進膳出入必禀命焉

汪應乾字懷岡府軍右衛世職指揮事親孝母病危割股以進遂愈數年後母復病如前又割股復愈稱孝感焉

史世揆字虔予父歿時甫七齡哀毁如成人長樂施予同里周姓貸其父千金貧不能償析産時

世揆焚其券嘗納妾入門悲痛不已詰其故曰父負寃繫獄鬻妾贖罪思母無所倚耳揆惻然遣還不問其資更贈五十金時坊廂若役每至破家揆倡議條陳大京兆汪公爲請于朝民困以甦又念衛家領船之累咨訪其弊達于駕部力陳困苦而船政以清仕至上林苑監年六十七偶示疾自擇化期如言而逝

趙時振字少東事父母曲盡子道舉戊子鄉試授嘉祥教諭父早卒母八十無疾而終時振哀毀過甚嘔血數升扶柩葬於康家山廬墓三年夜深哭奠徹曉不休竟以成疾死朱太史之蕃姚鴻臚淛各爲詩文器之後人立碣山中曰趙少東先生廬墓處

徐鯨字樂野本上海人好施予嘗獨修方正學祠墓及安德門至新亭岡大道捐資募工便于行旅孫行字聄卿事親孝與友信終身不二色善著述兼通奇門六壬之術

翟翬字去文幼負儁才庠序目爲白眉父時舉仕至參戎翬賦性沉靜不妄言笑痛闖禍棄妻子與同志王生繼日入深山坎壈以死王生授室未久委妻子行人尤矜其志云

陳敦化 父早亡母葉氏長齋奉佛撫敦化及弟妹成立年八十有三忽臥病值土寇所在爲虐或勸敦化遷避敦化曰母病方劇勢不能移若棄母自全如人理何執不去亡何寇劈門入執敦化索賄不得繫于樹射七矢乃釋而去後來者踵至備遭塗毒惟以身蔽母復被刃者三寇去箭孔刀瘡流血如注人皆危之不二十日遂得痊可咸謂孝感所至云

李疑 家貧好周人急授童子經得粟自給不足則以六物推人休咎金華范景鎬爲部吏隻身得疾無肯僦舍者杖而詣疑以情告疑延入躬爲煉藥煮糜旣而溲矢床席穢不可近疑日爲流滌不怠鎬感泣云有黃白金四十餘兩在故旅邸願自取之疑辭鎬曰君不取亦爲他人得耳何益疑遂同其里人携歸記其數而封識之鎬死疑出已財殯之舉所封囊寄其里人招其二子至按籍而還之仍贐之以歸平陽耿子廉械逮京師其妻孕將育衆拒不納臥草中以號疑曰若爲風露所襲則母子俱殞吾寧舍之而受禍俾婦邀歸產一男踰月辭去不取其報

陳元慶字允嘉性篤孝母遘危疾者再以身籲代授徒奉甘旨惟謹舉萬曆乙卯亞魁丁巳喪偶遂不娶乙丑就湘陰教諭改滁陽適一中丞被逮過滁莫敢通問者元慶奔赴慰籍遠送焉癸酉轉上高令以母老歸養陳情不就聞者以爲眞孝廉云

趙拱辰庠生性至孝居家教授承歡備至有重幣聘之遠游者拱辰曰吾方以身事親豈以千金易一日耶祝給諫世祿嘗稱爲世之眞儒家之孝子子自明孫司至皆以孝稱鄉先達表其里曰仁孝里

劉體德太學生家貧親老色養備至江寧府病驛郵無嘗卒恒取閭左殷實更之黠者多賄脫愿者破產以應體德白之臺憲京兆至上聞得所請乃已里因深德焉吳商席氏爲怨家誣以寇諜府株連二百餘人體德憤激營救當事感其義獲解石齋黃公曾爲作像贊云好善若熱慕賢若渴蓋實錄也子自慊孫同尚皆有文名

鄭宗化見人物

倪壽割左脇愈母旗

俞彥見人物　　江元孫刲股愈母旌

張後甲見人物　　沈昇庠生刲股愈母

陸元龍庠生事繼母孝刲股療疾旌　　顧夢寀尚書璘孫刲股愈母

知縣路汝提割股愈母　　黃阿回割肝愈母旌

劉文縉父潮爲千戶病危文縉割股愈焉文縉病子天命亦割股以療命妻宋氏病童女桂姐亦割股救之

大清知府劉玉佩割股救父一門雙孝旌

張光字樸生邑庠士以孝友稱與同郡謝顧小友善顧小上計偕道卒其遺孤貧弱撫之如己子鳩貲經理其生計垂二十年同社陳君昱無子僅一女許字光子既納幣而光子歿無何君昱亦病革以妻女委光君昱卒光擇佳士配其女陳宗無人爲立其女之子爲後迨成人復爲婚娶君昱妻以壽終其任

乃釋年七十有六卒妻徐氏貞靜有賢聲子二長景栻邑庠生次景載中辛酉副榜

仇弘毅字君服年十三歲母江氏病篤刲股以進病尋愈父文燦年老微疾弘毅焚頂祈天願以身代至救溺還嗣尤義行之表著者康熙元年旌

車應藩字扶濳性至孝髫齡時父歿即痛不欲生人咸異之及長事母林氏以色養聞母遘疾危呼天刲股以進不効復割肝是夜彌室異香疾遂愈越十年母疾復作割股肝如初及母卒擗踊泣血絶而復甦者再竟以毁卒

李世科太學生祖蕡任前南職方父志周爲郡文學世科年十二而孤事母郭氏以孝稱母病刲股以愈弟幼竭力訓養順治五年歲饑竭貲賑貧當事交奬其義又應當事請重修朝天宫普照寺院俱輪奐一新子二長萃芳官中翰次廷芳舉明經一女年十六適郡彦周子英早寡無嗣兄弟迎歸守志四十年以成其節孫祚食餼於庠

施應瑞字兆生神帛堂籍父其功病篤瑞刲股救父母周氏病瑞妻胡氏亦刲股救姑病悉愈享大年夫婦竭力終養

金國賢字翼台母姚氏孕有異兆天性醇厚父母年皆踰九十國賢坐卧相依先意承志里以孝稱明季兵亂常於洲渚屏處設障蔽具饘粥以恤窮困者又設義舟於江滸拯溺康熙癸丑歲饑捐賑多金於靜海寺等處凡有善舉知無不爲長子鱗知大邑縣有政聲次子元及諸孫皆著名膠庠

王之貴字翰庭賦性至孝尚義氣臨財不苟幼孤年十二母病刲股及長有志操嘗途遇遺金守候數日不至因鑄鐘供佛順治三年授廸功郎督餉之楚有同舟張姓者病危人皆避之貴以藥餌調治痊可遂同至家居數日其人有事吳門臨行寄銀四百兩越四載絶無音問後張姓子尋柩經過貴詢寄銀事張子不知持金盡以還之封識宛然其子泣謝而去

以上江寧

唐張常洧父卒廬墓墓側生芝草十二莖從孫公挺亦以孝稱

宋張孝友親歿廬墓三年有五色鳥來集墓樹

元樊淵字浩翁事母孝至元中奉母避兵茅山兵至欲殺其母淵抱母號哭以身代死兵兩釋之母亡事之如生荐辟不忍去墳墓終不起

王榮五世同居歲饑輒出粟以賑鄉里賴以存活者衆捨棺殯歛八十餘人弟華亦樂義好施延祐間詔旌其門

戴谷安孝弟相傳著家範三十三條羣從兄弟一十二人同爨七世正統六年歲饑發粟二千餘石賑饑有司奏聞錫以璽書旌其閭日七世同居義門孫仁登羅倫榜進士授御史督學北畿政事文章聲震臺諫爵其父睿太常博士延貢士珖光州判官思順歷城訓導滁王府教授在中慈谿教諭署慈篆有德政至彥斌彥忠芋世業崢嶸書香挺秀族雖各居而雍睦之風克繩祖武堪與張公藝並傳不朽云

明張觀字穀賓與弟謙素相友愛洪武中邑人有與謙同姓名者坐事自經有司誣執繫京獄觀上訴不白俱死謙臨刑曰我被誣命也奈何及兄觀正色曰隣里有急尚且赴救兄極弟難死何憾焉觀者爲之洒泣親隣義而哀之合葬邑南稱爲義壟

周禧天性孝友常遇人急舟行遇溺人觸舟急援入舟詢知爲漁父遂返棹數十里訪還其家嘗拾遺金十斤其人泣至還之行事率類此禧卒妻劉氏守節

孔彥懋宣聖五十九代孫慷慨尚義周邺貧乏景泰間赴通州納米千石以備軍需詔賜冠帶

唐保八事繼母朱氏曲盡孝養歲荒負米以養已與妻子啖草實有子二歲朱氏減食哺之保八慮不能兼濟棄子池中妻救之得存後因鋤地得窖錢二斗舉家頼以存活時人以比郭巨云

錢浩翁幼孤能養母有妹失於亂軍母痛念不置浩翁遍訪得之母大喜母歿浩翁年七十終喪不御酒肉不脫衰絰

戎憲幼喪母事父孝每食必問所欲疾則籲天祈代父患痢劇刲服以進尋愈壽至八旬卒

曹洵吏部尚書義之孫性明敏早失父隨母張氏事祖母盡孝甫成人以大臣裔例入太學因憂祖母成疾即告歸侍養承顔悦色深得祖母懽祖母卒哀毁踰禮人皆以順孫稱之

張一鵬字舉之年十二父病危諸藥罔效鵬焚香告天割股爲羹以進疾遂痊

曹滐生平長厚不與物忤一日遊城市遇擔夫悮以擔銳撞入其目睛隨擔出血流如注昏瞶中猶强謂其人曰我子剛勇無爲若獲宜亟西往頃三子至訊擔夫所在滐曰其人之東矣三子追數十里未遇而返人皆難之

李長標字出林天性篤至孫提即知順親事生母劉氏色養備至遠近咸以孝稱母病割左臂肉雜藥以進卒不起擗踊號泣立誓不欲生朝夕哀思毁瘠過甚年僅三十有七抱病卒

凌泮六世同居旌

居文明邑庠生以孝友聞

李昌應 父歿哀毀過甚至一目失明　徐延雄 刲股愈父

馬獻圖 刲股療父　吳方明 割股愈母

張諫 見人物

大清趙允翔 字漢秩邑庠生母徐氏遘疾垂危允翔泣禱於天刲股為糜以進其母夢中見一黃衣人告曰汝壽當終以汝子孝行格天延三月生命頊之遂甦越三月果無疾而逝仲子昌祚與辛酉科鄉薦

許珆 字孟章邑庠生家徒四壁父年高侍奉就養不離左右拮据供菽水每夜必親滌厠牏候父安寢乃退值歲大饑藜藿不充縣開厰賑粥珆守廉隅不赴教諭其聞之邑侯邑侯給以米珆草食如故留米惟以供父始得度饑父年八十八而終珆哀毀骨立每上食則痛泣僅逾月竟羸瘠成疾繼父而終洵稱死孝云

孔一舉純孝天植母李氏抱疾危篤一舉泣禱於天刲股肉和藥以進母疾遂痊居常奉養惟謹甘旨不周則典鬻以繼不與母知母年八十有二卒一舉哀號不欲生有慰之者則撫膺愈慟邑人欽其行咸以孔孝子目之云

馮起龍太學生賦性醇愨極孝養之誠篤友于之愛辛亥年本邑大歉流亡載道起龍捐米八百石作粥分賑邑令高其義風勸閤邑踵行其事賴以存活者數萬先是起龍一子早喪嗣此聯舉四子人皆以爲仁厚之報

宣章字闇若邑庠生生而淸癯終日靜坐聲息寂然非遇試不入城市繼母病晝夜侍湯藥不歸寢者閱二十餘月歲饑拮据糴穀減價以濟里人通醫術施藥餌賴以存活者甚衆

黃勳士字功輔少孤勵志食貧爲邑諸生性純孝母終居喪盡哀毁瘠幾至自滅尤篤友于好施濟鄉里咸稱孝義

梅先登字文岸巳酉鄉舉幼頴悟性孝清明祭掃詩風雨淒淒二月天堤楊郊草總念烟心傷不禁思親淚灑向青山倍默然

以上向容

宋李華字君儀父歿居喪哀毀母以疾廢展轉床第間華扶植不倦衣不解帶者十年有田十餘頃遭水旱輒平價發廩里人多待以炊大觀政和間蝗數爲災毋至其田輒不食人咸異之

錢戩居父喪有少年來言曰而父在京師貸我金如干其弟令舉券以驗戩曰大人與人交信彼必不我欺也父貸金拒無左驗辭固直然非人子待親之道卒與之家爲貧無悔元夕鄰人伺隙入其室戩呼之前諭之曰爾良家何乃爾取金與之終不語人後以子時斂貴贈奉直大夫

潘祺字長吉游太學與陳東友善東將建言於朝祺勉之曰祺親老憾不能與子俱性至孝父疾且華籲天願減己算以益父壽疾果瘳時以爲孝感云登紹興壬子進士調宣州司戶卒年三十八歲里人惜之

楊俊字質英性至孝父卒居喪盡哀廬墓三年理宗時登第勅令掌翰林院

呂宣問字季羔甫六歲生母韓氏被出莫知所在父卒事嫡母李甚孝既長念所生不置以池陽

當蜀道求調錄事參軍常托蜀人物色之知在仙井宣問復求改峽州推官得韓氏於仙井相失四十餘年一見非不勝吏民咸爲流涕時李八十三韓氏亦七十矣

王弟兒年十五刲股愈母　史思賢刲心療母母子俱全

丘一念刲股愈母　何百四刲股愈母

王德先刲股愈母

元偰文質字孟彬父哈喇普花爲廣東都轉運使死王事謚忠愍文質十歲刲股療母病時以父忠母節子孝爲三絶云文質累官至吉安路總管卒贈雲中郡侯謚忠襄五子一姪皆成進士

明史以辰刲股愈母洪武中旌　朱亞春割肝救母

吳璣字士衡邑諸生以孝聞曾與修永樂大典授平度州判官母病以身籲代

史阜字惟高割股療母母殁廬墓三年哀毁骨立邑令以聞授承事郎

彭鵾母卒廬墓三年墓前雙松連理白兔馴擾　狄褒刲股療母

史繼夏母病危凡二次刲股　馬一龍見人物

繆希亮字思忠事母至孝不樂仕進嘉靖己丑既中式弗廷對而歸遂終養焉年七十五卒司空劉麟表其墓曰有明第一高士

包級字仲偕父鏍爲人所害級年方十七與弟綉相抱痛哭日夕誓報讐果抉讐雙目瀝血祭父讐家訟於官壯其孝義爲直焉

錢賓國字寅勿伯兄以逋賦繫將質已產代償之令聞而問曰汝寒士曾與而兄析箸否曰析久矣然逋賦者賓國之兄負逋賦名賓國之父也賓國奚忍亡父冒此逋賦之名哉令義之

狄呈祥性孝友常濟人緩急楚麻城曾鴻烈非罪繫獄呈祥遙聞其冤而未嘗識面會莊應德令麻徐儀世恤刑於楚二人皆呈祥友爲白其冤曾因得釋呈祥終秘不言

陳于宸與弟丹皆以孝稱母吳氏病年餘弟兄更番掖侍厠牏之屬必親浣之母卒同廬墓

狄仕明邑諸生弟獻明萬曆壬午舉於鄉是科以關節被詔復試者甚衆獻明亦爲忌者所搆與焉比覆皆以幣戍唯獻明仍中式忌者又中以他事直指信之輒以上聞逮訊獻明仕明使之出亡以身當之遂斃杖下仕明獲全鄉里多哀而義之

楊進御史剛之孫性孝友父歿遺産悉推諸弟弘治甲寅歲大祲檢逋券焚之可萬餘金捐資修文廟講堂費二十千緡成化乙未以助公需授承事郎不屑就乃號耕隱以見志子譙謙均能承父志嘉靖癸未出粟賑饑司空李上聞旌其門孫孟元亦常捐田於邑庠以贍貧士蓋三世好德云

狄湘孝謹端方持信如金石人比之王彥方云族叔鈉病革托孤付以金比長倍息與之有司表其閭

錢鐸事寡母盡孝嘉靖甲申歲饑出粟千石以賑之立義莊贍養宗族又置義塾延名師教焉有司

旌之曰義門

大清王瑞昌割股救父

陳奭字南谷少孤事母盡孝由廩例授光祿寺丞以母老乞假歸養廬墓終身

黃懋德字鏡宇邑庠生父年八十六懋德亦六十餘矣每晨昏寢膳盥洗杖屨必親執其勞母患癱疾爲吮舐籲天願以身代析箸時美宅腴產健僕悉推諸弟稱友愛焉執親喪三年足不入內室有司舉鄉飲禮者三

彭貞祥字培和邑庠生性至孝父患疽嘗口吮之不解帶者六閱月及歿哀毀成疾每歲忌日必哀麻哭泣以祭兩兄相繼逝竭力經營喪葬撫孤姪如己子學使者舉行優旌之晚年益工於詩所著有呆庵集數十卷

王家鼎字耳臣性寬和重然諾喜周人急人或貧不能償卽焚劵不取有以千金寄其家者遭兵

貜爲盜所刧家鼎罄產如數與之家貧無悔子曰曾將赴公車以父有微恙不就道家鼎正色曰揚名顯親大孝也豈在區區朝夕哉迫之行曰曾果以庚戌登第

黃鳴珂字玉樓事嫡母以孝聞兄子貧鳴珂爲置產完娶族人逋官稅鳴珂代輸數百金鄉里咸高其義

以上溧陽

宋伊小乙剖腹取肝以療母疾乾道間聞於朝旌其里曰表孝

夏某逸其名事母至孝淳熙間旌其里曰昭孝

劉與祖刲股療父疾愈而復又刲腹取肝雜糜進之嘉定間旌表

謝千九割股療父

陳某逸其名割股療母

嚴晃幼以孝聞元兵渡江晃負母避與兵值兵刃其母晃以身蔽之刃中其頸終身不能仰視壽七十八而終

趙煥廬墓不仕學者宗之

鄭雲龍割股療母

湯大有五世同居大德間旌

明武昺號橙墩富而好學能仗義有族人負一王孫千金王孫禁之別室而邀昺飲佯令僕泄其語昺恚甚罷飲慨然代償乃縱其族人去歸謀之婦盡假其簪珥之屬以與王孫餘續完納聞者義之昺有妾

蘇氏善持家常晏客失金杯一隻諸僕驚索蘇氏曰無容覓已收入矣客去謂扃曰杯實亡去然公平日好客任俠豈可以一杯之故而令坐客不歡乎扃深然之

梅洪少孤孝事母以甘旨奉自甘藜藿其婦有後言洪遣之母瞽洪每負以行一旦復明人以爲異母卒廬墓三年

丁濼邑庠生母死廬墓

虞周邑庠生割股愈母

周什一少孤貧父早卒事母朱氏至孝母病思魚鱠值大風無漁者什一走湖濱得一魚倍價購歸剖之得黃金百兩以是起家得盡養志

傅褱母死廬墓

翟鳳鳴以孝友聞

虞欽刲股療母

蕭泮覓父客死

黃棖割股療母

周家慶事母沈氏以孝聞母病篤慶衣不解帶水不入口徹夜祈斗願以身代母沉疴立起享壽八十終邑大夫俱旌其孝云

趙鳴臯事繼母至孝貧而力學教子之驊成名進士子貴封文林郎舉鄉賓者再

袁文化廬墓九載

楊振邑庠生父卒廬墓

章憲文童年喪母事繼母曹至孝曹不以子子之百計爲害憲文甘受不出片語父病禱天祈保得痊鄉里稱之

任超刲股救父

徐學忠性純孝天啟間旌

大清湯學紳繼母劉患癱紳吮之繼以嘗糞劉逝又事鄭如之父死廬墓盡哀有司題旌

黃明詔父病刲股以療其子世化刲股療母

錢文象素有孝行父母亾廬墓三載力田祭掃足跡不入城市教子孫以孝爲先鄉黨中皆稱爲

長者

任師琦割股救母

張問道幼時母病刲股救愈

謝應綱割股救母

張鏞刲股救母又刲肝母愈鏞卒

邰純陽性孝友敦族睦里人爭頌之

孫可周字君濟縣庠生父歿母陶氏年二十八守志撫孤可周性篤孝父母遘疾皆刲股以進其事母備極溫凊家貧竭力甘旨嘗親滌廁牏及母歿可周結廬于墓其舅氏憐之焚其廬可周晝處鄉塾夜輒露宿墓下如是者終三年一時以爲奇孝邑令旌其門

以上溧水

明花犇孝子不知姓名日負薪以市嘗雪中至學宮教諭干鳳見其衣敝股露謂曰何不以市薪所得易衣對曰小人有母不暇自謀耳鳳曰汝有妻乎曰有何以衣妻曰新者奉母而易其舊者聊蔽體耳鳳喜其孝以千錢贈之郤不受固與之乃曰當爲公供薪鳳堅辭之則夜載而投學舍之園中鳳踪跡其人竟不得或曰居花犇故名

張顒父讓洪武二十九年坐法顒擊登聞鼓願以身代上嘉其孝減戍南京石城門千戸所

谷澁善事父母中年患瘋痺慮貽親憂詭言已愈母卒悲甚已而疾痊色澤如故人謂孝感所致兩事繼母如母父卒致哀道路皆爲感動迎養寡姊終其身爲貧姪娶婦種種善行年七十五卒

楊師祿年二十四遇亂兵父正宗被執師祿號泣求代兵異之欲留置軍中師祿不從被害妻卞氏年二十痛夫死守遺腹子以終

張正毓庠生善屬文父歿水漿不入口者七日哀毁骨立嘔血而卒

吳翥南 崇禎末隨父避亂會土賊入門劈父胸翥南從樓上望見急下求代被害妻孫氏誓死守節刲股救姑

秦漢 弱冠客都門所交多豪俠士嘉靖中諸宦者奉睿皇后梓宮往承天所過郡邑皆有獻至南都淳令陶某獨無衆校擁陶去拘一室人莫敢救漢乃衣錦衣乘馬揚鞭而進衆駭視無敢呵止闖戶出陶負以上馬而去復代陶携金致之得無患一時名重京師年老居家值歲飢漢爲縣令籌畫勸借得穀二千石民賴以生

吳正二 讀書尚義不干仕進家無餘產會兄正一以虧粮出亡波及之毅然代輸令義之寬限待完屬自解旅次拾遺金百兩止不行俟遺者至笑舉還之不受其謝

陳宗堯 新城令廬墓三年不御酒肉

邢振羽 舉人戶部郎父母卒各廬墓三年

周庖 母病割股沒而廬墓

施龍 親病割股歿而廬墓

魏孝楞親卒廬墓三年楞卒子亦廬墓敕旌父子雙孝

魏曜庠生廬墓終身　劉一俊廬墓三年白兔繞柩

史員八割股療母母歿廬墓旌　陳希任歲荒鬻子以養父病割股以療

湯之尹四刲股救父　孔應紀九歲刲股愈父

葛至學兩刲股救父䑛母目復明卒廬墓旌

陳爵三以孝聞　劉應聘事親至孝親亡刻木以祀

魏蒼家貧事母至孝母病癱每呻吟滄即呼苦撫摩晝夜不懈母卒後有道及母往事一言者輒悲號欲絶年七十餘不改云

陳九階年二十五娶吳氏夭折誓不再娶縣申兩院給冠帶項維聰旌曰特恩褒義鰥守至七十六歲卒

吳泰 年二十七喪妻有二子俱幼家計頗饒終身不娶人以爲義夫焉

大清吳學萊 庠生母八十四卒廬墓三年

王三接 弱冠遊庠序母卒廬墓三年

周良遇 三歲失怙母與祖母俱孀既長值母病籲天願以身代母卒廬墓三年事祖母尤盡孝云

何繼祚 年十四喪父哭泣盡哀行人爲之殞涕結廬墓側三年

胡彭 奉養二親盡孝父病長跪祝天衣裾悞入藥火爇至背弗覺父卒致終身哀

劉開楠 事母孝以母霜生子後不入妻室朝夕伴母母卒苫寢墓下三年追刻父母遺像祀之出入必告焉

邢夢沂 字魯生邑庠士事親盡孝怒必跪而受杖家貧每典衣供養婉容愉色終其身如一日

唐之皐 字良哉邑庠士居家孝友年二十六妻徐氏卒皐感其賢不再娶守義終身

魏光庭字燦甫邑庠生父卒廬墓六年

徐翀母卒廬墓三年

史文廣年二十六妻劉氏卒守義終身不娶

史朝則年少失偶終不娶

以上高淳

明劉銓 永樂中父觀爲御史緣事犯辟銓具本擊登聞願以身代蒙特宥復觀原職

陳標 陳澤之子澤妾民氏生標甫五歲而父遣之改適於浙標既長欲往尋覓以父年衰而止父歿詣浙迎母已亡十餘年遍訪遺塚啓棺滴血負柩歸塟

趙國璧 事母以孝聞崇禎十七年年撫院題旌特賜冠帶

大清鄭良弼 字傅梅其先閩人隨祖國膺宦于浦愛其形勝遂家焉良弼父純守精通史學楷模後進爲世耆宿至良弼益謹承先志折節讀書精嫺韜畧事祖及父母盡孝雖貧乏必竭力供甘旨委曲承歡尤敦友愛解推族里國人多取法焉後以軍功授掌印都使司清廉仁愛每考課最稱儒將云

周思皐 貢生年十五刲股愈母

楊鳳 刲股愈母母壽一百一歲

許良春 刲股救父

王海 事親孝養父卒廬墓三年

以上江浦

漢防廣 性至孝爲父報仇繫獄其母病死廣哭泣不食縣令鍾離意憐之乃聽歸家始得殯殮及事竣即還入獄意密以狀聞廣得以減死論

明陸傑 字從漢其先吳人元末始家西里父潮宗孝友宜家母吳氏性行嚴重傑克承其教終始事之以禮少失乳育於嫂氏及嫂卒執喪哀痛備至不御酒肉嘗以金賑邊制賜塩引傑棄引不支舉鄉飲不就有司表其門曰孝友世家

胡深 字本源邑庠生親没哀毀踰禮廬墓三載有司以聞奉詔旌爲孝子遂選入國學未仕卒

曹鎮 有火延于門鎮護父柩號哭雖燎體不離未幾火反皆以爲孝感云

彭章 喪母事父至孝有司旌之

方顯 割股救親

黃誾 繼母夏氏有疾輒燃臂籲天通宵不寐宗戚稱之

毛程 字公度邑諸生父卒廬墓三年

毛至潔 邑貢生割股愈父

王岳父病篤焚香祝天求以身代遂刲股肉煮粥以進遂愈

劉閔幼有至性動循古禮家貧極力養母疾不解帶母或恚怒則衣冠跪床下竟夕不起父早亡與祖母二喪不克葬閔斷酒肉每朔望號泣柩所如是三年隣族憐之各爲助葬葬母殁骨立哀毁廬墓終喪以妻失愛於母黜之終不復娶

田愼幼數齡即中孝友之節事親時立左右志之所近無不曲遂少失偶不再娶云天下婦尚有節男可無義乎終不娶縣令舉善人復旌義夫

許應時家世食貧事父堅至孝飲食豫度温凉起居不離左右親有嗜雖已備而必重烹父畏寒必裸體而爲温被執杖時隨出入曲意承歡父壽踰九旬賈院奬以純孝

李夢周年七歲父病禱神罔效哀號於天自割左股肘肋孱瘦刲一數刃僅得肉糜一撮全股盡剜疾隨愈邑令奬曰童孝格天

陳應登父病刲臂肉瘳疾母疾又割右臂療之皆愈

田朮父慎喪妻朮隨宿父室父病思食鯽魚值皇廠收網不可復得朮乃奔至管廠內宦處跪哭哀求獲魚以歸及朮賈於鎮江忽聞父病即棄行李奔歸手自撮糞以驗病症後伴棺三載目爛形銷通縣稱其純孝當事屢獎之

季應光縣庠生娶孫氏溫凊承顏不殊嬰孺親有不豫輒號泣長跪俄毋以暴疾逝光哀毀父病浣穢嘗藥視糞咸與妻備歷之親不起哭踊欲絕服既闋仍不去哀絰號泣哀動閭里積痛不起遂卒

許忠邑諸生父病痢月餘不起忠號天求代容割左股以進父疾遂痊

汪國淐邑諸生年幼時母病篤淐夜泣詣城隍廟默禱身代刲股以進母疾立瘳

大清劉弘恩幼有至性父病數年弘恩足不出戶侍奉如一日鄉里交稱其孝

劉國祥性醇孝事母以色養聞母病衣不解帶侍湯藥惟謹疾革醫罔效乃刲股以進母病遂愈

紳士多推重之

以上六合

人物四 文學 隱逸

唐韋皋 號遺名子隱居鍾山西岩飄然有物外之趣顏眞卿書其所居之屋曰三教會宗堂

余延壽 開元中處士也以詩名今所存詩多可采殷璠稱之曰婉孌艷美當不謬云

南唐朱存 嘗續吳大帝而下六朝書具詳歷代興亡成敗之跡南唐時作覽古詩二百章前志多引爲證

宋周啓明 字昭回景德中舉賢良方正科既名會東封泰山遂報罷於是歸弟子百餘人不復有仕進意里人稱爲處士轉運使陳堯佐表其行義於朝賜粟帛仁宗即位除試助教就加廩給久之特遷秘書郎改太常丞卒啓明篤學藏書數千卷多手自傳寫而能口誦之

朱舜庸 好古博雅鄉黨推敬太守聘之爲府學正極尊禮之嘗編金陵事積二十年自里巷口傳至仙佛之書無不研綜舂容大帙餘數萬言慶元中節度使吳公琚來任留守得其編乃爲之訂証銓次

刻梓以傳目日續建康志

元丁復字仲容拓落不偶以詩名晚歲盤桓于冶城護龍之間灌園自樂四方之士多載酒求詩復引觴揮毫若不經意而語率高絕往往即書卷上未嘗起草故稿多不存子壻饒介裒得百餘篇名檜亭詩藁

明賀確字存誠先世隴西人徙金陵制行醇古凡六經子史以至天文地理醫卜之書無不覽究爲文辭下筆輒有古風自號友菊處士其於功名富貴淡如也或語及古今成敗人物臧否政事得失如倒囊出物聞者聳聽學士周敘以其有史才荐修宋遼金三史力辭不就年九十三卒

史忠字廷直豪俠不羈自號癡翁作卧癡樓于冶城之麓有酒引客談笑醉則按拍歌新詞清亮遏雲嘗訪沈石田于吳門沈他出堂中有素絹潑墨成山水巨幅不通姓名而出石田曰必金陵史癡也要歸留三月而別石田來金陵亦館于卧癡樓忠有女及笄壻貧不能具禮癡翁詭携觀燈同妻送至壻家

取笑而別年踰八十預命發引已隨而行謂之生殯其達生玩世如此

顧源字清甫豪雋不羣深究心性之學殷侍郎邁馮祭酒夢禎焦修撰竑咸敬禮之書畫不泥古法信筆點染天趣迥絕中年究心禪理更加省發與名僧結西方社杜絕往來獨坐小樓惟一童子供香花家人亦罕見其面臨終與僧持佛號數晝夜舉室聞蓮花香端坐而化焦修撰刻其玉露堂稿行世

盛時泰字仲交以諸生久次得貢天才敏捷爲文下筆千言立就聲名大振性骯髒不問生產卜築大城山下又於方山祈澤咸搆野築杖策跨蹇欣然獨往家人莫能跡也工詩文善画水墨竹石文徵仲題其軒曰蒼潤和司寇擬古七十章三日而畢見者奪氣子敏耕字伯年亦有雋才

周暉字吉甫髫年補弟子員數舉不第即棄去舉子業博古洽聞爲鄉里所重焦太史稱其胸饒韞蓄性好編錄吟咏自適不求人知蓋博雅君子也曾以所著山中白雲一卷寄顧少宰極爲嘆許有金陵瑣事正續十二卷多載萬曆以後故實郡志多取資之

孫石　字介臣宿學有盛名以歲貢不仕抱道靜居砥礪廉隅時人擬之石尺孤松石同里同社有廖傳生孔悅張彥先一儒孔悅太學生博聞强記學有獨得海昌許同生棄官隱華陽掐之偕隱嘗棲止祈澤龍泉之勝晚年持律修淨業後人或見之茅山栢枝左右相傳以爲尸解一儒性孝友清外父之遺貲爲立嗣絲毫無染父死喪葬大事獨力襄舉不累兄任由明經爲廣文時攝邑篆值天旱苗槁步禱得雨邑以有秋崇禎乙亥以保舉徵考授邑令未選以疾卒於燕邸當病劇時猶圍爐拈韻不問家事云

大清**周維藩**　字覺庵天性孝友讀書達務博通今古著史鑑闡微易學宗旨等書究晰陰陽五行山川地理高不仕之風雖極貧約而樂拯急難施纊賑饑里黨無不推重之生平精內典閱藏二十餘載屏絕貪嗔癡年七十易簀時作偈語云堪笑來塵世竟無些子事喜得六根清解脫惟前去書畢涅槃而逝子銘字亮臣號鹿峯舉明經好古博雅精行楷工詩文噪聲蓺林爲海內所推

朱廷佐　字南仲其先吳人與周順昌王心一以學相砥礪見順昌因忤璫逮遂絕意仕進家有房

百餘間屯住羅糴歲大祲破產償客金而散穀救貧民明懷宗死社稷匍匐哀號服喪服終其身福王初立上書政府不用閉戶著書賚志以沒子應昌字嗣宗九歲能文博聞强記母疾衣不解帶者三月四十後即不應舉子試避迹城東自號東郭頑夫輯高士傳以見志所著有續尚書洗影樓綠天庵稿藏於家

吳應麟 字伯瑞幼孤事祖孝謹性警敏日誦數千言通經史大義不求榮仕惟以惇行孝弟爲務祖歿哀毀骨立痛父未及養終身遂廢絲竹弟應乾已析筯覆舟產盡復以已產中分之歲飢里多暴子弟麟具酒食悉集於庭勵以周孝侯事人贈以金俾務本立業各慚化焉子正觀字用中以孝友承家德宇粹然好週人急布藥施櫬成梁除道諸舉靡不助繕族人以忿搆訟正觀陰輸已貲百金致兩家和解卒不告人其隱德類如此

陸大猷 字孔嘉歲貢生潛心經史尤邃於易一時俊義爭識其面析義問字者戶外屨恒滿萬曆戊午科本房擬元因珍護特甚藏篋底及塡榜遍覓不得塡竟始搜獲因置副車第一主司房考各爲扼

朓弟大曆亦登天啓丁卯副車以恩例拔貢大訓於崇禎辛巳歲薦伯仲互相師友號白下三陸而大猷晚年尤勤於庭訓弟鳴時中順治壬辰進士子本登順治乙酉賢書皆其教也從弟大節邑庠生篤行力學未展其才賫志以歿人多惜焉

林蕃字小草壬午江南副榜貢授縣令未就職甲申聞懷宗之變痛哭不食者累日因攜家入瀨水山中變名槃號古迂築土室僅丈餘坐臥其中絕人事雖至戚不一面期年卒土室內著有春秋慧眼諸子擷芳地理纂要諸書

黄廷俟字道行事繼母以孝聞年十九喪偶終身不娶崇禎末旱疫廷俟竭產倡施粥棺全活甚衆六安諸生張潮重創僵道上廷俟收而藥之積兩月獲愈後潮以金來謝不受及廷俟卒潮設奠於家服縞朞年嘗於逆旅遇孤客病殆廷俟留待之及死售裝治具封誌而去姻程氏子以事匿託母妻焉廷俟析居居之幾十年程氏子歸得完聚其好義類如此子田早卒媳程苦志撫孤孫瑞邑庠生有文名

白夢鼎字孟新食餼郡庠讀書山寺與弟夢鼐自爲師友肆力經史皆能默識手錄夢鼐舉庚戌會魁夢鼎數奇屢躓而文益奇凡可驚可喜之事一寄於詩歌丁未聘修江寧府志癸亥復聘修江南通志生平好爲建白如修學賑災改衛塞壩皆不惜勞瘁力爲倡首當入局纂修日冒病已深越三月竣事病愈亟遂卒年七十五少女爲之割股

吳渶字英流郡庠生後入國學博學强記好古文辭在諸生中屢試高等家世仁厚醇篤初渶父喜施樂善以孝友訓諸子渶恪遵父訓父晚感末疾朝夕溫凊藥爐几榻間近十年養母以利生薦福承志兄弟三人伯季先亡視其子如子自處儉薄有以困窮急難告必量力賑給弱冠即與劉給諫餘謨及諸名士黄虞稷等立敦善堂施櫬普濟不倦時太守于公旌其家曰見義必爲子槤入國學助賑難民頗無吝色人以爲難

胡正言字曰從其先新安人少博學從李如眞精研六書秦漢篆隸至老學彌篤處一小樓不出

戸者三十載齊前種竹十个故號曰十竹主人年九十一以無疾終所著篆文法帖印存諸書行世

以上上元

晉劉訏字彥度平原人幼稱純孝數歲父母繼卒訏居喪哭泣幾至滅性赴弔者莫不傷焉與族兄歊阮孝緒爲三隱卜築鍾山有終焉之志著穀皮冠披納衣遊山澤風神穎俊意氣彌遠遇者以爲神人

南北朝

何點字子晳盧江人年十一居父母憂幾至滅性點明目秀眉容貌方雅眞素通美不以門戶自矜博通羣書善談論家本素族親姻多貴仕點惟事遨遊大言箕踞公卿下之或乘柴車躡草屩恣心所適致醉而歸士大夫多慕從之從弟遁以東籬門園居之孔德璋爲築室焉豫章王嶷命駕造點點從後門去司徒竟陵王子良聞之曰豫章王尚望塵不及吾當望岫息心後點在法輪寺子良就見之點角巾登席子良忻悅無已遺以嵇叔夜酒杯徐景山酒鎗梁武帝與點有舊及踐祚名見華林園賜詩酒恩禮如故仍下詔徵爲侍中點捋帝鬚曰乃欲臣老子耶辭疾不起仍下詔所在資給之初兄求隱吳郡卒弟應爲中書令亦棄官遊會稽世謂何氏三高

陶弘景字通明幼有異操年十歲得葛洪神仙傳晝夜研尋便有養生之志謂人曰仰青天睹白

日不覺爲遠矣及長身長七尺有奇神儀明秀讀書萬餘卷善琴棋工草隸未弱冠齊高祖作相引爲諸王侍讀除奉朝請雖在朱門閉影不交外物唯以披閱爲務朝儀故事多取决焉永平十年上表辭祿詔許之賜以束帛及發公卿祖之供帳甚盛朝野榮之於是止於句容之句曲山自號華陽隱居始從東陽孫游岳受符圖經法徧歷名山尋訪仙藥時沈約爲東都郡守高其志節累書要之不至永元初築三層樓弘景處其上弟子居其中賓客至其下與物遂絶唯一家童得侍其旁特愛松風每聞其響欣然爲樂性好著述尚奇異尤明陰陽五行風角星算山川地里方圖產物醫術本草著帝代年歷又嘗造渾天象梁武早與之遊及即位恩禮愈篤書問不絶冠蓋相望天監四年移居積金東澗善辟穀導引之法年踰八十而有壯容簡文臨南徐州欽其風素召與談論甚敬異之大同二年卒時年八十有五顏色不變屈伸如恒詔贈中散大夫謚曰貞白先生

宋楊德逢隱居蔣山西麓近元武湖與王荆國相往來荆國有題湖陰先生壁詩

吳思道以詩爲蘇軾劉安世諸人鑒賞官至團練使宣和末亟挂冠去後寓新安詩思益超拔野服蕭然如雲水人其高逸如此

元孫轍字履常學行純篤事母孝家居教授門庭蕭寂與人言以孝弟忠信爲本未嘗幾微及人過士至郡以不詣轍爲恥部使者長吏之賢多造請焉憲司累辟不就卒年七十二

明王顒少有雄才時林右張轂皆自負高世顒游淮上釣水濵望見二人踞坐大笑二人異之引歸逆旅出酒相飲起舞爲樂辯難今昔根據理道適意則鮮衣怒馬否則汙垢短衣後忽盡悔所爲買書數千卷讀之爲文章奇偉伉健品隲古今有特識顒父名元賓少從名儒學藝能蓋衆體貌魁然伉佷自負知世變遂决意避世事親孝交友義善料成敗先事不爽方正學嘗曰顒遠利詭隱爲一世奇士方之元賓可謂難爲父子矣

金琮字元玉自號赤松山農王公大人非先施不造其門書法精工文待詔極喜之得片紙皆裝潢

成帙題曰積玉與史忠稱金陵二隱有江南二隱稿弟璿字元善精于醫旁及繪事璿治病不計利常責人禮貌戸部尚書延之醫夫人痰火兩服而愈尚書寫數百言敘病源索丸藥方因圈其句讀以與之璿援筆答一書亦圈其句讀尚書見其文法古字畫工乃愧曰吾之過也命駕訪之遂爲知已

徐霖字子仁號髯仙武宗南巡名見試除夕詩百韻及應制詞曲皆立就語多諷諫上屢稱善嘗午夜乘月幸其家上命置酒惟蔬笋鮭菜上喜引滿扈從還京每夜宿御榻前與上同卧起將授官禁近固辭嘗得篆法于異人名播海外日本安南皆重購以歸開快園結賔客豪放自得年八十以壽終

王可立人稱丹丘先生元簡幼弟也家有小圃蒔花木自娛客至焚香煮茗清言相賞布衣蒲履人不知其爲貴介七十後猶手書所纂小程史數十卷字如蠅頭性好詼冷語逸韻爲士流所賞而御子弟嚴家法肅然年九十終

唐詩號古峯邑庠生遇一老叟見唐有仙骨約於天地壇三更時授以内外丹有道流勸之入山古

峯曰家有老母世無不孝神仙及母死遍辭親友遂去不知所之

李克受 字虛雲登之孫天性誠篤以孝著時彥多從受經弟克恭字虛舟皆有夫子之稱卜居長干里之西與李羲人張典公論學賦詩號南郊三老羲人名尚志一字何事負經濟才兵農典禮以及奇門遁甲之秘無不深究孝廉王亦臨常集多士開社中林堂延尚志坐皐比講經義四方來聽者屨相錯也亦臨豪爽倜儻爲詩超越筆無點塵極爲夌公義渠余公颺所稱賞與公名基宿學清才器識過人尤勤於性命之旨以餘技爲舉子業都人士多取法焉

鄭大眞 字一之至性孝友淹通經史平居端方愼靜風範爲鄉邦所宗尤樂施予惠族恤里賴以舉火者甚衆歲大祲日竭力具粥以待飢者適造某氏見其烹壺正熟老稚環釜而號詰之對已餓三日矣計無復之置因葷其壺欲俱盡大眞駭愕勸沮歸與妻方氏計即盡括囊橐簪珥等物爲具錢粟贍其饔飧更爲營繕生計圖室獲全其利物大畧如此晚年益礪行誼有司薦之不起日吟咏嘯傲以終子應

晨字杲初克承先志大眞病危嘗爲割股篤義好施致家計蕩然猶樂善不倦云

孫自修字無修天啓甲子鄉薦授陽江令遷貳大同感明末之亂忽盡遣愛妾棄家祝髮縛茅於人迹罕至之處顏曰懸溪菴其子間關往省言不及私以學道讀書相勉而已交遊俱罕見其面甲午示寂菴中

鄭時泰字中和幼豪爽任俠負大志知交俱海內英俊座客常滿時以比孔北海云福王初立當事薦泰有經濟才授官督鑄惠工利民人稱便焉不數月即掛冠歸盡棄其產偕二子以隱長子司勛字元白號仙放食餼郡庠負奇氣襟期磊落不屑一切有泰遺風焉

大清張正綱字敦五其先世職千戶父大來始力學爲儒窮經篤行正綱受庭訓未弱冠登上庠下筆數千言立就敦勵實學以聖賢爲歸年四十即決志沈淪閉門却埽歌誦其中嘗究心於律呂皇極經世之學所注周禮離騷春秋多昔賢所未發卒無嗣士林惜之同時有金呂者字伊仲郡庠生明末感時事

之變棄帖括不事力敦孝義潛究經史汲引後進學者多景仰其氣節云

艾容幼負經世之畧豪於詩文壬申客劉總戎幕中力爭機務於督撫不從知其必敗夜潰圍衣鉄甲渡水行數十里遲明登州巳陷遂自保定涉淄濰還次濟登太山俯日觀復遊蓟門盤山目擊時事日非徒長鳴永號不得行其志鬱鬱以死論者以爲未盡其才云

徐應坤字順之善讀書記輙不忘漚蓄經史有扣必應無間隱僻人目爲書厨久困場屋棄去搆亭青溪之上種竹百詩酒放達號竹谿散人司馬西䖶稱其篤厚不伐尤切友誼

以上江寧

唐吳綽 神鳳初採藥於華陽洞口見一小兒手把大珠三顆戲於松下見綽奔入洞中綽恐爲虎所害遂從入欲救之行不三十步見兒化龍形一手握三珠塡左耳中綽素剛膽以藥斧劚之落左耳而三珠已失所在龍亦不見出不十餘步洞門閉矣後上皇封綽爲素養先生

陳馬樞 以梁邵陵王綸留書萬卷肆志尋覽喟然歎曰吾聞貴爵位者以巢由爲桎梏愛山林者以伊呂爲管庫束名實則蕩芥柱下之言尚淸虛則糠粃席上之說稽之篤論亦各從其好也然支父有讓王之介嚴子有傲帝之規千載美談所不廢矣乃隱於茅山有終焉之志所居之處盜賊不入依托者嘗數百家目精洞黄能視闇中物嘗有白鷰一雙巢其庭樹馴狎櫚廡時集几席春來秋去幾三十年

宋徐洪 字德遠號德軒兄弟五人通五經皓首樂儒不求聞達翰林學士鄧光薦撰墓道碑

周信菴 篤學能文耽於吟咏景定間累辟不就築室買田於白溪之上且耕且讀教授子孫一以孝弟忠信爲本學者宗之

陳九思 諫議陳東之後東嶽宗時伏闕上書請誅六賊至九思任爲翰林待制扈從高宗南渡愛茅山風景遂家於吳墟村棄官不仕

元朱南强 多學善屬文隱居不仕以德化鄉里所著有甦醭稿

王德昇 多讀書有儒者風度至正間累辟不起

王肯堂 博學雄文士林推重怘形泉石不就徵辟所著有肯堂集

侯蕃 字仲瑄通六經大義文詞過人趣在林泉徵辟累辭不就蹤跡不入城府人以龐德公比之

明李源 字克中明周易理數之學書畫尤精妙明初以碩德徵辭不就素愛松竹梅別號三益居士無爲張眞人慕其清逸嘗作書繪圖賦詩以贈厥後累召不起邑令朱彤周庸節每造其第咸禮重之

居仁 字仁恕博學篤行模範鄉閭訓誨後進洪武初以儒碩徵聘入朝與之對奕賜以內醞辭不就職歸隱于家闢軒面竹披經閱史以終

孔騏字萬里博通經史優於詩文不仕終於家

湯禹賢性孝友自幼綜理家務得父母懽心洪武中縣司以耆老有才幹欲薦用於時力辭不就唯讀書教授子弟晚搆小屋於祖塋之傍耕田以供歲祀暇則招集親朋觴咏為樂孫膚克嗣先業人皆賢之

胡勲孝友端方資學並懋與弟照分驃競爽不樂榮仕著有文集於家子爇偕照子成並以詩隱云

笪昕號梅臺永樂時徵入文淵閣纂修典禮詩字見重一時

胡照字善明天性頴敏博學不倦出入衣冠蕭然雖平居亦無惰容永樂四年朝廷取人材縣尹李濟以公舉於南京照辭疾不就隱居吟樂以終身焉

王諒字以誠篤行孝友不求祿仕惟樂善好施見義勇為晚年結屋朱塘臨流種竹棲遲於中觴咏自樂別號竹溪邑大夫嘉其賢每召鄉飲尊為大賓

胡瑀字廷玠號雲窩性頴悟於諸子百家無不精熟尤善吟咏宣德間薦爲醫學訓科不就惟日杜門教授生徒景泰甲戌與修縣志平生所作有雲窩稿藏於家

周瘖字惟深號一松質實無僞惟嗜讀書善屬詩文平生足跡不入城市縣大夫知其賢常過訪於家屢聘鄉飲懇辭不赴鄉之子弟多遊學於門下遠近不名咸以師事之年踰八十手不釋卷成化二十三年膺冠帶終身

王珉宗潤賦性温純克盡孝友爲鄉里推重膺冠帶終身

大清張範字子楷邑庠生性頴悟好學不倦尤嗜韓柳李杜所作古文嗣雄邁一時所著有千日酒醞孝經童訓洪範本義同府庠生張正固邑人江砥皆以文行共推於時

笪金鏡字長人事母以孝聞工詩賦善臨池屏跡杜門觴咏自樂有陶靖節之風

以上句容

元楊景銘字公亮有詩名絶意仕進搆軒於沙漲里曰天水清意屢辟不起與鄉先生王遂嘉稱韋布交相與唱和其詩冲靜學韋蘇州有集傳於家

明强鋭字止之以詩畫名與蔣珙交最善家窶空未嘗以食于人小有得意輒寓諸筆墨清遠絶塵富人子求之不易得然時以貰酒無悋也有鹿莊稿藏于家

袁逵字達夫幼失父母訓甚嚴弱冠入泮宮嘗遊學錫山母以暑月暴疾卒遄歸則旣殮矣抱恨終身閉戶讀書足不入城市者四十年郡判張高其行署其門曰儒逸或比之宋儒程玒叔焉

宋臣熙字緝峯幼攻詩文不屑爲經生業萬曆初邑令帥蘭纂修縣志與有力焉後以貢尹新安簡靜而潔當事擬諸傲遂以詩自廢載石歸里貧如諸生時後官荆王藩邸亦以詩文相倡和孫之繩癸未榜眼

吳遇明字世會以文學教授里中嚴峻有志氣嘗赴某令季試荐牘屢載至遇明題一詩於卷端

而退詩曰百里淹留天下才春風時雨育羣材滿城桃李吹噓盡可到芙蓉江上來令避之

狄頌世字永宗好吟咏尤肆力于古文辭歷仕教職惟以著述爲業有觀如室稿行世嘗著八眚傳敘其父同然兄弟及從兄弟行誼凡八人皆登大耋頌世亦七十八而卒

錢自期字仲翔少負雋才戊子中乙榜遂棄諸生不復爲攻詩擬陶靖節所交皆名流邑令數以上賓延之不赴晚號爲澹凡子有澹凡集未行

周晏字叔夜僻處湖東覃思易學遊於金沙從王損庵深譚名理多所契會尤爲湯義仍所知所著易徵世傳之

方汝揚家貧學古邃於易理喜胡雲峯之說推衍成帙爲何棟如史孟麟所賞尤精字學覃思窮年著有五音會海數十卷藏於家學者稱爲聞崖先生

費良佐字仲嘗爲諸生祭酒三十年教授弟子多通經服古稱費氏學天啓丁卯璫祠徧天下邑

中有倡此議者良佐讓之辭甚激切人或爲之危而璫卒敗其中正不阿類如此

馬中任字君重幼失怙善事其母補諸生頭角庠序中數奇不偶課諸子攻苦力學世傑以貢入太學而世俊大魁天下貤封如子官初公自負甚重晚年雅慕濂溪於董庄栽蓮數十畝以自娛遂徜徉終其身焉

大清徐範字是則自號清醒居士居太清道觀小樓二楹坐臥三十年不輕出不妄交人罕識其面間作詩文詩泒唐人文宗程周四夫子秘不示人僅傳稿數帙而已資斧不給貧士徐鳳迎歸事如嚴師越二載而卒徐鳳祭塋惟謹有臯伯通之風焉

以上溧陽

宋趙林宣和中以才名屢聘不起隱居句曲尋買田溧水之南置别墅焉人呼曰趙莊自是趙姓家於溧水後甚著

趙三捷字公武林之子少好學弗仕有父風神宇磊落不羣著族譜自漢及宋二千餘年歷歷若視諸掌觀者咸才之又作諭後文十篇諄諄長者言也季子震字廷發由進士官國史編修

趙煥字仲章以該洽聞授儒學教諭父卒葬西亭山廬墓終身不仕四方學者多宗之尊爲亭山先生有文集不傳生于宋卒于元年八十五

姚鏞姚古次孫也以祖父勤王復地功除贛州太守一日命工繪已像爲騎牛澗谷圖趙東野題曰騎牛無笠又無簑斷壠横崗到處過暖日暄風不常有前村雨暗却如何公意欲隱而東野實窺之也後果被一帥所劾其隱志益堅人服東野之言

元袁艮所名當府至正丁酉舉于鄉其先丹陽人艮所避紅巾亂卜居溧水家焉遇茅山異人授以

方書遂遁跡懸壺遨遊山水明方正學端木孝友咸器重之嘗欲援引竟不可得所著有秋堂賦諸詩

明夏鑑字文明少有氣節弗仕掃一室貯先人所遺書而兀然其中家貧性孤潔無所合久之里中諸鉅族習其名爭延致之而鑑弗許也年七十受徒於鄉門下彬彬多賢者或語之云子勿顯門下必有顯者出鑑大笑曰爾欲以北面太守滎鄭元乎後有司累辟不就壽七十五而終所著有漁樂集諸弟子遂號爲漁樂先生又嘗私撰溧水志藏於家兼好詩宗長慶體楷書肖歐陽詢皆不汲汲於傳也

徐斆字希文號恒齋幼失父母哀毀如成人性廉潔業岐黃兼以活衆暇即賦詩爲樂不希名譽有猶子鬻宅購者必欲其押券拒不往强之乃自攜蔬酒不沾主人匕著默然歸時雪盈尺猶子持數金以壽斆擊之擲金雪中紳士俱推重之所著有寄傲集藏于家

黃汝金字西野邑庠士俊儀偉度博學著述翛然物外不與時趨當代名公皆以文藝重其人萬曆初年邑乘重修出汝金筆

蕭溧字世常號渚源天性穎悟處人不欺然諾侍養父盡孝生事死葬廬墓哀毁有涌露馴燕之徵名行益彰族里之間婚喪衣食悉以爲賴令尹欲上聞以輪幣徵遂遠遯謝之自明生死刻期坐化

大清趙嘉字君祿性孝友好儉樸隱居山林生平無疾言遽色寬和誠厚器量過人少孤嫡母抗年七十餘痼疾臥床嘉親哺糜粥躬滌穢器日夜弗怠者八年順治丁亥御史毛過其閭捐俸百金贈之嘉散之以周族黨之困乏者里中苦徭稅急衣糧初爲稱貸以濟後竟破產代償之樂義好施日益以貧蕭然壁立意泊如也鄉人或相犯匪惟勿校設酒具食爲陳親愛和睦銷除怨咎之端人人各如其意以出邑令數以上賓延之不赴

子統舉康熙丙午孝廉

武長祚字愛占邑庠生幼穎敏讀書數行俱下經史諸子俱手自謄錄以該洽稱爲人倜儻多姿好清言工摹倣時或雄談驚座名理霏霏如屑聽者忘倦其引掖後學多所發明後以羸疾卒人爭惜之所著有四書説畧諸詩集藏於家

以上溧水

明吳輪字國乘邑諸生與范祺爲石交祺登第遂棄業隱九龍山結社友談禪於潘城道塲諸執政每造請其廬邑令延爲飲賓不出年九十餘卒所著有愼齋野史筆花集

邢世忠清敏能文以庠生入太學應試其卷已錄爲他薦所奪因棄業不干任進遠避市廛母病不解衣者數年閭里稱重以爲隱行云

周廷嘉靖間以例貢援國子助教性恬退博涉經史兼星術及授職謂命不宜官即不赴而歸優游泉石以終

陳希憲字含若黃弱冠入庠性沉靜簡默體格珊然皎若玉樹與司馬萬善僉憲調鼎有竹林風二公貴去憲恬適自若三十喪妻不復娶以舘穀承菽水懽禮法自閑人盡儀之年八十七卒

張蓁字秉淑號桃庵生而岐嶷幼延金陵臬副李德爲師李端方正直蓁服習如之十四入庠屢試不售之涇上從張本靜貢授軒二先生學海內人士以理學師事之自號曰巖棲野叟

孫瑚字汝器號心宇邑庠生篤學嗜古博極羣書天性孝友慷慨好施持正論侃侃不阿崇儒黜佛晚年尤遵程子家法貽戒子孫身後母得以僧道治喪萬曆癸巳當事薦之以博學鴻儒聘名不赴給冠帶賜扁奉詔恩榮享年六十有七著有花溪吟辨佛解

大清韓無疾字元長年十七試童子即冠軍二十受餼五入棘闈輒厭之當歲薦亦不屑遂以衣巾請因自號曰慵伯署其居曰師放自博書史立詩文社以引掖後進蕭然自得置義田百畝以惠里人有師放居集行于世

邢昉字孟貞幼負遠志年十九爲諸生試輒高等一日爲衡文者詈其卷曰太狂閱末藝曰更狂不一之錄昉曰士爲文得以狂名足矣何問其他遂謝去肆力詩歌古文詞遊四方與海內名流相頡頏詩愈工家益貧築室獨居好學彌篤遠近聞聲思慕以得親炙爲快著詩數種文集數帙行于世

王明科字斐卿幼聰慧好學崇禎十七年督學陳選拔前列深期許之倏值代易父率之同隱山

林以詩歌爲在陰之和邑里高之

夏雲字夢飛少好學篤志家貧不苟取予嘗竟日不火有餽以粟者輒不受鄉里重之晚年授敎金沙于公息菴欽其素行將薦之雲深匿菰蘆不出著書以老有菰蘆集傳世

吳古懷字弗如博學嗜古寒暑不間自五經歷史及天文地理術數之學無不貫通尤精兵法當世名流多造訪焉不求榮仕自號三湖散人放浪以終所著有邊險圖說宋金遼元四史刪併雜稿行世

以上高淳

明莊志甫世家雲間父孟文楊廉夫高弟志甫讀書有才名能詩文精數學有司交薦于朝志甫不樂仕進挈妻子遊淮泗間至江浦家焉文帝北狩至滁陽上書言時政十事多見採納卒老林泉葬西華山

許琰通儒家言旁通釋典每會鄉人舉高帝教民榜文語人曰汝輩欽遵聖訓即是爲善何必持齋誦經耶親赴闕下具陳時政如減除孳牧種馬勘還供應蘆洲以甦民患又以巳地一區爲梓潼祠定山先生讀書其中尚書湛若水拓其址建新江書院

王綸字愚山端方醇謹博學好義戚里待舉火者百餘家性樂恬退不干榮進惟以飭躬利物爲務易簀之夕焚千金貸券年未艾而卒人多惜焉妻陸氏栢舟矢志撫孤成立壽八十有五子延字似竹與妻鮑氏色養孀母以孝謹稱解推樂善綽有父風孫炳字星章號復菴食餼郡庠後入太學意氣剛方恥事奔競教授著述交遊海內名人遵先人義方訓二子基堂讀書樂道即以耕樂名其堂先世上元人也

於浦子口愛其江山名勝因治田廬遂占籍焉人稱爲名族云

許三奇字庸成號韋菴初任巖郡訓導遷上海教諭兩庠德教著聲訓多士獲雋南宮稱得人焉以老疾謝職歸結廬于定山之側日招名友賦詩樂道其中絕跡公庭士論韙之

弓瓚博究書史練達時務精陰陽家書用保舉任陰陽訓術縣闕正官曾委署印務隨事裁决人服其公明邑中諸大建置力任程督罔不修舉後以子貴封監察御史

尚紹雍字有來敦行古道好善若渴凡除道賑饑施櫘濟湯藥等舉俱竭力營應雖稱貸弗倦也親友有急每爲陰助不以示人人益重焉年六十始舉子衆以爲積德之報邑侯舉爲鄉飲大賓後與胞弟文學介人逸志林泉垂訓後嗣至今浦人俱稱爲善士弗衰去

以上江浦

唐陳融事親克孝居喪哀毀盡禮友于兄弟鄉黨朋友罔不欽式肥遯不仕游不出鄉鄉人皆被其化年七十二卒貞元中東平呂溫寓居是邑見風俗甚美異而嘆曰芳蘭所生其草皆香美玉所積其山有光必有賢者生於是矣遂停車累日周訪故老僉以融對溫慨融純德至行沉落光輝乃披典校德謚曰貞晦先生建石以表其墓

宋徐彥伯字長孺其先世彭城人父執中爲古職方官教子讀古書彥伯攻苦不輟博聞廣覽擅名當世恥以身與宦籍乃刻意工詩爲劉凝之門下婿甥舅唱和嘗偕內子歸寧於南康以病而卒

崔子房字彥直涪陵人也徙居邑南治春秋有獨解時與東坡山谷爲文字交嘗知滁州文譽與吏治並美曾子開爲記刻於醉翁亭側與歐陽文忠公辨芳草澗詩稱子房房爲善永樂志云子房授經於東坡山谷蓋亦文品之并著者

仇博字彥文新安鄉人質敏博學善屬文父著知梓州嘗建至樂堂博年十三作記東坡見而奇之

後應舉不第慨然泛舟泝采石謁李白祠與之對飲祭之以文有曰不知我者以狂爲罪知我者謂我與君不同時而同輩飲罷別去

元郭淵字巨川唐汾陽王子儀後也家故多貲而好義父諗復以詩書俎豆爲業鄉人化而多儒宋季盜興淵聚族爲堡以保衆庶大德末淮南饑爲飦粥以活流民貧鬻子自救者撫育成人而歸之嘗得遺金亟還其人所爲有長者風竟肥遯自甘不樂仕進著作郎永嘉李孝光文其墓金華宋濂哀之以辭後人欽仰稱爲盤城先生

明朱滄字世清邑庠生醇謹謙冲曲承親志溫席嘗藥無間始終恭謹接人里中子弟奉爲師範饑寒可憫者見之必殫心力助之有盜犬者恒爲代償其盜率多愧改今歷數世父老猶傳誦焉

陸榮字純仁賦性貞醇動無過舉事親篤敬隨所意欲極力求致未嘗少違顏色教愛五弟常變與俱治家一遵父訓閨門整肅無諠譁聲宗族無親疎皆畏敬焉凡有所爲必咨之邑大夫每延爲鄉飲大

賓榮博通書史性不嗜酒色與人交禮恭言直相與商確古今夜分忘倦子漳循榮家法讓產于昆弟獨殯其親從姪曇收育成立之使有以繼其先德士大夫談其家世無不嘖嘖稱賞曰唐貞晦不是過也黃憲使肅銘其墓曰孝之篤行之毅宜介爾景福家之肅族之睦爲六峯稱獨昆季穆穆子姓簇簇以永踵其芳躅漳有樂隱集齊壽編隆慶元年本縣采入世宗實錄以上六合

論曰天地人皆物也天地爲物不貳故物物而不物於物人而不副其物何以對兩間乎故臣以忠爲物子以孝爲物物之至者人亦至焉自古聖人其宏博浩淼與天地等故不得而物之由是以降得其緒餘與承其流風餘韻者若瀉金於冶其爲罇罍釜錡各

有當也若摶土於埴其爲缾罌甕盎各有等也雖然有眞贗焉眞者必堅贗者必窳矣有古今焉古者必朴今者必華矣即一方論之自有載紀以來其人智愚賢不肖之分不可億萬計其爭自託於道德文章事功以傳者又不可億萬計然所可屈指者曾不千百之一二也豈克成其物者鮮而其物之爲眞爲贗爲古爲今又自大有辨耶夫市物者苟舍眞而取贗舍朴而取華人必謂其無識又況銓次品流盱衡今昔其可妄以不物之物側於大雅乎故志人而謂之人物嚴之也爲受者正其名爲予者精其識也誠正

其名精其識而其爲物之大小精粗長短可不問矣何也彼各有其副乎其人而無愧於天地矣詩曰天生蒸民有物有則人所同也又曰惟其有之是以似之物所獨也後之君子讀其書論其世必有概然於中者焉